AQA A2 French

ATOUTS

www.heinemann.co.uk
✓ Free online support
✓ Useful weblinks
✓ 24 hour online ordering

0845 630 33 33

Anneli McLachlan

Speaking and writing exam sections by
Howard Horsfall

Heinemann

Part of Pearson

Tableau des contenus

Frise du XXème siècle

1900 **1910** **1920** **1930** **1940** **1950**

Les époques

La Belle Époque

Les Années Folles

Régime de Vichy

IVème République

Le Front Populaire

La décolonisation

1ère guerre mondiale

2ème guerre mondiale

La France

Exposition universelle à Paris 1900

Séparation de l'Église et de l'État 1905

Krach boursier 1929

Droit de vote des femmes 1944

Guerre d'Indochine 1946–1954

Le monde

Paris-soir

LA GUERRE EST DÉCLARÉE

L'Angleterre depuis ce matin 11 heures
La France depuis cet après-midi 5 heures
sont entrées en état de guerre avec l'Allemagne

Bombe atomique détruit Hiroshima 1945

Art et littérature

SURRÉALISME

Magritte, Arp

FAUVISME

Matisse

EXPRESSIONISME

Éluard

Capitale de la douleur 1926

Camus

L'Étranger 1942

Prévert

Paroles 1946

DADAÏSME

CUBISME

Picasso, Braque

Calligrammes 1919

Apollinaire

Sartre

La Nausée 1938

Le Corbusier

Cité Radieuse 1952

Science, sports et technologie

Ière ligne de métro 1900

Ier Tour de France 1903

N°5 de Coco Chanel 1921

Ier film parlant 1929

Prix Nobel Marie et Pierre Curie 1903

1960 **1970** **1980** **1990** **2000** **2010**

Vème République

De Gaulle 58–69 | Pompidou 69–74 | Giscard d'Estaing 74–81 | Mitterrand 81–95 | Chirac 95–07 | Sarkozy 07–

Les Trente Glorieuses

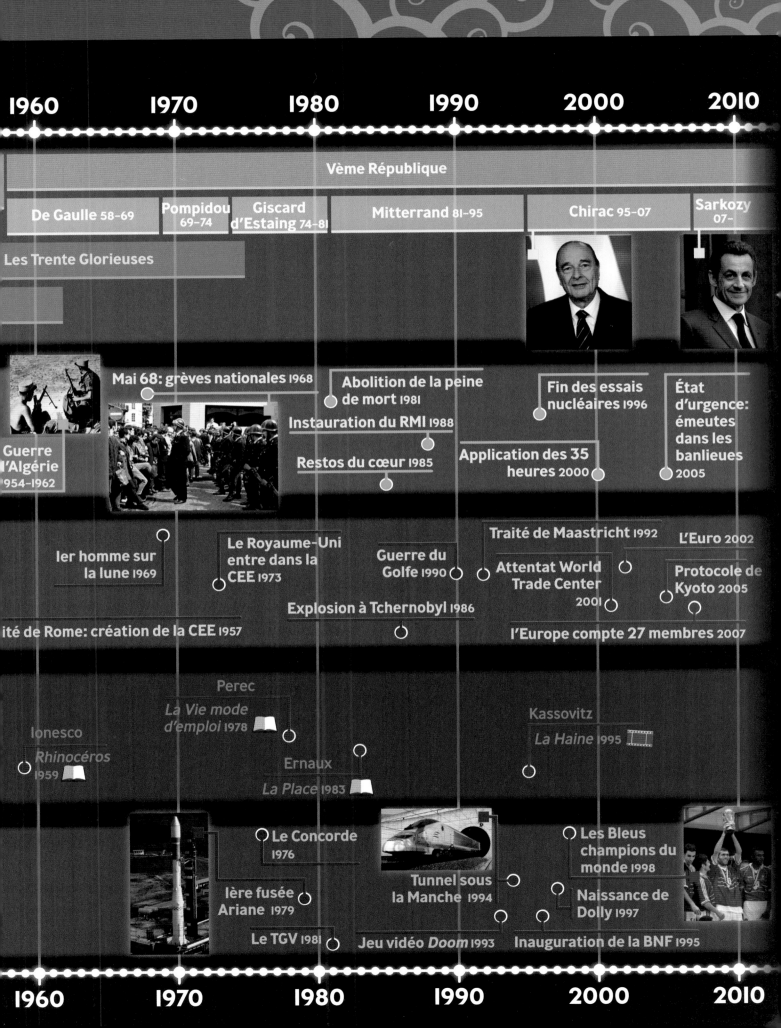

Mai 68: grèves nationales 1968

Abolition de la peine de mort 1981

Fin des essais nucléaires 1996

État d'urgence: émeutes dans les banlieues 2005

Instauration du RMI 1988

Restos du cœur 1985

Application des 35 heures 2000

Guerre d'Algérie 1954–1962

Traité de Maastricht 1992

L'Euro 2002

1er homme sur la lune 1969

Le Royaume-Uni entre dans la CEE 1973

Guerre du Golfe 1990

Attentat World Trade Center 2001

Protocole de Kyoto 2005

Explosion à Tchernobyl 1986

ité de Rome: création de la CEE 1957

l'Europe compte 27 membres 2007

Perec
La Vie mode d'emploi 1978

Kassovitz
La Haine 1995

Ionesco
Rhinocéros 1959

Ernaux
La Place 1983

Le Concorde 1976

Les Bleus champions du monde 1998

Tunnel sous la Manche 1994

1ère fusée Ariane 1979

Naissance de Dolly 1997

Le TGV 1981

Jeu vidéo *Doom* 1993

Inauguration de la BNF 1995

1960 **1970** **1980** **1990** **2000** **2010**

(t) Thèmes

- Connexions entre histoire, arts et littérature
- Survoler le XXème siècle: la quête de justice et de liberté
- Analyser un film
- Analyser le travail d'un réalisateur
- Parler de lecture et de littérature
- Parler du théâtre
- Parler des artistes et de leurs œuvres
- Parler d'une ville
- Parler d'architecture

(g) Grammaire

- Le présent (1)
- Le présent (2)
- Les pronoms démonstratifs
- Les pronoms possessifs
- Les temps du passé
- Les pronoms relatifs
- Les pronoms interrogatifs
- Le futur
- **Ce, ceci, cela, ça**

(s) Stratégies

- Connaître les périodes, les événements et les personnages clés du XXème siècle
- Utiliser le contexte pour comprendre ou expliquer
- Faire des recherches documentaires efficaces
- Rechercher les causes et mesurer l'impact d'un événement
- Traduire du français à l'anglais
- Écrire un essai sur un film
- Écrire un essai (1)
- Analyser un extrait de roman
- Inventer et décrire un personnage
- Étudier une pièce, une scène
- Enchaîner les idées
- Commenter une œuvre d'art
- Exprimer et justifier son opinion
- Évaluer différents facteurs
- Activer son vocabulaire

t Connexions entre histoire, arts et littérature

g Le présent (1)

s • Connaître les périodes, les événements et les personnages clés du XXème siècle
• Utiliser le contexte pour comprendre ou expliquer

1 · Le XXème siècle: un siècle de progrès et de destructions

Lire 1 De quelle période ou de quel événement s'agit-il? Utilisez la frise pages 4 et 5 pour vous aider.

A
À l'aube d'un siècle nouveau, les Français sont optimistes quant à l'avenir. On attend beaucoup du progrès industriel, le pays connaît une longue période de paix, la vie culturelle est riche et surtout, on veut s'amuser!

B
La France est en colère. Elle se révolte. Les gens font la grève et descendent dans la rue pour protester. C'est un mouvement social important qui apporte des changements de mentalité et d'attitude dans tous les domaines.

C
Les coquelicots qui poussaient dans les champs de bataille sont devenus le symbole de ce conflit entre la Grande-Bretagne, la France et la Russie d'un côté et l'Allemagne et l'Autriche-Hongrie de l'autre. Des millions d'hommes trouvent la mort.

Écouter 2 De quelle période ou de quel événement s'agit-il? Prenez des notes sur ces trois passages, puis utilisez la frise pages 4 et 5 pour vous aider.

To understand the culture of a country, it is essential to have a historical overview and to make connections between history, key people, key issues and movements, and also the literature and the arts at a particular time. Both the 19th and the 20th centuries in France were periods of great historical and political importance, enormous social change and exciting cultural development. Artists, writers, architects, etc. are inevitably influenced by their world and context which they then shape in turn.

Lire 3 Conjuguez les verbes au présent, puis décidez si les phrases sont vraies ou fausses selon la frise pages 4 et 5 et les textes ci-dessus.

1 La Belle Époque (**redonner**) espoir aux gens.
2 Matisse (**peindre**) *La Danse* en 1925.
3 Coco Chanel (**écrire**) des poèmes surréalistes.
4 Les résistants (**rejeter**) le régime de Vichy.
5 Les Bleus (**espérer**) devenir champions du monde en 1997.
6 La guerre d'Algérie (**précéder**) la guerre d'Indochine.
7 En mai 68 les étudiants et les ouvriers (**essayer**) de faire évoluer la société.
8 Le premier homme sur la Lune ne (**venir**) pas de France.

Grammaire

Le présent (1) *(the present tense)*

Form all present tense verbs correctly. Check your stem and endings. Never throw away marks on an incorrect present tense ending. Look out for the following groups of verbs.

rejeter/appeler	préférer/libérer	appuyer/nettoyer
je reje**tte**	je préf**è**re	j'appu**i**e
tu reje**tte**s	tu préf**è**res	tu appu**i**es
il/elle/on reje**tte**	il/elle/on préf**è**re	il/elle/on appu**i**e
nous rejetons	nous préférons	nous appuyons
vous rejetez	vous préférez	vous appuyez
ils/elles reje**tte**nt	ils/elles préf**è**rent	ils/elles appu**i**ent

i Culture

Le cimetière du Père-Lachaise est un cimetière laïc, où l'on trouve les tombes de beaucoup de célébrités littéraires, musicales, artistiques, politiques et militaires. On y trouve notamment la sépulture d'Oscar Wilde et celle de Jim Morrison.

Écouter 4 Écoutez ces jeunes qui vont visiter le cimetière du Père-Lachaise. Complétez ce tableau (attention, il y a trois intrus!).

Nom	Profession ou connu(e) pour …	Date de naissance	Décédé(e) en
1 …	Chanteuse: La vie …	19…	19…

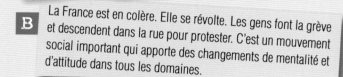

Guillaume Apollinaire
Aimé Césaire   Marcel Proust
Georges Bizet   Francis Poulenc
Eugène Delacroix
Albert Camus

Édith Piaf
Honoré de Balzac   Zinédine Zidane
Colette   Molière
Paul Éluard   Lucie Aubrac
Jane Avril

Parler 5 Quelle époque, quels événements vous intéressent le plus? Quelle personne trouvez-vous la plus intrigante? Justifiez vos réponses.

à l'examen

If you have the choice of what to study for the **cultural topics paper**, it is vital that you choose a subject which interests you and which you can research properly. Sometimes it helps to find a link with your other A-levels. Are you interested in History? Art? Music? Drama? Cinema? Will you research a French-speaking region or community?

It is very important to **consider the availability of relevant source material** to find details, facts, or statistics for your chosen subject. **The more detailed your research, the more analytical** your essay can be.

Lire 6

Lire 6 — Lisez cet article et répondez à ces questions en anglais.

1 What is the text about?
2 Which cultural disciplines are mentioned? Name four.
3 Which new movement appears at the beginning of the 20th century?
4 Name three different artistic movements of the 20th century.
5 Which events made man question his beliefs in humanity and traditional values?
6 Who becomes one of the most famous French musicians in the 20th century?

LE VINGTIÈME SIÈCLE

Au vingtième siècle, la littérature et les beaux arts se sont influencés mutuellement.

L'histoire de l'art au vingtième siècle est marquée par la naissance de l'art abstrait. On ne <u>veut</u> plus reproduire les êtres ou les objets réels, mais plutôt créer ses propres objets. Le nouveau siècle est d'abord fauviste. Les Fauves <u>réagissent</u> contre les taches de couleur des Impressionnistes. Ils <u>négligent</u> le détail et <u>appuient</u> les contours.

À partir de 1907, une nouvelle tendance <u>s'oppose</u> au fauvisme. Le cubisme <u>inscrit</u> les objets dans des volumes géométriques et <u>remet</u> tout à plat.

Pendant les années vingt les Surréalistes, eux, <u>recherchent</u> l'accidentel et l'inattendu.

Le vingtième siècle <u>voit</u> s'affirmer l'influence de la philosophie sur les lettres. Les valeurs léguées à la France par des siècles de christianisme et par l'humanisme de la Renaissance sont remises en question.

Un trait dominant: l'*angoisse* qui <u>étreint</u> l'homme. Les deux guerres mondiales <u>donnent</u> une extrême urgence au problème de la condition humaine et <u>contribuent</u> à développer la philosophie de l'absurde d'une part, et d'autre part la littérature engagée.

En ce qui concerne la musique, après Debussy et Fauré, Ravel <u>devient</u> le représentant du génie musical français.

Lire 7 — À quel temps sont les verbes soulignés dans l'article? Écrivez leur infinitif et leurs formes pour *je* et *ils*. Notez leur traduction en anglais.

les êtres	*beings*	un trait	*a feature*
une tache	*a stain*	étreindre	*to suffocate*
mettre à plat	*to flatten*	répandre	*to spread*
léguer	*to leave to someone*		

Écouter 8 — Écoutez Amélie parler du poème pour vous aider à répondre aux questions suivantes.

1 Who was Apollinaire?
2 Where did he write this poem?
3 What was the subtitle of the collection?
4 What do the two shapes make one think of?
5 Who were Braque and Max Jacob?
6 Why do you think this poem is still remembered today?

Parler 9 — À deux, répondez à ces questions.

1 Quelle est votre réaction devant ce poème?
2 La forme du poème, qu'apporte-t-elle selon vous?
3 Aimez-vous la poésie en général? Pourquoi? Pourquoi pas?
4 Préférez-vous lire des poèmes ou un roman?
5 Préférez-vous l'histoire ou la littérature?
6 Préférez-vous les artistes ou les personnages politiques ou héroïques?

Parler 10 — Choisissez une époque, un personnage ou un événement du XXème siècle. Préparez un exposé qui dure une minute pour votre classe.

Il faut inclure les points suivants:
● trois détails spécifiques
● le contexte historique
● son impact à l'époque et de nos jours

naguère	*formerly*	s'engager	*to enrol*
jaillir	*to gush*	saigner	*to bleed*

La Colombe poignardée et le jet d'eau

Douces figures poignardées Chères lèvres fleuries
Mia Mareye
Yette Lorie
Annie et toi Marie
Où êtes-
vous ô
jeunes filles
Mais
près d'un
jet d'eau qui
pleure et qui prie
Cette colombe s'extasie

?

Tous les souvenirs de naguère
Ô mes amis partis en guerre
Jaillissent vers le firmament
Et vos regards en l'eau dormant
Meurent mélancoliquement
Où sont-ils Braque et Max Jacob
Derain aux yeux gris comme l'aube

Où sont Raynal Billy Dalize
Dont les noms se mélancolisent
Comme des pas dans une église
Où est Cremnitz qui s'engagea
Peut-être sont-ils morts déjà
De souvenirs mon âme est pleine
Le jet d'eau pleure sur ma peine.

Ceux qui sont partis à la guerre au Nord se battent maintenant
Le soir tombe Ô sanglante mer
Jardins où saigne abondamment le laurier rose fleur guerrière.

9

documentaires efficaces
• Rechercher les causes et mesurer l'impact d'un événement

Grammaire

Le présent (2) *(present tense)*

The following verbs come up frequently, make sure you know them perfectly.

connaître/ reconnaître	recevoir/percevoir/ apercevoir
je connais	je reçois
tu connais	tu reçois
il/elle/on connaît	il/elle/on reçoit
nous connaissons	nous recevons
vous connaissez	vous recevez
ils/elles/connaissent	ils/elles reçoivent

Make sure you also know **être** and **avoir** perfectly as they are needed to form other compound tenses, the passive and idiomatic expressions.

Parler 1 **Vous préparez un exposé sur Mai 68. Vous devez identifier:**

a les origines des événements
b les conséquences pour la société de l'époque
c l'impact sur la société de nos jours.

Lesquels de ces documents vous seraient les plus utiles dans vos recherches? Classez-les par ordre d'importance.

Proper research makes for informed writing. Before you start searching, establish exactly what you are looking for. Beware of using English source material. This does not necessarily save you time as you need to transfer the facts into French. Ask yourself where a French student might look for the same material.

Think about the key words you need to search for if you are using the internet. Don't be content with just Wikipedia for your information.

---

2 mai: Incidents à Nanterre, les cours sont suspendus
15 mai: Occupation de l'usine Renault
16 mai: Le mouvement de grève s'étend dans les entreprises
18 mai: Grève générale gagne l'ensemble du pays
24 mai: Nuit des barricades
28 mai: Démission d'Alain Peyrefitte

1 une chronologie

Mai 68 invente un monde nouveau.

En quelques semaines, la France a changé de siècle. Les jeunes, les femmes et les ouvriers ont réclamé plus de pouvoir, plus de parole, plus de liberté. Nombre de leurs rêves sont devenus notre quotidien. Malgré cela, l'héritage de M_____ n sujet_____ i sus_____

2 des articles de journaux, de magazines en français

---

3 des témoignages

Mai 68,
Je ne peux pas dire que je me sentais très concerné. Toute cette agitation me paraissait fumeuse ... mais je décide qu'il est temps de comprendre ... Cela tombe bien, l'usine Renault est sur le chemin. Les ouvriers sont stupéfaits de me voir débarquer dans une splendide décapotable rouge bourrée de fleurs.
Ils m'ont expliqué qu'ils luttaient avant tout pour le respect. On a du mal à comprendre ça aujourd'hui, mais le monde ouvrier se sentait réellement méprisé par le reste de la société. Leur vie était dure.

C'était il y a quarante ans. Un vent de contestation et de liberté, venu d'Europe et des États-Unis, soufflait sur la capitale. Le 22 mars 1968, Daniel Cohn-Bendit, un étudiant allemand âgé de vingt-trois ans, fonde à l'université de Nanterre «le mouvement du 22 mars» qui sera à l'origine de l'occupation de l'université le 2 mai.

Contestant les structures rigides de la société, les étudiants se mobilisent et descendent dans la rue. L'insatisfaction gagne peu à peu les autres mécontents du système et c'est bientôt tout le pays qui est paralysé pendant plus d'un mois. Se terminant par la dissolution de l'Assemblée nationale, ce mouvement a permis de nombreux acquis sociaux. Quel regard portons-nous aujourd'hui sur mai 1968?

Certains accusent cet événement d'être la cause des maux principaux de notre société. N'est-ce pas oublier les droits syndicaux, la libéralisation des mœurs et le droit des femmes?

126

---

4 des sites internet en anglais

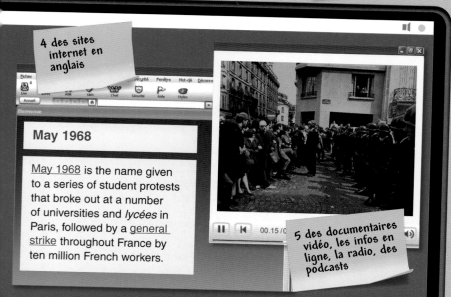

May 1968

May 1968 is the name given to a series of student protests that broke out at a number of universities and *lycées* in Paris, followed by a general strike throughout France by ten million French workers.

5 des documentaires vidéo, les infos en ligne, la radio, des podcasts

---

6 une encyclopédie, un dictionnaire

7 des photos, des personnages clés

Dany le rouge

Lire 2 Complétez ce texte sur Sartre avec les mots de la liste. Attention, il y a deux mots de trop! Ensuite recopiez les verbes qui sont au présent.

> « **Dans la vie on ne fait pas ce qu'on veut, mais on est responsable de ce que l'on est.** »
>
> Jean-Paul Sartre

Au lendemain de la seconde guerre mondiale, une
1 _____, l'existentialisme, domine la pensée
2 _____.
La philosophie de Jean-Paul Sartre est
explicitement athée et 3 _____. L'existence de
l'homme exclut l'existence de 4 _____. L'homme
est l'avenir de l'homme, l'homme est ce qu'il se fait.
   Sartre affirme que l'homme 5 _____
besoin de donner un fondement rationnel à sa
6 _____ mais qu'il est incapable de réaliser
cette condition. Aussi la vie 7 _____ est-elle à ses
yeux une «futile passion». Néanmoins, Sartre met
l'accent sur la liberté de 8 l'_____, sur ses
choix et sa responsabilité.

se faire	*to make oneself*
s'avérer	*to prove to be*
un fondement	*basis*

animal	a	humaine	pessimiste	homme
choix	vie	française	Dieu	philosophie

Écrire 3 Conjuguez les verbes entre parenthèses au présent. Ensuite traduisez-les en anglais.

> « **Il y a dans les hommes plus de choses à admirer que de choses à mépriser.** »
>
> Albert Camus

Albert Camus 1 (**attacher**) son nom à une doctrine
personnelle: la philosophie de l'absurde. Une fois
qu'on 2 (**prendre**) conscience de l'absurde, de
l'inutilité de notre condition et de la certitude de la
mort, l'homme est libre. Paradoxalement, c'est à partir
du moment où l'homme 3 (**connaître**) lucidement
sa condition qu'il 4 (**se libérer**). Il 5 (**pouvoir**) alors
s'engager, se révolter et chercher le bonheur en
profitant du temps présent.

Lire 4 Sartre et Camus ont joué un rôle essentiel dans la quête de justice et de liberté. Copiez cette fiche et remplissez-la en anglais pour chaque écrivain.

name: ....
movement: ....
principal ideas: ....

Écrire 5 Traduisez ces phrases en français.

1 The twentieth century bowls France over.
2 Philosophy influences literature.
3 The two world wars raise the question of the human condition.
4 In May 68, the whole country is paralysed by strikes.
5 Workers, artists and students take to the streets.
6 President De Gaulle receives a message.
7 He dissolves the National Assembly.
8 It is difficult for us to understand today.

influencer	paralyser	comprendre	recevoir
bouleverser	soulever	dissoudre	descendre

Écouter 6 La musique a aussi connu sa révolution au XXème siècle. Notez en français les caractéristiques des deux tendances principales.

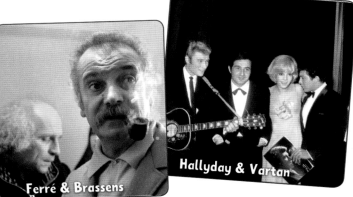

Ferré & Brassens

Hallyday & Vartan

Écouter 7 Écoutez ces quatres morceaux. De quel genre de musique s'agit-il? Qu'en pensez-vous?

A   La musique classique (comme Pierre Boulez)
B   La chanson d'auteur (comme George Brassens ou Renaud)
C   La musique des yéyés (comme Sylvie Vartan)
D   La musique électronique (comme Daft Punk)

le genre	la musique	les paroles
manquer d'harmonie	émouvant	sophistiqué
difficile à écouter	bizarre	répétitif
audacieux pour l'époque	choquant	d'avant-garde

Écrire 8 Choisissez un événement du XXème siècle (utilisez la frise pages 4 et 5 pour vous donner des idées). Écrivez un texte de 100 mots qui explique les causes de cet événement, son impact sur la société de l'époque et sur la société actuelle.

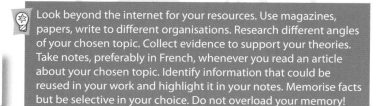

Look beyond the internet for your resources. Use magazines, papers, write to different organisations. Research different angles of your chosen topic. Collect evidence to support your theories. Take notes, preferably in French, whenever you read an article about your chosen topic. Identify information that could be reused in your work and highlight it in your notes. Memorise facts but be selective in your choice. Do not overload your memory!

Écouter 1 Écoutez bien. Comment s'appelle le film en anglais?

Parler 2 À deux. Faites le quiz. Quel genre de film préférez-vous?

1 Vous aimez les films qui
  a traiter de la société?
  b s'inspirent de l'histoire?
  c s'inspirent de la musique?
  d s'inspirent de l'art?

2 Préférez-vous aller au cinéma ou regarder les films à la maison?

3 Si le film est tiré d'un livre, préférez-vous lire le livre ou regarder le film d'abord, ou est-ce que cela vous est égal?

4 Comment choisissez-vous un film? En fonction des acteurs? Du réalisateur? Du thème? Des critiques?

5 Quel est votre film culte, celui que vous ne vous lassez pas de regarder, celui dont vous connaissez les dialogues par cœur?

6 Quel film considérez-vous comme le pire des navets (celui que vous trouvez sans intérêt)?

Écouter 3 Écoutez ces jeunes qui parlent des différences entre le cinéma français et le cinéma américain. Notez le genre qu'ils préfèrent et pourquoi.

LA HAINE

Au cours d'une nuit d'émeutes provoquées par le passage à tabac d'un jeune beur de banlieue par un inspecteur de police lors d'un interrogatoire, un policier perd son arme. Le Smith & Wesson est retrouvé par Vinz, un jeune juif révolté. On le suit, lui et ses deux potes: Saïd, un maghrébin, et Hubert, un noir. Nos trois personnages principaux représentent les minorités raciales et religieuses de la société française. Ils se promènent dans Paris, s'introduisent dans une galerie d'art, passent quelques heures au commissariat de police.

Tourné en noir et blanc, pour faire allusion au genre documentaire peut-être, *La Haine* raconte 24 heures de la vie de la cité HLM des Muguets, où la tension monte et des émeutes éclatent. Bob Marley, le rap, le verlan contribuent à produire une bande sonore sensationnelle. Le découpage des scènes qui affiche l'heure de la journée accentue l'intensité dramatique. «C'est pas la chute qui compte, c'est l'atterrissage ...»

le film met en scène   les protagonistes
     dénonce/traite de   l'histoire se résume à
le personnage principal   l'action se passe en

Lire 4 Lisez l'article sur *La Haine* et répondez aux questions en français.

1 Quel événement déclenche l'action dans *La Haine*?
2 De quoi traite le film?
3 Qui sont les personnages principaux de *La Haine*? De quelle origine sont-ils?
4 Où se passe l'action du film?
5 Pourquoi le réalisateur, Mathieu Kassovitz, n'a-t-il pas tourné son film en couleur?
6 Pourquoi la bande sonore est-elle remarquable?
7 Pourquoi, selon vous, Kassovitz a-t-il choisi de nous montrer vingt-quatre heures de la vie des personnages?
8 Lesquels des thèmes suivants sont abordés dans ce film?
  a les banlieues   b la délinquance
  c l'enfance   d les nouvelles technologies
  e la violence urbaine   f la santé

The synopsis of a film describes the action or gives a resumé. When you are analysing a film, you will not narrate the action (assume your reader is already familiar with it), rather you will analyse it and consider the importance of the following:
• themes   • the historical context
• ideas   • the characters and characterisation
• techniques   • the structure of the film.
• influences

Lire 5 Regroupez ces éléments du film *La Haine* sous la bonne rubrique.

Les personnages	Les thèmes	Les techniques	Les lieux, les décors

les violences urbaines

le surréalisme   les émeutiers

les jeunes   l'argot

le pistolet   la police   la délinquance

le parking   les forces de l'ordre   l'ennui   les CRS

la banlieue

le verlan   la musique rap   les mouvements de caméra saccadés   la crise d'identité

le RER

le commissariat de police   l'utilisation de l'espace   les images en noir et blanc   la cité

le chômage   l'exclusion   le racisme   la bande sonore   le conflit des générations

la double culture

Écrire 6 Traduisez cette critique de cinéma en français.

The story of *Hate* takes place in one housing estate in a suburb of Paris. The principal characters are representative of the ethnic mix of these areas. The film deals with themes such as exclusion, relationships between young people and the police and racism. Special effects are absent from this film. The way in which the film is shot recalls the documentary genre. The treatment of time accentuates dramatic intensity. A film not to be missed.

When translating from English into French
- Concentrate on conveying the meaning accurately. If any phrases in French immediately spring to mind, note them down. Remember that the specification describes this exercise as transfer of meaning. Think of how you could use the good French phrases you know in order to convey the message.
- Work at a phrase level rather than concentrating on individual words.
- Get accents right especially if they change the meaning of the word (e.g. **ou/où**; **a/à**; **du/dû**; **la/là**; **des/dès**; **près/prés**, etc.).

Grammaire

Les pronoms démonstratifs *(demonstrative pronouns)*

These refer to people or things previously mentioned. They must agree in number and gender with the noun they are describing.

masc sing.	fem sing.	masc pl.	fem pl.
celui	celle	ceux	celles

Je suis fan **des films français**. **Ceux** que je préfère, ce sont **ceux** de Mathieu Kassovitz.

They are often used

- with **de** to indicate possession:
  l'arme du policier → **celle du** policier
- with **qui** in a dependent clause:
  Vinz → **celui qui** a trouvé le pistolet
- with **-ci** or **-là** to be more precise:
  Quel pistolet a–t–il trouvé, **celui-ci** ou **celui-là**?

Écrire 7 Écrivez le bon pronom démonstratif.

1. – J'aime les films de Jacques Audiard.
   – Je préfère _____ de Robert Guédiguian.
2. Marc a apprécié les scènes tournées à Nice, tandis que Mathilde a mieux aimé _____ qui avaient été tournées à Cannes.
3. – Je vais voir le film de Steven Spielberg.
   – Ah bon? Moi, je vais voir _____ de Jean-Jacques Annaud.
4. Quel poster préfères-tu? _____ ou _____?
5. Quelle scène de *La Haine* t'a le plus marqué? _____ de Vinz devant le miroir ou _____ où Vinz montre le pistolet à ses copains?

Écrire 8 Choisissez un film que vous avez vu récemment. Évaluez l'importance du personnage principal et analysez les principaux messages du film. Écrivez 250 mots.

Commentez les éléments suivants:
- l'intrigue
- les décors
- les personnages, leurs relations
- la musique
- le message
- les effets spéciaux
- la façon dont le film est tourné ou est monté

4 · Silence ... Ça tourne!

Écouter 1 De quels films et de quels réalisateurs parle-t-on? Identifiez les films et prenez des notes en anglais sur le style de ces différents réalisateurs. (Attention, il y a deux intrus!)

> When analysing the work of a director, it is important to note the techniques he/she uses, the choices made, the effects created and the recurrent themes in his/her films.

FRANÇOIS TRUFFAUT
COLINE SERREAU
JACQUES AUDIARD
LUC BESSON
AGNÈS JAOUI
JEAN-PIERRE JEUNET

Lire 2 Faites correspondre les différents cadrages avec leurs fonctions.

1 Pour montrer en détails une partie d'un objet ou d'un corps. Cela permet d'accentuer l'importance des sentiments ou l'importance d'une action avec un objet.

2 Pour situer les personnages dans un contexte, une période, un environnement géographique.

3 Pour se mettre à la place de l'acteur, pour avoir l'impression de voir et d'agir comme lui. Cela permet au spectateur de s'identifier et donc d'accentuer le ressenti.

4 Pour montrer une action vue de haut. Cela permet de réduire l'importance de l'action, voire de ridiculiser un personnage.

5 Pour montrer une action vue d'en bas. Cela permet d'augmenter l'importance de l'action, voire de magnifier un personnage.

6 Pour montrer en détail les parties d'un objet ou d'un corps. Cela permet d'accentuer un sentiment ou une action en cours.

7 Pour se rapprocher un peu plus d'un ou plusieurs personnages. C'est un cadrage dans lequel les personnages sont coupés à mi-cuisse.

8 Pour montrer un personnage ou un groupe de personnes en pied, souvent en contexte, dans une partie du décor.

a un plan d'ensemble

b un plan moyen

c un plan américain

d un gros plan

e en caméra subjective

f une plongée

g une contre-plongée

h un très gros plan

©Gotlib

Lire 3 Identifiez les plans des affiches de l'exercice 1.

Écouter 4 Écoutez ce reportage sur la Nouvelle Vague et prenez des notes sur:
- le terme Nouvelle Vague
- les caractéristiques du tournage
- le montage
- le jeu des acteurs
- l'improvisation

tourner	to film, to shoot	monter	to edit
des moyens	money	se dérouler	to take place
se débarrasser	to get rid of	l'éclairage	lighting
davantage	more	le bruit	noise
l'inattendu	the unexpected		

Grammaire

Les pronoms possessifs (possessive pronouns)

	m sing	f sing	m pl	f pl
mine	le mien	la mienne	les miens	les miennes
yours	le tien	la tienne	les tiens	les tiennes
his/hers	le sien	la sienne	les siens	les siennes
ours	le nôtre	la nôtre	les nôtres	les nôtres
yours	le vôtre	la vôtre	les vôtres	les vôtres
theirs	le leur	la leur	les leurs	les leurs

Possessive pronouns agree in number and gender with the noun they replace.

J'ai payé ma place de cinéma, mais je n'ai pas payé **ta place de cinéma.**

→ J'ai payé ma place de cinéma, mais je n'ai pas payé **la tienne**.

They change after prepositions: **au** mien, **de la** tienne, **du** sien.

Écrire 5 Remplacez les noms en gras avec le bon pronom possessif pour éviter les répétitions.

> **Réalisateur:** Quand vous travaillez en équipe, vous vous rendez compte très vite du fait que certaines approches sont différentes de **(1) votre approche**. Par exemple, avec mon dernier caméraman, nos choix de plan pour une scène particulière n'étaient pas du tout les mêmes. **(2) Ses choix de plan** étant meilleurs que **(3) mes choix de plans**!
>
> **Journaliste:** Vos idées étaient vraiment différentes de **(4) ses idées**?
>
> **Réalisateur:** Oui. Et c'est quand on a un caméraman qui est vraiment très expérimenté qu'on commence à bien comprendre la mise en scène. Leurs choix sont différents …
>
> **Journaliste:** Et **(5) leurs choix** peuvent être plus originaux?
>
> **Réalisateur:** Bien évidemment …

 When you are making a presentation, get to know your material well so that you can be confident in what you are saying. Address your audience, look them in the eye. Convey the information so that they understand the points you are making. Try to anticipate any questions you might be asked.

Parler 6 Faites un exposé sur le travail d'un réalisateur que vous aimez.

Mentionnez les points suivants:
- le contexte de son travail
- les thèmes principaux de ses films, ses acteurs fétiches
- les techniques qu'il emploie: les caractéristiques du tournage, les plans, les mouvements de caméra
- en quoi il se distingue des autres réalisateurs
- pourquoi vous l'appréciez

«Le cinéma n'est pas un art, c'est une industrie!»

Écrire 7

Décidez si les opinions (1–12) sont pour ou contre l'affirmation ci-dessous.

1 Le cinéma d'auteur et les grosses productions hollywoodiennes sont deux choses différentes.
2 Certains prétendent que les réalisateurs sont de grands artistes.
3 Tourner un film, c'est créer un objet d'art.
4 On peut dire que le cinéma est un art populaire.
5 Je soutiens qu'un film doit avant tout divertir comme n'importe quel autre spectacle.
6 Un film de nos jours, ce n'est qu'un produit commercial.
7 Les résultats du box-office et les recettes d'un film sont d'une importance capitale pour juger de son succès.
8 Un film peut avoir un impact social et politique important.
9 Il faut s'interroger sur le rôle des documentaires.
10 Ce sont les producteurs qui prennent les décisions et non pas les réalisateurs.
11 Un film culte est aussi important qu'une peinture ou qu'une symphonie.
12 La qualité du jeu des acteurs n'a rien à voir, c'est le marketing qui compte.

 The essay question relating to Cultural Topics requires you to write at least 250 words. In practice you should aim for 300+ words. The time for this exercise (suggested in the specification) is 60 minutes (10 minutes planning, 40 minutes composition, 10 minutes checking).

Planning is essential.
Introduction to outline what you intend to write about (40 words)
Para 1 to address one aspect of the argument (120 words)
Para 2 to address supplementary or contrasting aspects (120 words)
Conclusion to summarise the arguments you have made (40 words)

Structure each paragraph so that it contains one main point. Try to develop ideas, to justify your argument, and to give an example to back up your point.
Keep a similar amount of space for both sides of the argument.
Reserve your opinion for the second part of the essay, as this will lead in logically to your …

… Conclusion
Summarise the arguments you have made, state your point of view (do not repeat yourself and do not introduce new information).

Écrire 8 Expliquez en quoi les œuvres du réalisateur que vous avez étudié se différencient des films d'autres réalisateurs français, et pourquoi vous les appréciez.

Écouter 1 Écoutez ces trois jeunes répondre à un sondage sur les jeunes et la lecture. Notez en français leurs réponses aux questions suivantes.

1 Quel genre de livres aimez-vous lire?
2 Où lisez-vous d'habitude?
3 Que lisez-vous actuellement?
4 Êtes-vous membre d'un club de lecture?

5 Quels auteurs préférez-vous?
6 Combien de livres lisez-vous par an?
7 Comment choisissez-vous ce que vous allez lire?

Parler 2 À deux, répondez aux questions du sondage.

Lire 3 Mettez les mots ou groupes de mots dans les bonnes colonnes.

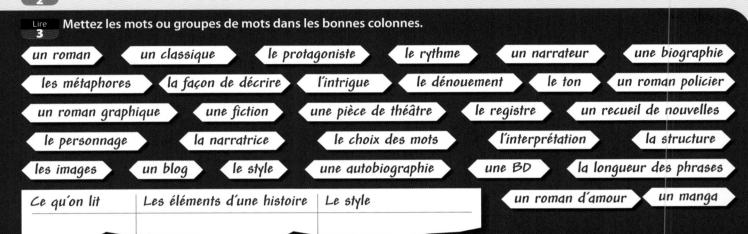

un roman · un classique · le protagoniste · le rythme · un narrateur · une biographie · les métaphores · la façon de décrire · l'intrigue · le dénouement · le ton · un roman policier · un roman graphique · une fiction · une pièce de théâtre · le registre · un recueil de nouvelles · le personnage · la narratrice · le choix des mots · l'interprétation · la structure · les images · un blog · le style · une autobiographie · une BD · la longueur des phrases · un roman d'amour · un manga

Ce qu'on lit	Les éléments d'une histoire	Le style

Annie Ernaux
La place

folio

La narratrice, qui n'est autre que l'auteure, a perdu son père l'année même où elle est devenue professeure. Cette mort à laquelle elle a assisté l'a énormément marquée. Plusieurs années après, elle entreprend le récit de la vie de son père, d'abord garçon de ferme, puis ouvrier d'usine, petit commerçant enfin. Elle s'attache à décrire cette distance séparant peu à peu l'étudiante qui a fait un mariage bourgeois de son père, ouvrier, qu'elle aime et qui l'adore.

Annie Ernaux est née en 1940 d'une famille modeste. Elle passe son enfance en Normandie. Elle fait ses études à Rouen, puis devient professeure. Elle se marie en 1964 avec un homme bourgeois et divorce dans les années 80.

En 1939 il n'a pas été appelé, trop vieux déjà. Les raffineries ont été incendiées par les Allemands et il est parti à bicyclette sur les routes tandis qu'elle profitait d'une place dans une voiture, elle était enceinte de six mois. À Pont-Audemer, il a reçu des éclats d'obus au visage et il s'est fait soigner dans la seule pharmacie ouverte. Les bombardements continuaient. Il a retrouvé sa belle-mère et ses belles-sœurs avec leurs enfants et des paquets sur les marches de la basilique de Lisieux, noire de réfugiés ainsi que l'esplanade par-devant. Ils croyaient être protégés.

48

Quand je faisais mes devoirs sur la table de la cuisine, le soir, il feuilletait mes livres surtout l'histoire, la géographie, les sciences. Il aimait que je lui pose des colles. Un jour, il a exigé que je lui fasse faire une dictée, pour me prouver qu'il avait une bonne orthographe. Il ne savait jamais dans quelle classe j'étais, il disait, «Elle est chez mademoiselle Untel». L'école, une institution religieuse voulue par ma mère, était pour lui un univers terrible qui comme l'île de Laputa dans Les Voyages de Gulliver, flottait au-dessus de moi pour diriger mes manières, tous mes gestes: «C'est du beau! Si la maîtresse te voyait!»

Lire 4 Écoutez et lisez les deux extraits de *La Place*, d'Annie Ernaux à la page 16.
Répondez aux questions et justifiez vos réponses.

1 Qui parle?
  a un narrateur
  b une narratrice
  Comment le savez-vous?

2 Est-ce …
  a un personnage fictif?
  b l'auteure/l'écrivaine elle-même?
  Comment le savez-vous?

3 Que racontent les extraits?
  Il s'agit …
  a d'une description d'un lieu.
  b d'une description d'une scène.
  c d'une description d'un personnage.
  d d'une série d'événements.
  e de convaincre le lecteur.

4 Quels thèmes sont abordés dans ces extraits?
  a le bonheur   **b** la guerre
  c l'éducation   **d** le chômage
  e le mariage   **f** l'argent
  g la mort   **h** la réussite sociale
  i la fierté et la honte

5 En ce qui concerne le style de l'auteur …
  a les phrases sont courtes et dépouillées.
  b les phrases sont longues et complexes.

6 Le ton est …
  a comique.
  b fantastique.
  c tragique, dramatique.
  d épique.

Parler 5 À deux, relevez les informations sur le personnage principal en vous référant aux extraits de *La Place*.

1 Comment le personnage principal est-il décrit?
2 Qui est-il?
3 Quel est son comportement?
4 Prend-il la parole ou ses pensées sont-elles rapportées?
5 Quels sont ses sentiments?
6 Représente-t-il un type social?
7 Que veut dire le titre *La Place* selon vous?

When studying a text or a play, you should make detailed notes on different:
- characters
- social and cultural setting
- key themes and issues
- styles and techniques employed.

Lire 6 Complétez ce texte avec les mots de la liste. Attention, il y a deux mots de trop!

> Annie Ernaux veut parler de la déchirure sociale à travers une **1** _____ qui dépasse l'anecdote personnelle et refuse la complaisance de la **2** _____. *La Place* est un livre court et tranchant qui **3** _____ un univers familier: l'histoire de son **4** _____, paysan, ouvrier, patron d'épicerie dans une petite ville de province. Soixante-deux ans de la vie d'un homme en cent quatorze pages, **5** _____ et intimes à la fois.
> La décision ferme d'un écrivain qui décline la tentation du **6** _____ et l'affirme dès la première page de son récit.

| romanesque | fiction | père | explore |
| rejette | cliniques | univers | autobiographie |

Watch out for the *Faux amis*!
For example le caractère = *the character* (disposition)
a character = un personnage

Grammaire

Les temps du passé *(past tenses)*

Ensure you get the basics right and use the correct tenses in the past. The **perfect tense** is used for a completed action in the past, whilst the **imperfect** is used for description, for habitual or repeated actions, or for an action which 'was taking place' when something else happened.

Lire 7 Relevez tous les exemples du passé composé et de l'imparfait dans les deux extraits de *La Place*.

Écrire 8 Traduisez ce passage en français.

> When I used to do my maths homework, my mother would help me by proposing a different approach from time to time. One day, we went to see an art exhibition together. She wanted to show me that she too appreciated the arts.
>
> **Loïc**

Écrire 9 Votre prof a inscrit votre classe à un concours d'écriture. Votre tâche: créer un personnage. Écrivez une description de 150 mots, en essayant d'imiter le style dépouillé et sobre d'Annie Ernaux.

- Comment est-elle/il physiquement?
- Décrivez son caractère.
- Décrivez son attitude envers ses parents.
- Décrivez son attitude envers ses études.

Écoutez ces cinq extraits sur le théâtre et remplissez ce tableau.

genre	caractéristiques	époque	dramaturges
1 la tragédie classique			

Beaumarchais   Anouilh   Molière

Corneille   Alfred de Vigny   Racine

Giraudoux   Alfred de Musset   Hugo

Écoutez et complétez le texte ci-contre sur Ionesco.

à l'examen

When studying the works of an author, you will learn more about the context within which they were writing; how history and society influenced their literary production.

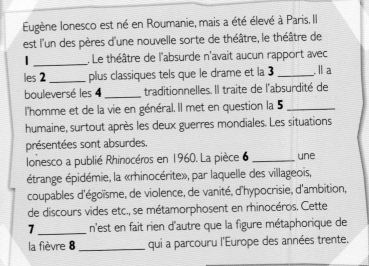

Eugène Ionesco est né en Roumanie, mais a été élevé à Paris. Il est l'un des pères d'une nouvelle sorte de théâtre, le théâtre de **1** _____. Le théâtre de l'absurde n'avait aucun rapport avec les **2** _____ plus classiques tels que le drame et la **3** _____. Il a bouleversé les **4** _____ traditionnelles. Il traite de l'absurdité de l'homme et de la vie en général. Il met en question la **5** _____ humaine, surtout après les deux guerres mondiales. Les situations présentées sont absurdes.

Ionesco a publié *Rhinocéros* en 1960. La pièce **6** _____ une étrange épidémie, la «rhinocérite», par laquelle des villageois, coupables d'égoïsme, de violence, de vanité, d'hypocrisie, d'ambition, de discours vides etc., se métamorphosent en rhinocéros. Cette **7** _____ n'est en fait rien d'autre que la figure métaphorique de la fièvre **8** _____ qui a parcouru l'Europe des années trente.

RHINOCÉROS

– – ACTE I – – – – – –

Bérenger, employé de bureau, et son ami Jean discutent dans un café.
Soudain un rhinocéros traverse bruyamment la place.
Les habitants du quartier l'observent **et puis** retournent à leur occupation.
Bérenger aperçoit Daisy dont il est amoureux, **mais** il est trop timide pour le lui dire.
Apparaît alors un second rhinocéros qui écrase le chat de la ménagère.

– – ACTE II – – – – – –

Le lendemain matin dans le bureau où travaille Bérenger, sont présents Daisy, Botard, Dudard et Monsieur Papillon. Leur collègue, Monsieur Bœuf est absent.

Soudain apparaît Madame Bœuf pourchassée par un rhinocéros en lequel elle a reconnu son mari. Les habitants de la ville sont de plus en plus nombreux à se métamorphoser en rhinocéros.
Jean se métamorphose en rhinocéros sous le regard de Bérenger.

– – ACTE III – – – – –

Bérenger est malade. Il veut résister à l'épidémie qui transforme les gens en rhinocéros. Presque tous ses collègues ont succombé. Daisy rend visite à Bérenger, mais il ne peut pas l'empêcher d'aller rejoindre les rhinocéros. Bérenger reste seul, mais il décide de résister …

Terminez ces phrases.

1 Bérenger travaille dans …
2 Jean est un …
3 Bérenger n'arrive pas à avouer à …
4 De plus en plus de personnes …
5 Bérenger souhaite … et convaincre …
6 Mais Daisy …

Notez tous les pronoms relatifs dans le résumé des trois actes. Traduisez en anglais les phrases qui en ont un.

 All of the phrases in bold are used to link ideas and move the action forward.

Grammaire

Comment traduire *which*? (*How to translate which?*)

Lequel means *which*. It is used as a pronoun, as the object of a preposition.

Lequel has to agree in gender and number with the noun it replaces; it also changes like **le**, **la** and **les** if **à** or **de** are involved.

Sometimes a preposition is added: selon laquelle/sur lequel/avec lesquels.

lequel	auquel	duquel
laquelle	à laquelle	de laquelle
lesquels	auxquels	desquels
lesquelles	auxquelles	desquelles

le rhinocéros en face **duquel** il se trouvait …
the rhino in front of which he was standing …

Il regardait son front **sur lequel** poussait une corne.
He was looking at his forehead on which was growing a horn.

L'idée **à laquelle** il fait référence …
The idea to which he refers …

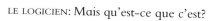

LE LOGICIEN: Mais qu'est-ce que c'est?

JEAN [*se lève, fait tomber sa chaise en se levant, regarde vers la coulisse gauche d'où proviennent les bruits d'un rhinocéros passant en sens inverse.*]: Oh! Un rhinocéros!

LE LOGICIEN [*se lève, fait tomber sa chaise.*]: Oh! Un rhinocéros!

LE VIEUX MONSIEUR [*même jeu.*]: Oh! Un rhinocéros!

BÉRENGER [*toujours assis, mais plus réveillé cette fois*]: Rhinocéros! En sens inverse.

LA SERVEUSE [*sortant avec un plateau et des verres.*]: Qu'est-ce que c'est? Oh! Un rhinocéros!

[*Elle laisse tomber le plateau; les verres se brisent.*]

LE PATRON [*sortant de la boutique.*]: Qu'est-ce que c'est?

LA SERVEUSE [*au patron.*]: Un rhinocéros!

LE LOGICIEN: Un rhinocéros, à toute allure sur le trottoir d'en face!

L'ÉPICIER [*sortant de la boutique.*]: Oh! Un rhinocéros!

JEAN: Oh! Un rhinocéros!

L'ÉPICIÈRE [*sortant la tête par la fenêtre au dessus de la boutique.*]: Oh! Un rhinocéros!

LE PATRON [*à la serveuse.*]: C'est pas une raison de casser les verres.

JEAN: Il fonce droit devant lui, frôle les étalages.

DAISY [*venant de la gauche.*]: Oh! Un rhinocéros!

BÉRENGER [*apercevant* DAISY.]: Oh! Daisy!

[*On entend des pas précipités de gens qui fuient, des oh! des ah! comme tout à l'heure.*]

LA SERVEUSE: Ça alors!

LE PATRON [*à la serveuse*]: Vous me la payerez la casse!

Écrire 5 **Complétez ces phrases avec le pronom relatif correct. Ajoutez la bonne préposition si besoin.**

1 _____ des scènes préférez-vous?

2 _____ de ces deux acteurs aimez-vous mieux?

3 – Aimez-vous ces vers?
   – _____?

4 – Toutes ces règles doivent changer?
   – _____?

5 J'adore la scène _____ les personnages principaux font connaissance.

6 C'est une pièce _____ il a reçu le Molière du meilleur comédien.

7 Il a dédié sa pièce à sa femme et sa fille _____ il n'aurait pas pu l'écrire.

8 Les comédiens _____ il pense pour ces rôles sont formidables.

Parler 6 **Écoutez et lisez cette scène. Puis, à deux, répondez à ces questions.**

1 Où cette scène a-t-elle lieu?

2 Quels sont les personnages impliqués? Ont-ils tous une réplique?

3 Trouvez-vous cette scène drôle ou plutôt tragique?

4 Que pensez-vous de la réaction du patron? Et de celle de Bérenger?

5 Comment auriez-vous réagi?

6 Quelle est la fonction de cette scène dans l'évolution de l'intrigue de la pièce?

7 En quoi est-ce une scène qui appartient bien au théâtre de l'absurde?

8 Selon vous, *Rhinocéros* serait-elle en quelque sorte une allégorie? De quoi?

un acte/une scène
une réplique/un dialogue/un monologue/une tirade
une scène d'exposition/le dénouement
le suspense/le mystère/le malentendu
faire évoluer/avancer l'action
présenter/développer les personnages

Écrire 7 **Comparez un film et une pièce de théâtre que vous avez vus. Lequel avez-vous préféré et pourquoi?**
Exprimez votre point de vue en 250 mots environ.

 You need to sequence your points effectively in order to make a critical examination of an issue. Try to link your paragraphs effectively.

En ce qui concerne …	Par ailleurs …
Contrairement à …	En revanche …
Quant à …	Par conséquent …
En outre, il faut considérer …	Ainsi …

• Exprimer et justifier son opinion

À deux, faites ce quiz.

1 Dans quel musée se trouve la Joconde?
  a au Louvre
  b au musée d'Orsay
  c au château de Versailles

2 Comment s'appelle le quartier des artistes à Paris?
  a Montmartre   b Pigalle   c Montparnasse

3 Laquelle de ces œuvres n'est pas une œuvre d'art?

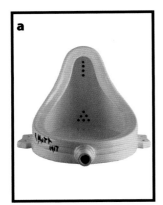

4 Est-ce …
  a l'aéroport de Roissy Charles de Gaulle?
  b le musée d'art moderne de Beaubourg?
  c une usine moderne de voitures?

5 Lequel de ces mouvements n'est pas un vrai mouvement artistique?
  a le cubisme   b le fauvisme   c l'aplatisme

6 Quel peintre avait un jardin célèbre à Giverny?
  a Edouard Manet   b Claude Monet   c Edgar Degas

Écouter 2 Comment Noémie fait-elle pour regarder une œuvre, un tableau? Mettez les phrases dans le bon ordre.

1 Je regarde attentivement le tableau.
2 J'essaie d'imaginer la même peinture avec ou sans certains éléments.
3 Je me renseigne sur l'artiste.
4 J'identifie vaguement le sujet.
5 Je laisse venir mes impressions.
6 J'essaie d'apprendre un peu plus sur une époque de l'histoire de l'art.
7 Je m'approche pour le regarder de plus près …
8 Je m'approche, je prends du recul, je me fige.

 When approaching a listening task, read through the text of the exercise thoroughly. Try to predict what you might hear before you listen and complete the exercise.

Parler 3 Faites-vous comme Noémie pour regarder une œuvre d'art? Discutez à deux.

La Fontaine est le plus célèbre des ready-mades de Duchamp. Elle a donné lieu à un grand nombre d'interprétations et a poussé les spécialistes de l'esthétique à s'interroger sur la redéfinition de l'art qu'elle implique.

À l'origine Duchamp achète cet objet, un urinoir ordinaire, pour l'envoyer au comité de sélection d'une exposition dont les organisateurs s'engagent à exposer n'importe quelle œuvre. Mais *La Fontaine* est refusée par le comité de sélection …

Selon Duchamp, l'artiste n'est pas un bricoleur et, dans l'art, l'idée prévaut sur la création. Dans le cas de *La Fontaine* l'objet choisi par Duchamp n'a aucune des qualités intrinsèques que l'on suppose à une œuvre d'art, comme l'harmonie ou l'élégance …

La Fontaine

Lire 4 Lisez ce texte et préparez une réponse personnelle aux questions.

1 *La Fontaine*, qu'est-ce que c'est?
2 Pourquoi Duchamp a-t-il acheté *La Fontaine*?
3 Selon vous, pourquoi le comité de sélection a-t-il refusé *La Fontaine*?
4 Que pensez-vous de l'opinion de Duchamp pour qui «l'idée prévaut sur la création»?
5 Quelle est votre réaction devant *La Fontaine*?

il me paraît impensable/inconcevable/indécent/inimaginable que …
Pour ma part/à mes yeux, ce n'est pas une œuvre d'art
avoir l'intention de/avoir pour but de + inf
dépasser les limites/provoquer/faire réfléchir

If you are studying the work of an artist, you should research the following areas:

- influences on the artist's work
- important stages in his/her development
- techniques used
- study in detail at least two works

i Culture

Les Cubistes, Picasso et Braque par exemple, commencent à décomposer les objets pour les représenter en éléments géométriques simples: cubes, cônes, cylindres. C'est une approche révolutionnaire. Ci-contre et ci-dessous, vous pouvez voir deux œuvres de l'artiste cubiste **Roger de la Fresnaye**.

La Conquête de l'air, 1913

The Acacia Alley in the Bois de Boulogne, Paris, France, 1908

Parler 5 À deux, choisissez l'un de ces deux tableaux de Roger de la Fresnaye et répondez aux questions.

1 Lequel de ces tableaux préférez-vous?
2 En quelle année de la Fresnaye a-t-il peint ce tableau?
3 Que montre ce tableau?
4 Quel en est le thème?
5 Cela ressemble-t-il à la réalité?
6 Qu'y a-t-il au premier plan? à l'arrière plan?
7 Qu'est-ce qui attire l'œil?
8 D'où vient la lumière? Que met-elle en évidence?
9 Commentez les formes et les couleurs. Que pouvez-vous dire des formes et des couleurs?
10 Selon vous, l'artiste a-t-il réalisé le tableau pour surprendre, provoquer ou décorer?
11 À quoi vous fait penser le tableau?
12 Qu'est-ce que vous aimez dans ce tableau?

ce portrait/paysage
cette composition/scène de/nature morte
les traits/les contours/les formes/les couleurs chaudes/froides
mettre en évidence/représenter/symboliser/donner
l'impression

Grammaire

Les pronoms interrogatifs (*interrogative pronouns*)

Qui = *Who*   **Que/Quoi/Qu'est-ce que** = *What*

Which one and its associated forms are the trickiest interrogative pronoun:

	preceded by *à*	preceded by *de*
Lequel …?	auquel	duquel
Laquelle …?	à laquelle	de laquelle
Lesquels …?	auxquels	desquels
Lesquelles …?	auxquelles	desquelles

– J'ai acheté une sculpture.
– Ah bon, **laquelle** as-tu achet**é**e*?
– Celle-là, là-bas!
– **Laquelle**? Je ne vois pas **de laquelle** tu veux parler … elles sont toutes horribles!

* Remember the agreement of past participle with a preceding direct object.

Other possible combinations with prepositions: à qui, de quoi, pour lequel, sur laquelle, près desquels, sans lesquelles …

Écrire 6 Écrivez les questions correspondant à ces réponses en commençant par le mot entre parenthèses.

1 Sonia Delaunay recherche la couleur pure. (**Que**)
2 Elle peint des tableaux. (**Qu'est-ce que**)
3 Elle a fabriqué aussi des objets de décoration et des vêtements. (**Que**)
4 Début 1909 elle se marie avec Robert Delaunay. (**Avec**)
5 Elle a publié un poème-affiche grâce à Blaise Cendrars. (**Grâce**)
6 Au début de sa carrière, elle se serait inspirée des fauvistes. (**De**)

Parler 7 Quelle opinion partagez-vous? Exprimez votre point de vue lors d'un débat en classe.

«L'État gaspille son argent en finançant des activités artistiques.»

«Sans l'État et les riches mécènes, on ne connaîtrait pas certains artistes et on ne découvrirait pas de nouveaux talents.»

choquer/provoquer/dénoncer/éduquer/émouvoir/stimuler
financer/influencer /manipuler/censurer
dicter une façon de penser/les sujets à traiter
conserver son indépendance/perdre sa liberté

Au XIIème siècle, Lyon était le plus important centre du commerce de la soie. En 1536, François Ier a autorisé la ville à mettre en place une industrie transformatrice de la soie et en même temps il lui accordait le monopole des importations de matière première. Ce fut le début de l'essor de Lyon comme grande ville de la soie. Au début, l'industrie était financée par des banquiers italiens, qui s'installaient sur les rives de la Saône. Cette influence italienne est encore évidente aujourd'hui dans l'architecture du Vieux Lyon. À cette époque, la France importe toute la matière première nécessaire pour alimenter son industrie de transformation, mais en 1604 le roi Henri IV décide de planter

Écouter 2 **Écoutez ce reportage sur Lyon. Expliquez en anglais à quoi correspondent ces mots ou ces chiffres.**

1 Fourvière, le Vieux Lyon, La Presqu'île, La Croix-Rousse
2 Guignol
3 466 000
4 69
5 Le Rhône, La Saône
6 1896 1998
7 Traboule, Lugdunum Les canuts
8 Bouchons, Mâchons
9 Rhône-Alpes
10 Les Frères Lumière

Lire 1 **Complétez l'article avec des mots de la liste. Attention, il y a deux mots de trop!**

Si vous voulez explorer les volcans du Massif Central, tenter l' **1** _____ du Mont Blanc, vous promener dans le Parc de la Camargue ou survoler la dune du Pilat, vous n'avez qu'à franchir le *Géoportail*…

Porte d'entrée géographique à l'information, *Géoportail* vous permet de voyager partout en France virtuellement. Sur son site Internet, l'Institut Géographique National met à votre disposition des cartes, des **2** _____ satellites, des photos **3** _____ de la France métropolitaine et des départements d'outre-mer. Et désormais *Géoportail* vous propose même l'exploration en trois **4** _____. Vous pouvez choisir de vous balader dans les **5** _____ où le relief naturel est **6** _____, dans les Gorges de l'Ardèche par exemple, mais surtout ne manquez pas l'occasion de survoler le Mont-Saint-Michel ou de découvrir le château de Versailles en 3D. On peut même flâner dans les **7** _____ de France. L'exploration en trois dimensions de 400 espaces verts est enfin possible. Bonne promenade!

| urbain | aériennes | ascension | dimensions | zones |
| jardins | images | spectaculaire | globales | |

Écouter 3 **Écoutez ces interviews de trois Français qui parlent de Lyon. Pour chaque phrase écrivez V (Véronique), F (Fred) ou S (Sébastien) pour indiquer la personne qui parle.**

1 Qui prétend qu'il y a beaucoup d'embouteillages à Lyon?
2 Qui constate qu'il y a un réseau de transport impressionnant à Lyon?
3 Qui apprécie l'université de Lyon?
4 Qui s'intéresse à l'économie de la région?
5 Qui trouve que la ville est bien entretenue?
6 Qui déplore la saleté de certaines rues?
7 Pour qui la ville de Lyon est-elle bien située?
8 Qui estime que les banlieues sont marginalisées?
9 Qui fait référence à l'histoire de Lyon?

à l'examen

Always listen right to the end of what a person is saying. Questions may try to take you in a different direction. Try to keep an open mind and base your answers on the facts that you hear.

des mûriers et d'élever le ver à soie dans la vallée du Rhône. Dorénavant la France est capable de subvenir à une partie de ses besoins en soie par sa propre production. Plus tard un autre événement politique va conduire à l'implantation d'une industrie de la soie dans plusieurs pays d'Europe. La Révocation de l'Edit de Nantes en 1685 va faire fuir les Huguenots vers l'Allemagne, l'Angleterre, la Suisse et les Pays-Bas, où ils ont largement contribué à l'essor d'une industrie qui viendrait concurrencer l'industrie française.

soie	silk
essor	expansion
décret	decree
élever	to breed
mûriers	blackberry trees

 Culture

1598: Henri IV signe l'Édit de Nantes et reconnaît la liberté de culte aux protestants. Un grand nombre de Huguenots (des protestants) étaient des tisserands ou artisans du textile.
1685: Louis XIV révoque l'édit de tolérance religieuse.

Lire 4 Lisez le texte ci-dessus. Notez dans le tableau quatre faits importants, leurs causes et leurs conséquences.

Faits (quoi?)	Causes (pourquoi?)	Conséquences (Et donc? Quel impact?)
Lyon = centre du commerce de la soie	car ...	donc ...

Écrire 5 Reconstituez les faits en utilisant la formule: fait, cause, conséquence.

Fait	Cause	Conséquence
En ...	Comme ...	De sorte que ...
À cette époque ...	Étant donné que ...	Si bien que ...
	Vu que ...	De manière à ...
	Puisque ...	Ainsi ...

 In order to analyse and evaluate, you must refer to the facts of a situation, make the causes explicit and explain the consequences.

Grammaire

Le futur (*the future tense*)

The future is used after these conjunctions in French whereas in English we would use the present tense:

après que (after)	aussitôt que (as soon as)	quand (when)
lorsque (when)	dès que (as soon as)	une fois que (once)

Quand il y **aura** des pistes cyclables à Lyon, je **me déplacerai** en vélo.

*When there **are** cycle paths in Lyon, I will use my bike.*

Écrire 6 Mettez les verbes entre parenthèses au futur.

Comment la ville de Lyon **1** (**évoluer**)-t-elle à l'avenir? On **2** (**être**) bientôt en mesure d'évaluer réellement les bénéfices des bicyclettes Velo'V. Lyon semble avoir pris la bonne décision en les mettant en libre location. À l'avenir, c'est tout le réseau cyclable que la ville **3** (**réaménager**). La ville **4** (**financer**) également des axes sécurisés, réservés cette fois aux rollerbladers. Elle n'**5** (**oublier**) pas les piétons, pour qui on **6** (**créer**) plus d'espaces verts. Lyon **7** (**continuer**) son essor économique, mais pour cela **8** (**il faut**) trouver une solution pour rattacher les banlieues à la ville. Cela **9** (**demander**) beaucoup de travail et **10** (**prendre**) certainement un peu de temps. La Presqu'île **11** (**être**) réaménagée tant en terme d'emplois que de loisirs. Un plus grand nombre d'entreprises **12** (**venir**) s'implanter et la ville **13** (**faire**) d'importants investissements dans des projets culturels tels que la revalorisation de son histoire du textile.

Écrire 7 Traduisez ce paragraphe en français.

Silk commerce played an important role in Lyon's history. Lyon has preserved its heritage from the middle ages and the Renaissance. Its architecture is splendid. Some people dislike the concrete from the 70s however. The city of Lyon has an excellent network of public transport and is a boomtown. When the peninsula is remodelled, it will be fantastic. As soon as the cycle paths are built, everyone will buy a bike!

Parler 8 Préparez un exposé de deux minutes sur une ville francophone de votre choix. Mentionnez les points suivants:

- population
- situation et l'impact de celle-ci sur l'économie
- histoire et l'impact de celle-ci sur la ville
- vie culturelle
- changements récents
- l'avenir.

à l'examen

Avoid remaining purely factual. Descriptive accounts like tourist guides do not show evidence of analysis. When writing about a region, ask yourself: What are the facts? What are the causes? What are the consequences?

- Choose key people, events and issues which define the geographical area.
- Consider demographics, customs, traditions and beliefs.
- What are the environmental, economic, social and political factors which are relevant to the area?
- What has been their impact on the area?
- How has the area changed over time?
- What are the advantages of living and working there?

Parler 1 Ces bâtiments se trouvent à Lyon ou près de Lyon. À votre avis, qu'est-ce que c'est? Qu'est-ce qu'on y fait?

Lire 2 Indiquez la personne qui exprime les opinions suivantes. Est-ce Tania, Jean-Louis, Ludivine, Samir ou José?

1 Le côté pratique l'emporte sur le côté esthétique.
2 Mon travail ne se limite pas à l'intérieur des murs.
3 J'interprète et réalise les désirs de mes clients.
4 Dans une certaine mesure, les problèmes de nos grandes villes sont dûs à leur architecture.
5 Les maisons vertes sont de plus en plus demandées.
6 La lumière joue un rôle important.
7 Respecter la nature, ça peut aussi coûter moins cher.
8 Être bien dans sa peau chez soi, voilà l'essentiel!

C'est quoi un architecte aujourd'hui ?

Il faut quand même que je dise que la majorité de mes clients (la quasi totalité . . .) n'attend pas de moi que je sois un artiste . . . un magicien oui . . . qui les fera rêver, qui exprime sa créativité dans leur intérêt direct, qui trouvera des solutions aux problèmes qu'ils se posent . . .
Tania

Avant tout, il faut qu'une maison soit habitable et fonctionnelle. Qu'elle soit avant-gardiste ou originale, je m'en fiche pas mal. Ce qui compte c'est qu'on puisse y vivre confortablement. De plus en plus il faut aussi penser au développement durable lorsque l'on construit une maison. Les clients veulent dorénavant une maison bien isolée qui soit économique à gérer.
Jean-Louis

Il faut que les gens se sentent bien dans leur maison ou dans leur appartement. De préférence, il faut que leur habitat soit lumineux et agréable. En tant qu'architecte mon boulot c'est d'essayer d'améliorer la qualité de vie des gens, de leur simplifier la vie.
Ludivine

Il faut se souvenir que la plupart des cités ont été édifiées après la seconde guerre mondiale, quand on avait un besoin urgent de reconstruire sur l'ensemble du territoire. Tout a été fait un peu à la hâte, peut-être que cela explique certains problèmes de nos jours . . .
Samir

Le travail d'un architecte consiste non seulement à concevoir, à fabriquer et à bâtir un édifice mais également à aménager l'espace autour, en tenant compte de l'environnement. La nature joue un rôle très important dans nos vies. Nous pouvons améliorer la qualité de vie des gens en leur fournissant des espaces où ils peuvent se détendre.
José

Écouter 3 Écoutez ces descriptions. De quel bâtiment s'agit-il? (Attention, il y a un intrus!). Réécoutez et prenez des notes en anglais sur les intentions de chaque architecte.

À deux …

1 Quels bâtiments vous intéressent le plus dans cette unité? Pourquoi?
2 Quel bâtiment vous intrigue le plus?
3 Y a-t-il un bâtiment que vous n'aimez pas? Pourquoi?
4 Selon vous, en quoi consiste le travail d'architecte?
5 Pourquoi devient-on architecte à votre avis?

---

un bâtiment (public)/un édifice/un immeuble
en béton/bois/plastique/pierre
la façade/l'entrée/l'arrière/l'intérieur/l'extérieur/le toit
contemporain/moderne/classique/ancien/gothique/
créatif/réussi/fou
la Renaissance/l'Art déco/l'art moderne
Je crois reconnaître que le style … l'influence de …

Grammaire

Ce, ceci, cela, ça (*this and that*)

This can be confusing. **Ce** is mainly used in the phrase **c'est**.

C'est/**Ce** n'est pas évident.

It can also be used formally:
Pour **ce** faire = In order to do *this*

Ceci and **cela** (**ça** = less formal) both mean *this*.
Literally they mean *this* and *that*.

Ceci dit, ça m'intéresse.

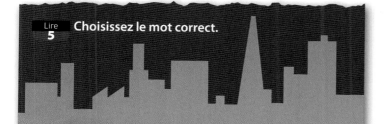

Choisissez le mot correct.

Si on veut être architecte, il faut aimer réfléchir, dessiner et bâtir, **1 ceci / ça** est important. L'architecte, maître d'œuvre, est chargé des différentes phases de la conception et de la réalisation d'un ouvrage. Il intervient à tous les stades d'un projet: depuis la conception d'un bâtiment jusqu'à la réception des travaux.

L'architecte doit travailler avec de nombreuses contraintes d'exécution, réglementaires, techniques, de coûts et de délais. Pour **2 ce / ceci faire**, il faut un élément de rigueur. Et parfois **3 c'est / cela** peut être difficile. Il reste souvent peu de place pour le rêve. Pour être architecte, il est important d'avoir un sens artistique, **4 cela / c'est** essentiel. Il faut aussi être méthodique et bien observer les choses.

Traduisez en anglais le premier paragraphe.

Jean Nouvel créateur de l'Institut du monde arabe, du musée du quai Branly, et de l'Opéra de Lyon a reçu le prestigieux prix Pritzker d'Architecture.

Ce prix «*permettra peut-être d'aller un peu plus loin*», espère Jean Nouvel. «*L'important pour un architecte est de pouvoir réaliser dans les moindres détails et dans l'esprit ce qu'il a proposé, et il est certain que la crédibilité liée à des prix internationaux aide beaucoup*».

Jean Nouvel souhaite que «*l'architecture de demain ne corresponde pas à cette couche d'objets clonés que l'on voit maintenant sur toutes les villes de tous les continents. La pire chose serait de se trouver devant cette architecture générique et parachutée, qui ferait que le monde serait de plus en plus uniforme et sans saveur*».

Lisez le texte et répondez à ces questions en anglais.

1 What type of architect is Jean Nouvel? What type of building does he design?
2 Why does Jean Nouvel think that the Pritzker prize will allow him to take his work further?
3 What does Jean Nouvel think about how towns look nowadays?
4 What is the worst that could happen according to him? What would be the consequence?

 Use every opportunity to build up your topic vocabulary. Whenever you are reading articles for your *cultural topics paper*, underline words you don't know, look them up. Note down related words, synonyms and opposites. Make a note of idiomatic expressions you could reuse in an essay or discussion. Record your vocabulary onto your MP3 player and listen to it whenever you can.

Force yourself to practise the new vocabulary learnt, reuse it at least five times in classwork and homework, otherwise it will remain receptive.

Which interesting vocabulary or structures would you select in texts in this unit to improve your range? Try to reuse as many items as you can in exercises 8 and 9.

Jusqu'à quel point êtes-vous d'accord avec l'opinion suivante? (250–270 mots).

> «**Ce sont les architectes qui résoudront les problèmes des grandes villes en France.**»

l'urbanisme	l'urbanisation	l'environnement
la qualité de vie	concevoir	aménager
fabriquer	réaliser	tenir compte de

Faites une présentation d'une minute sur l'architecte francophone de votre choix. Mentionnez:

● pourquoi vous avez choisi cet architecte
● ses plus grandes réussites
● ce qui le distingue des autres architectes (son style, ses matériaux de prédilection etc.)
● ce qui l'a influencé et pourquoi ses œuvres sont reconnues.

Époques, périodes, courants   *Eras, periods, trends*

le mouvement social/politique	*a social/political movement*	l'existentialisme	*existentialism*
le Moyen Âge	*Middle-Ages*	l'Art Déco	*Art Deco*
le Fauvisme/les Fauvistes	*Fauvism/Fauves*	la condition humaine	*the human condition*
le régime de Vichy	*The Vichy government*	la période	*period, era*
le théâtre de l'absurde	*Theatre of the Absurd*	la tendance	*trend, movement*

Un siècle de changements   *A century of changes*

un événement	*event*	l'angoisse	*anxiety*
un domaine	*area, a field*	optimiste/pessimiste	*optimistic/pessimistic*
un trait	*feature*	connu/reconnu	*famous/known, recognised*
un coquelicot	*poppy*	intrigant	*intriguing*
un souvenir	*memory*	décédé	*deceased*
un rêve	*dream*	engagé	*committed, involved*
un acquis social	*social benefit*	héroïque	*heroic*
un droit syndical	*union right*	à l'aube de	*at the dawn of*
un/une écrivain(e)	*writer*	naguère	*formerly*
un morceau (de musique)	*piece (of music)*	espérer	*to hope*
le progrès industriel/social	*industrial/social progress*	libérer	*to free*
le symbole	*symbol*	marquer	*to leave its mark on*
le représentant	*representative*	réagir (contre)	*to react against*
le génie	*genius*	négliger	*to neglect*
le bonheur	*happiness*	léguer (qqch à qqn)	*to leave to someone*
l'héritage	*inheritance*	remettre en question	*to question*
l'impact	*impact*	contribuer (à)	*to contribute (to)*
une âme	*soul*	répandre	*to spread*
la frise chronologique	*timeline*	changer les mentalités/les attitudes	*to change attitudes*
la peine/le chagrin	*sorrow, grief*	être en colère	*to be angry*

Guerres, révoltes et conflits   *Wars, revolts and conflicts*

un conflit	*conflict*	méprisé	*despised*
un incident	*incident*	mécontent	*unhappy, displeased*
un mal (des maux)	*trouble, evil, pain*	paralysé	*paralysed*
un dieu	*god*	responsable (de)	*responsible (for)*
le pouvoir	*power*	athée	*atheist*
le champ de bataille	*the battle field*	émouvant	*moving, touching*
une guerre mondiale	*world war*	sophistiqué	*sophisticated*
une doctrine	*doctrine*	audacieux	*bold, fearless*
la grève	*strike*	au lendemain de	*on the day after*
la paix	*peace*	d'avant-garde	*cutting-edge*
la contestation	*protest*	concerner	*to interest, to feel concern*
la pensée	*thinking/thought*	protester (contre)	*to protest (against)*
la certitude	*certainty*	saigner	*to bleed*
la quête (de)	*quest (for)*	s'engager	*to enrol*
l'agitation	*turmoil*	trouver la mort	*to die*
les barricades	*barricades*	descendre dans la rue	*to take to the streets*
les mœurs	*customs, morals*	réclamer	*to demand*
les paroles	*lyrics*	contester	*to object, to challenge*
stupéfait	*surprised*	lutter (pour/contre)	*to fight (for/against)*

gagner	to reach, spread to, overcome	se révolter (contre)	to rebel (against)
accuser	to accuse	se battre	to fight
bouleverser	to disrupt, change dramatically	se sentir	to feel
jouer un rôle	to play a role	se mobiliser	to rally, to mobilise
porter un regard (sur)	to pass judgment (on)	s'avérer	to prove to be
soulever la question	to raise the question		

La Haine, le film | ## Hate, *the movie*

un beur (fam)	second generation North African	une arme	weapon
un interrogatoire	questioning	la banlieue	surburb
un pote (fam)	mate	la cité	housing estate
le conflit des générations	generation gap	la chute	fall
le passage à tabac	beating	la crise d'identité	identity crisis
le verlan/l'argot	back slang/slang	la délinquance/la violence urbaine	delinquency/urban violence
le RER	Paris suburban trains	la tension	tension
le pistolet	gun	les forces de l'ordre	forces of law and order
le quartier	area, neighbourhood	juif	jewish
l'atterrissage	landing	maghrébin	North African
l'ennui	boredom	saccadé	jerky
les émeutiers/les CRS	rioters/riot police	afficher	to display
une émeute	riot	éclater	to break out, to explode
		déclencher	to spark off, to start

Le cinéma | ## Cinema

un film culte/un navet	cult/rubbish film	sensationel	astonishing
un spectacle	show	remarquable	noticeable/great
un plan d'ensemble	long shot	tiré de	taken from
un gros plan	close-up	en noir et blanc/en couleur	black and white/colour
des moyens	means, financial resources	au cours de	during
le réalisateur	director	davantage	more
le tournage	shooting, filming	évidemment	obviously
le montage	editing	monter	to edit
le jeu des acteurs	acting	créer	to create
le marketing	advertising	soutenir	to maintain
le bruit/le bruitage	sound/sound effect	divertir	to entertain
l'éclairage	lighting	employer une technique	to employ a technique
les critiques	critics	traiter (de)	to deal (with)
les lieux	locations	s'inspirer (de)	to get inspiration (from)
les décors	set	connaître par cœur	to know by heart
les effets spéciaux	special effects	tourner un film	to shoot a film
une plongée/une contre-plongée	high-angle shot/a tilt up	faire allusion (à)	to allude (to)
une affiche	poster	raconter	to tell, narrate
une approche	approach	produire	to create, produce
une scène	scene	mettre en scène	to direct
la manière de	the way in which	dénoncer	to denounce
la mise en scène	direction	aborder le thème de	to tackle the topic of
la bande sonore	soundtrack	rappeler	to remind, recall
l'improvisation	improvisation	apprécier	to appreciate
l'intensité dramatique	dramatic intensity	se résumer à	to come down to
l'action	action	se dérouler/se passer	to take place
l'intrigue	plot	se débarrasser	to get rid of
les recettes	the takings	se distinguer	to stand out
expérimenté	experienced	se rendre compte (de)	to realise
capital	key, major	s'identifier (à)	to identify oneself (with)

La littérature

un roman graphique/un manga	graphic novel/manga
un recueil de nouvelles	collection of short stories
un extrait	extract
un/une auteur(e)	author
un éclat d'obus	piece of shrapnel
un réfugié	refugee
un récit	story
le poème	poem
le narrateur/la narratrice	narrator
le dénouement	denouement
le rythme	rhythm
le ton tragique/dramatique/épique	tragic/dramatic/epic tone
le registre	register
le bombardement	bombing
le caractère	nature, personality
les sentiments	feelings

Literature

une métaphore/une image	metaphor/image
une fiction/une biographie	fiction/biography
une pièce de théâtre	play
la littérature, les lettres	literature, arts
la façon d'écrire/le style	style
la réussite sociale	social success
la fierté/la honte	pride/shame
fictif	imaginary
dépouillé	simple/pared down
tranchant	sharp
incendié	set on fire
convaincre	to convince
profiter (de)	to take advantage (of)
feuilleter	to flick through
poser une colle (fam.)	to set somebody a poser
s'attacher à (écrire)	to set out to write

Le théâtre

un vers/en vers	verse/poetry
un acte	act
un monologue/un dialogue	monologue/dialogue
un discours	speech
le dramaturge	playwright
le drame	drama/play
le Molière du meilleur comédien	French theatre award for best actor
le malentendu	misunderstanding
le suspense/le mystère	suspense/mystery
l'égoïsme	selfishness
les étalages	stalls
une réplique	line

Theatre, drama

une tirade	tirade
une scène d'exposition	introductory scene
une épidémie	epidemic
la fièvre	fever
impliqué	involved
à toute allure	at top speed
pourchassé	chased
dédier	to dedicate
avoir lieu	to take place
succomber	to give in/to die
empêcher	to prevent
se métamorphoser (en)	to metamorphose (into)

L'art

le musée d'art moderne /contemporain	museum of modern/ contemporary art
un tableau	painting
un chef-d'œuvre	masterpiece
un urinoir	urinal
un bricoleur	handyman
le sujet	topic
les beaux-arts	fine arts
une œuvre d'art	work of art
une sculpture	sculpture
une exposition	an art exhibition
l'esthétique	aesthetic
révolutionnaire	revolutionary
pur	pure

Art

inspiré de	inspired from
peindre	to paint
prendre du recul	to stand back
donner lieu à	to lead, to give rise to
dépasser les limites	to overstep the mark
provoquer	to provoke
gaspiller	to waste
financer	to fund
émouvoir	to move, touch
influencer/manipuler	to influence/manipulate
censurer	to ban/to censor
stimuler	to stimulate
se renseigner	to get information

Une ville, une région *A town, a region*

un bâtiment	*building*
un axe	*major road, path*
un investissement	*investment*
le monopole	*monopoly*
le ver à soie	*silkworm*
le réseau	*network*
le textile	*textile*
le commerce	*trade*
le béton	*concrete*
l'essor économique	*rapid development, boom*
les bénéfices	*profit, benefit, advantage*
les espaces verts	*open spaces*
les loisirs	*leisure*
une carte	*map*
une industrie	*industry*
une entreprise	*firm, business*
une piste cyclable	*cycle path*
la soie	*silk*
la matière première	*raw material*
la presqu'île	*peninsula*
la revalorisation	*revalue*
l'importation	*import*
l'influence	*influence*
l'économie	*economy*
les rives	*river banks*
aérien	*air*
évident	*obvious*
propre	*own*
sécurisé	*safe*
en 3D/en trois dimensions	*in 3D*
dorénavant	*from now on*
comme, puisque	*as, since*
étant donné que/vu que	*considering that*
de sorte que/si bien que	*so that*
en plein essor	*booming*
mettre à disposition/en place	*to make available/put into place*
alimenter	*to provide*
subvenir à ses besoins	*to provide for*
fuir	*to flee*
concurrencer	*to compete*
évaluer	*to evaluate, assess*
aménager	*to create, develop*
s'implanter	*to establish*
s'installer	*to set up*

L'architecture *Architecture*

un architecte	*architect*
un édifice	*building, a monument*
un immeuble	*block of flats or offices*
le développement durable	*sustainable development*
le toit	*roof*
l'ouvrage	*(a piece of) work*
l'urbanisme	*town-planning*
les coûts	*costs*
les délais	*agreed time, deadlines*
les matériaux	*materials*
une maison verte	*an eco-friendly house*
la créativité	*creativity*
la conception	*conception*
la réalisation	*production*
fonctionnel	*functional, practical*
avant-gardiste/original	*cutting edge/original*
économique	*inexpensive, cost-efficient*
pratique	*practical*
lumineux	*light, bright*
méthodique	*methodical*
prestigieux	*prestigious*
dans une certaine mesure	*to some extent*
à la hâte	*rushed*
bâtir/construire/fabriquer	*to build/construct/make*
gérer	*to manage*
améliorer la qualité de	*to improve the quality of*
dessiner/concevoir	*to draw/design*
résoudre	*to solve*
s'en ficher de (fam.)	*to not give a damn about*
être/se sentir bien dans sa peau	*to feel good*
tenir compte de/prendre en compte	*to take into account*
se limiter à	*to limit oneself to*
se détendre	*to relax*

The five A2 Cultural Topics

From a target-language-speaking country or community

1 **A region or a community**
2 **A period of 20th century history**
3 **The work of an author**
4 **The work of a dramatist or poet**
5 **The work of a director, architect, musician or painter**

Be prepared to talk about the geography, the history of the area, the main influences on the region, its economy, e.g. industry, tourism, population changes, work patterns and why these are important.

Be prepared to talk about the main events during a specific period, why they happened and why they were important, who the important people were in the period, what their influence on events was and why they were involved.

If you look at the style of an artist, your conversation will probably focus on **the ideas and themes** that are common in their work, **the main influences** on their work and why they chose to focus on **specific aspects** of their work.

Go beyond description, the examiner is interested in your ability **to explain**, **debate and evaluate**. You could concentrate on the themes or more on the characters in the work you have studied, be prepared to talk about their personality, what they do and why, what their influence on the plot is.

 Écouter 1 Écoutez ces cinq candidats pendant leur examen oral. Selon vous, qui parle …

a d'une région
b d'une période de l'histoire
c d'un livre ou d'un film
d de l'œuvre d'un architecte
e d'un réalisateur?

 Getting the right choice of topics is very important.

- You may choose the same topics you prepare for your Unit 3 paper. Although this is not essential, it does save the amount of preparation work you have to do and so has many advantages.
- Choose two topics where you are able to express opinions easily, give reasons for your comments and where you can give examples to prove what you say. Marks for the conversation are awarded for **fluency, accuracy and how well you can discuss the topics**. If you choose topics where you cannot develop your ideas or where you cannot debate with the examiner you will not have opportunities to access the highest marks.
- Make sure that your topic fits the requirements of the specification.

Lire 2 Lisez les sujets que ces candidats ont l'intention de présenter à l'oral. À votre avis, lesquels ne sont pas des sujets appropriés pour l'examen

Exemple: *1 Mauvaise idée! Hors sujet! L'Angleterre n'est pas un pays francophone.*

1 Je voudrais faire une comparaison entre la vie quotidienne en France et en Angleterre.
2 Beaucoup de gens se passionnent pour l'histoire de la Deuxième Guerre mondiale, mais c'est l'histoire de la vie des tranchées de la Première Guerre qui me fascine.
3 J'ai étudié la vie de Marie Curie, peut-être la femme la plus célèbre en Franc
4 C'est la vie des immigrés arméniens dans le camp de Sangatte dont je voudrais discuter.
5 La musique et les paroles de Brel m'ont inspiré. J'adore la manière dont il commente la condition humaine.
6 Certains bâtiments à la Défense ont été dessinés par des architectes de toutes nationalités, et cette coopération internationale me fascine.
7 Je déteste le rap français et donc je préférerais parler de musique folkloriqu
8 Après avoir vu le film *Bienvenue chez les Ch'tis*, j'ai choisi d'étudier la région française du Nord.
9 Le ballet est ma passion depuis toute petite, j'ai donc décidé de faire une étude approfondie du Ballet Rambert.
10 Les émeutes de 2005 m'intéressent beaucoup.
11 Je me suis énormément intéressé au livre *Une Femme* car ma grand-mère souffre de la maladie d'Alzheimer, comme la mère dans cette histoire.
12 Picasso est sans aucun doute le peintre qui a eu le plus d'influence en Franc

Écrire 3 Modifiez les idées des candidats pour qu'ils ne soient plus hors sujet.

Exemple: *I Je voudrais faire une comparaison entre la vie quotidienne en France et en Nouvelle-Calédonie/sur l'île de la Réunion/au Canada.*

Once you have chosen your two topics, try to **predict which questions the examiner may ask, research your topic, prepare interesting ideas, comments** and have some **answers to the examiner's arguments.**

- The examiner will ask **general questions that can apply to a range of work**: e.g. questions about themes, techniques, characters, plot which make the work interesting or special and a range of questions about causes, importance and impact of events (these questions could apply to whatever question you chose to tackle in history or geography). Make your answers relate to the aspect **you** want to talk about.

Écouter 4 Écoutez et complétez les questions que cet examinateur pose aux candidats qui ont choisi de parler d'un auteur ou d'un artiste (romancier, poète, dramaturge, peintre, compositeur, musicien).

1 Pourquoi avez-vous 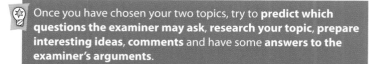?
2 Expliquez le ▇▇▇▇▇▇▇▇▇▇▇▇▇▇▇ avez étudiée.
3 Dans quelle mesure cette œuvre ▇▇▇▇▇ époque?
4 Décrivez ▇▇▇▇▇▇▇▇▇▇▇ le plus dans cette œuvre.
5 Comment ▇▇▇▇▇▇ auteur?
6 Jusqu'à quel point ▇▇▇▇▇▇▇ reflète-t-elle ▇▇ ?
7 ▇▇▇▇▇▇▇ l'histoire de cette œuvre?
8 Selon vous, qu'est-ce qui ▇▇▇▇▇ cette œuvre?
9 ▇▇▇▇▇▇▇▇▇ de cet artiste à son époque.

Parler 5 À deux. D'après vous, quelles autres questions l'examinateur pourrait-il poser? Finissez ces questions.

1 Décrivez la scène que …
2 Expliquez les aspects de cette œuvre que vous …
3 Quels sont les thèmes …?
4 Pour quelles raisons avez-vous …?
5 Dans quelle mesure cette œuvre …?
6 Quelle a été l'influence …?
7 Comment expliquez-vous …?
8 Pourquoi …?

le roman	le tableau
le morceau	le film
l'œuvre	le chef-d'œuvre
la scène	les personnages
les thèmes	les aspects
décrire	expliquer
justifier	interpréter
commenter	
Dans quelle mesure …?	
Jusqu'à quel point …?	
Qu'est-ce qui vous intéresse …?	

If the examiner asks you to explain about tourism, history or commerce, for example, you can take your answer further by any of the following starters which will allow you to give extra information.

You **must practise this style of answer before the exam.** It may not come naturally to you on the day of the exam when you may be quite nervous.

- **Beware giving a prepared speech,** however. The examiner expects a 'live' conversation not a lecture and s/he will interrupt lengthy prepared answers. **Practise hesitating,** French **euh** not English *aah.* Restart and rephrase an answer if necessary.
- **Be active in the conversation and challenge** the examiner. This is what is expected. If you agree with the examiner all the time you will not receive high marks.

Écrire 6 Quelles questions l'examinateur pourrait-il poser à un candidat qui a choisi de parler d'une région de France et d'une période historique?

le tourisme	l'économie
le commerce	l'essor
les avantages	les inconvénients
une époque	les événements

Décrivez l'aspect le plus important de …
Expliquez les origines/le développement/les causes/l'impact de …
Comment avez-vous fait vos recherches sur …?
Dans quelle mesure … est important pour …?
Voudriez-vous habiter/visiter/travailler …?
Expliquez l'importance de …
Expliquez les conséquences de …

- **Prepare facts, arguments and interesting ideas** but learning quotes for the conversation is not really necessary. The examiner is more interested in your language, how you express yourself, how fluent you are and how wide a range of vocabulary you can use. You have 2 x 5 minutes to convince the examiner how much French you know and that the French is of a high standard.
- On the day, **be confident and speak clearly;** your speaking test will be recorded and it is difficult to hear candidates if they mumble during the recording.
- Paradoxically, **fluency, interaction and intonation** are worth more marks than complete grammatical accuracy. Whatever you say, even if it contains some mistakes, should sound French, flow naturally (e.g. hesitations that sound French) and should be an interactive event. Don't allow the examiner to dictate the terms of the conversation. If you don't know the exact French word, say it convincingly in English with a French accent, **smile and keep going!** You are allowed to make grammatical mistakes provided you are trying to **be ambitious in your language.**

The Unit 3 paper consists of **Listening** and **Reading** exercises, including **Transfer of meaning from French into English** and from **English into French**, followed by an **essay (250 words minimum)** on one of the Cultural Topics you will have studied for A2.

- **Spend a lot of time preparing for these Cultural Topics** not only for the writing exam in Unit 3 but also for the conversation exam in Unit 4.
- On the day you will have the choice between 10 essay questions (two per Cultural Topic). **Practise a range of essay questions** on these topics, on various aspects, so you can really choose the one you know you'll write a great essay for!

Thèmes culturels

1 Une région de France ou d'un autre pays francophone

2 Une période de la France du 20ème siècle

3 L'œuvre d'un auteur francophone

4 L'œuvre d'un dramaturge/poète francophone

5 L'œuvre d'un architecte/réalisateur/musicien/peintre francophone

Écouter 1 Écoutez et complétez ces sujets d'examen. Puis décidez à quel thème ils correspondent (thèmes 1–5).

1 Estimez comment …
2 Expliquez les …
3 Choisissez une …
4 Décrivez en …
5 Examinez le …
6 Examinez les …
7 Décrivez et …
8 Évaluez les …
9 Analysez les principaux …
10 Examinez les …

Whichever Cultural Topics you choose to prepare and whichever question you choose to answer, to access the top marks your essay needs to be:

- relevant and not superficial, showing good knowledge of the subject matter;
- well-sequenced;
- over 250 words to achieve sufficient depth of treatment (at least 400 words);
- include a wide range of vocabulary, structure and tenses.

Lire 2 Lisez la copie de cette candidate (page 33). Quel sujet a-t-elle choisi (1–10)?

Lire 3 Est-ce une bonne copie? Relisez et relevez les verbes employés.

	I	he/she/it	they
Present			
Perfect	J'ai choisi		
Future			
Imperfect			
Conditional			
Conditional perfect			
Pluperfect			
Future perfect			
Subjunctive			
Present participle			

As a rule of thumb, to access the top bands of marks for your essay it should include examples of at least five of the following eight tenses: **present, perfect, future, imperfect, conditional, conditional perfect, pluperfect; future perfect.**

You should also aim to include some examples of the subjunctive.

Prove also you can avoid the subjunctive (by using an infinitive construction) to avoid overusing the subjunctive, which can be counter-productive and may appear awkward.

Lire 4 Est-ce une bonne copie? Trouvez …

- 6 conjonctions
- 6 adverbes
- 1 relative

Parler 5 Est-ce une bonne copie? Y a-t-il des répétitions? Si oui, comment pourrait-on les éviter?

The essay is worth 40 marks. Spend no more than 30 minutes on the listening exercises and **spend at least 1 hour on the essay question.** You may not want to do that in the final hour of the exam when you may be tired. It may even be a good idea to do the reading and writing exercises first.

Introduction: Explain succinctly **what you have chosen to write about and why**. It should include **references to the main aspects of the topic** that you intend to address.
For example, who, why, first comments about what is significant about this character.
(Max. 80–100 words)

Paragraphs: Elaborate on the main aspects in detail and include commentary and **analysis** (no description, assume the examiner is familiar with your subject matter).
For example, explanation of the character's proud personality: proud, stubborn, strict, generous; contrasting comments that illustrate his contradictory character.
(2 or 3 paragraphs)

Evidence is important. Justify your points:
1 Statement
2 Evidence/quote proving your point
3 Analysis, commentary, explanation of importance and impact

Conclusion: Draw together the main points of your argument. If appropriate, make a statement indicating your decisive point of view (don't introduce new material).
For example, aspects of determination and stubbornness and why he was so important in Annie's development.
(Max. 80–100 words)

J'ai choisi de m'intéresser au personnage du père dans la *Place* d'Annie Ernaux parce que celui-ci joue un rôle parfois contradictoire dans la vie de sa fille. Le père d'Annie est né paysan mais il décide d'acheter un petit commerce afin de se faire une meilleure place dans la société et d'offrir une meilleure vie à sa famille. Annie agira de la même manière que son père quand elle partira de la maison pour continuer ses études à l'université. (79 mots)

Le père d'Annie était un homme fier et un peu têtu. Ses rapports avec sa femme étaient tendres, voire même romantiques (on les voit chanter et danser dans la cuisine) et c'était un père strict mais généreux. On devine sa fierté à travers sa décision de prendre un petit commerce. Ernaux le décrit comme «sorti du premier cercle» suite à l'achat du magasin. Pour lui, comme pour sa fille, il est très important de progresser, de ne pas rester dans la classe ouvrière. «Faire paysan», comme disait sa femme, aurait été une insulte pour lui. «Mon mari n'a jamais fait ouvrier», déclarait-elle, une autre phrase qui montre aussi leur désir d'avoir une meilleure situation économique. On voit aussi qu'il est têtu quand il prend un deuxième emploi pour éviter de perdre son commerce. «Il cherchait à tenir sa place», dit sa femme pour indiquer sa détermination. La peur de redevenir ouvrier était très forte. [...] (160)

Dans une famille différente, est-ce qu'Annie aurait eu les mêmes chances de réussir? Je crois que non. Son père était fier d'elle. Il gardait toujours dans son portefeuille la coupure du journal avec ses résultats au concours d'entrée à l'École normale des institutrices. Il n'avait pas les mots pour exprimer cette fierté, mais il serait impossible de douter de l'importance de son influence dans la vie d'Annie. Le père d'Annie n'avait pas voulu rester ouvrier comme son père. Il avait donc pris la décision de quitter son village natal et de chercher un emploi en ville. «Mieux que lui», écrit Ernaux pour indiquer le désir du père de changer de statut social. Ici, cependant, on voit la contradiction de l'attitude du père. Annie, elle, savait que c'était de son intelligence dont elle devait se servir pour obtenir une meilleure situation. Cette décision montre l'importance du père dans la vie d'Annie. En effet, son père avait cherché du travail en ville pour les mêmes raisons. D'autres parents, un père sans ambition ou une mère aux idées extrêmement traditionnelles, auraient insisté pour qu'elle quitte l'école et qu'elle aille travailler dans une usine ou dans un bureau. Annie, elle, ne reconnaissait pas toujours le caractère généreux de son père. «Il aurait peut-être préféré avoir une autre fille», se disait-elle. À mon avis c'est une réflexion injuste. Son père jouait bien son rôle de parent. Annie se souvient du jour où, avec un regard fier, son père lui avait dit «je ne t'ai jamais fait honte». [...] (259)

Même s'il ne savait pas faire la différence entre «à prouver» et «approuvé», le père d'Annie comprenait néanmoins l'importance de l'éducation dans la vie. Il s'était forcé à apprendre à lire quand il était à l'école, il emmenait Annie à la bibliothèque malgré son embarras et il ne refusait jamais les conséquences de la nouvelle vie d'Annie. Sans l'appui de son père, Annie n'aurait pas pu mener sa vie telle qu'elle l'a menée. (77)

Module 2 · objectifs

t Thèmes

- Parler de la pollution
- Débattre du meilleur moyen de transport
- Examiner les solutions pour réduire les émissions de CO_2
- Parler des sources d'énergie et des habitudes de consommation
- Comprendre les causes du réchauffement climatique

- Parler des catastrophes naturelles
- Parler du développement durable et des initiatives individuelles et collectives
- Considérer les solutions possibles pour sauver la planète

g Grammaire

- Les pronoms relatifs: **qui**, **que**, **dont**
- Les pronoms indéfinis (1)
- Les verbes suivis par **à** ou **de** + infinitif
- Le verbe **devoir**
- Le futur antérieur (1)
- Combiner les temps de présent, du passé et du futur

- Le conditionnel passé
- Les verbes impersonnels
- **Faire** + infinitif

s Stratégies

- Discuter d'un texte
- Comparer et contraster
- Adopter et défendre un point de vue
- Préparer un débat
- Maîtriser les nombres et les statistiques

- Écrire une brochure
- Convaincre à l'oral
- Élargir son vocabulaire
- Relire son travail
- Rédiger des fiches de révisions

I · On étouffe!

On s'empoisonne la vie!

**La pollution est partout: dans l'air, dans l'eau, dans la terre.
Et elle met notre santé en danger.**

Des villes irrespirables

Certains jours, dans les très grandes métropoles que sont Mexico, Le Caire ou Athènes, un épais brouillard recouvre la ville. Il est dû au gaz émis par les voitures (les véhicules à moteur Diesel notamment) et les usines. L'utilisation de combustibles fossiles (charbon, pétrole) répand dans l'air d'énormes quantités de particules et de résidus de combustion qui empoisonnent les habitants des grandes villes.

Lire 1   Lisez la première partie de cet article sur la pollution et trouvez l'équivalent en français des mots ci-dessous. Puis traduisez le texte en anglais, y compris le titre.

1	city, metropolis	6	fossil fuels
2	fog	7	coal
3	to give out/emit	8	oil
4	particularly	9	to spread
5	factory	10	to poison

Écouter 2   Écoutez la suite de l'article et notez les mots qui manquent. Avant d'écouter, essayez de deviner ces mots en utilisant le contexte.

L'exemple de Linfen

On respire très mal dans cette **1** _____, qui a la triste réputation d'avoir l'air le plus pollué de Chine. Raison principale: le gaz carbonique rejeté par les mines de charbon. Les **2** _____ doivent rouler tous phares allumés en plein jour à cause d'un **3** _____ persistant. Et les **4** _____ sont obligés de porter des masques pour se protéger. L'eau de la ville est également **5** _____.

Les animaux sont touchés

La **6** _____ ne se limite pas à l'air que nous respirons. Elle s'infiltre dans la terre, dans les nappes phréatiques, dans les rivières et les **7** _____. Les bélougas, par exemple, avalent des produits toxiques rejetés dans le fleuve Saint-Laurent (au Canada). En **8** _____, le plancton, les larves de poisson, les oursins, les langoustes sont infectés par les produits rejetés par les bateaux. Or, ces êtres vivants sont la principale nourriture de nombreux mammifères qui, à leur tour, sont contaminés.

nappe phréatique (f)	*ground water*
oursin (m)	*sea urchin*
langouste (f)	*lobster*

In both exercise 1 and exercise 3 list the words dictionary-style:

- List nouns in the singular with (**m**) or (**f**) to indicate their gender. Some genders should be clear from the text: look for articles such as **un/une** or **le/la**, or adjective endings.
- List verbs in the infinitive. You should be able to guess some infinitives from the verb endings.
- Use a dictionary to look up any genders or infinitives you can't work out from the text.

Lire 3 Trouvez dans le texte de l'exercice 2 les mots qui correspondent à ces définitions.

1 inhaler et expirer de l'air
2 malheureux
3 voyager en voiture
4 la partie d'une voiture qui émet de la lumière
5 une chose qu'on porte pour se cacher le visage
6 un poisson dont on mange les œufs en caviar
7 absorber
8 une grande rivière
9 les aliments, les choses que l'on mange
10 un animal à sang chaud dont les jeunes boivent le lait

Écrire 4 Répondez aux questions en français en utilisant le plus possible vos propres mots.

1 Pourquoi Linfen est-elle la ville la plus polluée de Chine?
2 Nommez **trois** effets de cette pollution.
3 Citez un des effets de la contamination du fleuve Saint-Laurent.
4 Selon l'article, d'où vient la pollution de la mer?
5 Comment les mammifères sont-ils touchés par la contamination de la mer?

à l'examen

- You will not gain credit if you 'lift' chunks of the text in your answers. Use your own words as far as possible.

- Think carefully about how you would answer the questions in English and then work out what you need to do to adapt the language of the text to answer them in French.

- Make sure you use the following correctly:
  because = **parce que**   *because of* = **à cause de**
  Les habitants respirent mal **parce que** l'air est pollué.
  Les habitants respirent mal **à cause de** la pollution de l'air.

Grammaire

Les pronoms relatifs (*relative pronouns*)

Qui, **que** and **dont** are called relative pronouns and are used to replace a noun. Using a relative pronoun avoids repetition and enables you to build complex sentences.

Qui (*who, which*) can refer to either people or things. It replaces a noun which is the subject of the sentence (the person or thing doing the action).

Que (*whom, which* or *that*), (shortened to **qu'** in front of a vowel or silent **h**) can also refer to people or things. It replaces a noun which is the *object* of the sentence (the person or thing on the receiving end of the action).

Dont (*whose, of whom or of which*).

Écrire 5 Traduisez les phrases suivantes en français, en utilisant qui, que ou dont.

1 The cars which emit a lot of toxic gas are vehicles with diesel engines.
2 Linfen is a town whose inhabitants are suffering.
3 The persistent fog that covers Linfen is due to the pollution of the air.
4 The coal and oil which people (**on**) use in factories poison the air.
5 The people who have to wear masks in order to protect themselves are inhabitants of Linfen.
6 Numerous mammals whose main food is fish are contaminated.

Lire 6 Lisez le texte et résumez les idées du texte en anglais.

Maladies et allergies

Il semble que les hommes sont de plus en plus nombreux à souffrir d'affections liées à la pollution: allergies, asthme, cancers … Lors des pics de pollution dans les grandes villes, les personnes fragiles ont des difficultés à respirer, et les cas d'asthme se multiplient. Selon l'OMS (Organisation mondiale de la santé), la pollution serait responsable d'environ 2 millions de décès prématurés par an.

souffrir	*to suffer*
est dû à	*is due to*

Parler 7 Avec laquelle de ces opinions êtes-vous d'accord? Préparez-vous à justifier votre point de vue.

«Afin de lutter contre la pollution de l'air et la contamination de la mer, nous devrions tous changer nos habitudes, conduire moins ou opter pour le covoiturage par exemple.»

«Les problèmes de pollution sont des problèmes que nous ne pouvons pas résoudre individuellement. Le gouvernement devrait financer des projets qui inciteraient les citoyens à modifier leurs habitudes.»

à cause de …/parce que …/car …
À mon avis, il faut réduire le nombre de …
parce que les gens refusent de …
Selon moi il est urgent de persuader les gens de moins/plus …
Il est impératif de …
Je pense qu'on peut/qu'on ne peut pas …
Je ne pense pas qu'il soit possible de …
Chacun de nous, individuellement, nous devons …
C'est à chacun d'entre nous de …
C'est le gouvernement qui devrait…
Ce sont les entreprises qui devraient…
À l'échelle locale/nationale/mondiale

t Débattre du meilleur moyen de transport
g Les pronoms indéfinis (1)
s Comparer et contraster

2 · Bonne route!

Le chassé-croisé de l'été

Alors qu'il y a 30 ans, partir était un privilège réservé à une minorité, aujourd'hui les migrations estivales concernent les deux tiers de la société française. Le formidable essor de la voiture personnelle a contribué à accroître la circulation sur les routes et les autoroutes. Les Français considèrent que la voiture procure autonomie et économie. C'est le moyen de transport le plus utilisé pour partir en vacances.

Les départs des vacances engendrent souvent des bouchons. Pour éviter de se faire piéger dans les embouteillages, il existe une solution: Bison Futé. Bison Futé donne de bons conseils aux automobilistes sur les itinéraires à privilégier, les routes à éviter et les bons moments de départ. Il met en place un calendrier où sont indiquées les difficultés de circulation éventuelles en distinguant quatre niveaux différents:

Le niveau vert: les problèmes de circulation sont classiques (heures de pointe). On peut s'attendre néanmoins à quelques bouchons.

Le niveau orange: la circulation est dense et les conditions de circulation peuvent être difficiles par endroit ou globalement. Il est possible qu'il y ait en tout jusqu'à 250 km de bouchons cumulés sur le réseau national.

Le niveau rouge: le trafic est très perturbé. Le total des bouchons dépasse les 250 km et peut même atteindre les 500 km.

Le niveau noir: la circulation est exceptionnellement dense et les difficultés en conséquence. Plus de 500 km de bouchons peuvent être totalisés au plus mauvais moment sur l'ensemble du réseau avec des pointes pouvant aller au-delà des 500 km lors d'un chassé-croisé.

Lire 1 Trouvez l'équivalent de ces phrases en anglais dans le passage.

1 summer (2 mots)
2 rise
3 independence and affordability
4 traffic jam (2 mots)
5 to get trapped
6 good advice
7 rush hour
8 network
9 disrupted
10 across the whole

Lire 2 Répondez aux questions suivantes en anglais.

1 What proportion of the French population go on summer holiday nowadays?
2 What contributed to the increase in traffic compared to 30 years ago?
3 Why are the French so keen on their cars?
4 What does Crafty Bison do?
5 What are the characteristics of traffic during the following periods?
Mention two details in each case:
a green;   b orange;   c red;   d black

Écouter 3 Écoutez cet entretien. Prenez des notes en français sur les modes de transport mentionnés et sur leurs avantages et les inconvénients de leur usage.

Lire 4 Complétez le texte suivant, selon le sens du passage en utilisant un des mots ci-dessous.

1 _____ en France n'a pas la même attitude envers l'écologie. 2 _____ sont préoccupés par le prix du voyage alors que 3 _____ s'inquiètent plus de l'impact écologique de leur déplacement. 4 _____ peut aider, en évitant par exemple d'emprunter le transport aérien pour de courtes distances. Les Français aiment beaucoup se déplacer en voiture, parce qu'ils peuvent se rendre 5 _____. Donc, 6 _____ d'entre eux se tournent à présent vers les voitures hybrides, car elles sont plus «vertes» et à long terme, plus économiques. 7 _____ jeunes déclarent aimer les voyages en car puisque c'est convivial, mais le train est toujours le moyen de transport le moins polluant, et le voyage en train a toujours 8 _____ de romantique, bien sûr!

certains
quelques-uns
tout le monde
chacun
plusieurs
n'importe où
quelque chose
d'autres

Bison Futé

Bison Futé est un personnage imaginaire qui donne de bons conseils aux automobilistes sur les itinéraires à privilégier, notamment en période de départ de vacances, quand les routes sont surchargées. Il donne aussi des conseils de conduite selon la saison.

TGV LGV

Un TGV est un train électrique à grande vitesse qui circule à une vitesse supérieur à 250 km à l'heure.
La LGV Est européenne est une ligne à grande vitesse qui doit accélérer les relations entre d'une part Paris et les régions du nord, de l'ouest et du sud-ouest, et d'autre part, le nord-est de la France, l'Allemagne, la Suisse et le Luxembourg.

Écrire 5 Choisissez le bon pronom indéfini.

1 Il y a 30 ans, partir **quelque part/nulle part** en vacances était un privilège réservé à **quelques-uns/quelqu'un**.
2 Aujourd'hui, **quelque chose/chacun** a sa voiture personnelle, et donc sa liberté.
3 **N'importe qui/Personne** peut regarder le site de Bison Futé avant de partir.
4 Car les bouchons, c'est **quelque chose/quelques-unes** d'inévitable!
5 Pourtant, **quelqu'un/quelques-uns** commencent à parler du co-voiturage car cela revient moins cher.
6 **Certains/Rien** sont préoccupés par les émissions de carbone alors que **chacune/d'autres** préfèrent ne pas y penser.

Parler 6 Avec un(e) partenaire, préparez une réponse aux questions suivantes. Utilisez vos notes de l'exercice 3.

1 Pourquoi est-ce que les Français aiment partir en voiture?
2 Quel est l'impact écologique d'un déplacement en avion?
3 Quels sont les avantages et les inconvénients de partir en voiture?
4 À votre avis, quel est le moyen de transport le moins polluant?
5 Quel est votre moyen de transport favori?
6 Quel est l'impact écologique de votre moyen de transport préféré?

Écouter 7 Décidez si ces phrases sont vraies (V) ou fausses (F) ou pas mentionnées (PM).

1 84% des hôtesses et stewards faisaient la grève vendredi à l'aéroport de Roissy Charles de Gaulle.
2 Le RER ne fonctionnait pas non plus.
3 La veille, 54% des vols long-courriers au départ de Roissy avaient été annulés.
4 Le vol Air France entre Toulouse et Orly n'était pas en service.
5 Les files d'attentes étaient très longues et les passagers commençaient à s'impatienter.
6 Un grand nombre de personnes prennent la route lors des vacances de Noël.

Écrire 8 Vous et deux de vos copains allez à Marseille pour participer au concert Écolo'Zik. Pour se rendre de Paris à Marseille, il existe trois moyens possibles: l'avion, le TGV ou l'auto. Rédigez un texte où vous évaluez les avantages et les inconvénients de ces trois options. Exposez et justifiez votre décision.

transport	durée du trajet	coût, aller-retour	émissions de CO_2 à l'aller
TGV	3h40	94€ deuxième classe 130€ première classe	0,13 tonnes
Avion	1h00	vol charter 169€ vol régulier, Air France 200€	0,39 tonnes
Auto	7h30	péage 115€ essence 80€	0,18 tonnes

Grammaire

Les pronoms indéfinis (*indefinite pronouns*)

Indefinite pronouns are used in place of nouns. They can be the subject or the object of a sentence. Some are singular, others plural.

singular	
on	*one*
chacun(e)	*each one*
quelque chose	*something*
quelqu'un	*someone*
tout le monde	*everybody*
personne	*no one*
partout	*everywhere*
nulle part	*nowhere*
tout	*everything*
rien	*nothing*
quelque part	*somewhere*
n'importe qui	*anyone*

plural	
tous	*all*
certain(e)s	*certain ones/ some*
d'autres	*others*
plusieurs	*several*
quelques-un(e)s	*some, a few*

When **quelque chose** and **quelqu'un** are followed by an adjective, you must put **de** in between, e.g. quelque chose **d'**important/quelqu'un **d'**intéressant

In order to contrast two things use a range of structures:
- intensifiers (see p119) **très, trop, peu**
- comparatives (see p117) **plus ... que, aussi ... que**
- superlatives (see p117) **le moins, le pire**
- use the following expressions such as:

D'un coté ... de l'autre ... *On one hand ... on the other hand ...*

Par contre ...
En revanche ... } *On the contrary ...*
Au contraire de ...
Tandis que .../Alors que ... *Whereas ...*

dépendre/dépenser/rejeter
adopter une conduite écologique et réduire sa vitesse
éviter
utiliser la climatisation
réduire la consommation/ l'émission
l'empreinte carbone

gagner
gaz d'échappement
nombre de passagers
supplément
vol courte/longue distance
videoconférence
co-voiturage

résumer les arguments:
pour résumer/en résumé/en un mot/en bref

conclure:
en guise de conclusion/tout bien considéré/j'aimerais conclure en disant que ...
en définitive/on ne peut arriver qu'à une conclusion logique
il est évident/clair que

t	Examiner les solutions pour réduire les émissions de CO_2
g	Les verbes suivis par **à** ou **de** + infinitif
s	Adopter et défendre un point de vue

3 · Dossier carbone

Vous polluez? compensez!

C'est la nouvelle idée à la mode. Guillaume Pépy, directeur général de la SNCF, s'est engagé à mettre en place, dès novembre, des liaisons Eurostar Paris-Londres «neutres en CO_2», en investissant dans la compensation carbone. Le principe? «Racheter» ses émissions de CO_2 en finançant le développement des énergies renouvelables, l'efficacité énergétique ou plus souvent la plantation d'arbres qui vont stocker le carbone. Ces dons sont déductibles des impôts. Cependant, la qualité des projets soutenus ne fait pas encore l'objet d'une évaluation indépendante. De plus, selon certains scientifiques, le reboisement n'est vraiment utile que dans les régions tropicales où il contribue à stabiliser les températures. Dans les zones tempérées, la plantation d'arbres pourrait à l'inverse, renforcer le réchauffement climatique!

Pour Jean-Marc Jancovici (un expert climatique indépendant bien connu), il vaut mieux limiter ces émissions de gaz à effet de serre.

les énergies renouvelables	renewable energy sources
l'efficacité énergétique	energy saving measures
les dons	gifts
le reboisement	reafforestation
le réchauffement climatique	global warming
les émissions de gaz à effet de serre	greenhouse gas emissions

Lire 1 Lisez le texte. Ensuite, décidez si ces personnes ont une attitude positive ou négative envers la compensation du CO_2.

A «Neutres en CO_2»? Qu'est-ce que ça veut dire? On exagère quand on affirme qu'un trajet en train peut être neutre en CO_2.
Laure

B On a tort de croire qu'on peut tout «racheter». Il vaut mieux agir et essayer de limiter ses émissions en se déplaçant moins.
Érica

C Je suis convaincu que cette initiative, si elle aide en quelque sorte à sauver la planète, est à applaudir.
Théo

D Mon sentiment à ce sujet est que financer le développement des énergies renouvelables est une très bonne idée.
Armelle

E Il n'a pas été démontré que le reboisement soit toujours souhaitable. Tout dépend d'où on plante les arbres.
Guy

F Il est manifeste qu'un simple clic ne peut pas effacer sa dette écologique! C'est trop facile. Il vaudrait mieux essayer de limiter ses déplacements en avion, par exemple.
Anaïs

Écrire 2 Identifiez les expressions que chaque personne utilise pour adopter ou défendre son point de vue. Réutilisez ces expressions pour écrire six phrases pour donner votre point de vue sur la compensation écologique.

Grammaire

Les verbes suivis des prépositions à ou de + infinitif (*verbs followed by à or de + infinitive*)

When one verb is followed immediately by a second verb, the second verb must be in the infinitive form. Certain verbs need **à** before the infinitive, others need **de**. You must learn these by heart.

... à	... de
aider à – *to help to*	arrêter de – *to stop ...ing*
encourager à – *to encourage*	cesser de – *to stop*
s'engager à – *to commit oneself to*	décider de – *to decide to*
forcer à – *to force to*	oublier de – *to forget*
se mettre à – *to start to*	proposer de – *to offer to*
renoncer à – *to give up*	refuser de – *to refuse to*

Some verbs like **parler** or **continuer** can be followed by either **à** or **de**.

Ils vont **continuer de** reboiser.

La compensation n'est pas une raison pour **continuer à** polluer.

Prononciation

In order to avoid repeating English pronunciation and intonation, take time to practise pronouncing words syllable by syllable:

en-vi-ron-ne-ment, na-tu-re, aug-men-ta-ti-on, di-mi-nu-ti-on, é-miss-i-on, com-pen-sa-ti-on

Lire 3 Remplissez les blancs en choisissant le bon verbe et la bonne préposition. Ensuite, traduisez les phrases en anglais.

1 Il est grand temps que chacun _____ limiter ses déplacements en avion.
2 Les gens doivent _____ consommer moins de carburant, essayer ne coûte rien!
3 Il faut que les industriels signent un accord selon lequel ils _____ limiter ses émissions de gaz à effet de serre.
4 Il faut que le gouvernement arrête de _____ financer le développement des énergies renouvelables et le fasse enfin.
5 Nous devons _____ rejeter autant de carbone dans l'atmosphère.
6 Certains _____ reconnaître que le réchauffement climatique constitue un problème.

tenter
cesser
oublier
promettre
refuser
s'engager
renoncer
commencer

Écouter 4 Dans ce passage, il s'agit de la location de vélos dans certaines grandes villes en France. Choisissez la bonne réponse.

1 Les Lyonnais profitent du Vélo'V …
   a depuis douze ans.
   b depuis plus de deux ans.
   c depuis deux mois.
2 Le nombre d'abonnés est …
   a 60 000. b 66 000.
   c 16 000.
3 55% des abonnés …
   a ont plus de trente ans.
   b ont trente ans.
   c ont moins de trente ans.

4 Dans l'ensemble, les abonnés auraient fait …
   a dix huit millions de kilomètres.
   b presque huit millions de kilomètres.
   c plus de huit millions de kilomètres.
5 À Paris, depuis 2001, l'utilisation du vélo a augmenté …
   a de 40,8%. b de 48%.
   c de 80%.

6 À Paris, il y a …
   a 750 stations de Vélib'.
   b 550 stations de Vélib'.
   c 650 stations de Vélib'.
7 En tout, on peut louer …
   a 10 468 vélos.
   b 10 648 vélos.
   c 10 846 vélos.
8 On ne paie pas …
   a les trente premières minutes.
   b la location.
   c si on est parisien.

Lire 5 Faites correspondre les titres aux textes. Ensuite, trouvez l'équivalent en français des phrases ci-dessous.

A Je préfère être seul au volant!
B Copains de classe, compagnons de route
C Le prix de l'essence augmente encore!
D Contrôler l'industrie automobile
E Pour économiser, roulez moins vite!
F Les agrocarburants, une fausse bonne idée?

1 Le bilan écologique et énergétique de ces carburants tirés de betterave à sucres, blé ou colza n'est pas satisfaisant. Leur production entre en concurrence avec les cultures alimentaires. En revanche, rouler avec de l'huile de friture est une possibilité. Mélangées ou pures, les graisses peuvent être utilisées dans tous les moteurs diesels, sans odeur ni émission de CO_2 …

2 En ce qui concerne l'automobile, il faut agir. On peut augmenter le prix de l'essence et forcer les constructeurs à fabriquer des véhicules moins puissants et moins énergivores.
   Il faut récompenser les voitures dites «propres» et pénaliser les plus polluantes, c'est capital.

3 Cette année, on planche sur un système de co-voiturage au lycée! Comme ça, plutôt que de faire venir une voiture par élève, on peut s'organiser avec les parents et limiter les allées et venues. Cette idée de co-voiturage n'en est qu'à ses débuts mais on espère la mettre rapidement en place.

1 fuels made from sugar beet, wheat or oilseed rape
2 running a vehicle off cooking oil is a possibility
3 one can increase the price of petrol
4 less powerful, less energy-hungry vehicles
5 we must reward so-called clean cars
6 we can limit comings and goings

Parler 6 Avec votre partenaire, choisissez un des thèmes de cette unité.

Les agrocarburants   Les vélos à louer   Les voitures vertes
Le co-voiturage   La compensation carbone

Vary the phrases you use to adopt and defend a viewpoint as much as you can. Try to use a phrase only once.

● Adoptez un point de vue.   ● Donnez votre avis sur ce sujet.
● Donnez un exemple qui explique et justifie votre point de vue.

Votre partenaire doit écouter et dire s'il est d'accord ou pas d'accord avec votre point de vue.

- Parler des sources d'énergie et des habitudes de consommation
- Le verbe **devoir**
- Préparer un débat

4 · Le défi énergétique de demain

LE SOLEIL

LE VENT

L'EAU

LE GAZ

LE PÉTROLE

LES SOLS

LE CHARBON

L'URANIUM

Lire 1 Lisez le texte et décidez si ces sources énergétiques sont renouvelables ou non-renouvelables.

Nous disposons de deux types de **ressources énergétiques**

- Celles qu'on **transforme** pour produire de l'énergie, comme le soleil, le vent, la chaleur de la terre, les chutes d'eau, les marées (**le solaire**, **l'éolien**, **la géothermie**, **l'hydroélectricité**).

  Ce sont des sources d'énergies **renouvelables** et **inépuisables**. Ces énergies engendrent peu de déchets ou d'émissions polluantes.

- Celles qu'on **exploite** pour produire de l'énergie. Ce sont les combustibles fossiles comme le gaz, le charbon, le pétrole (**l'énergie fossile**) et l'uranium (**l'énergie nucléaire**).

  Ce sont des sources d'énergies **non renouvelables** car elles mettent des millions d'années à se reconstituer. On doit donc se soucier de préserver leur quantité.

Lire 2 Écrivez le nom des personnes qui expriment les opinions suivantes.

1 Les énergies vertes, c'est une perte de temps.
2 Tirons profit du soleil, il est la solution à nos problèmes d'énergie.
3 Je peux utiliser le lave-vaisselle en ayant la conscience tranquille.
4 Il n'y a pas de petites économies! On peut changer le monde en changeant nos petits gestes quotidiens.
5 On n'a pas besoin de consommer autant! Quel gaspillage!

«Mon père a installé des capteurs photovoltaïques, des panneaux solaires, sur notre toit. Pour lui, c'est avant tout une démarche écologique, sa manière à lui de lutter contre le nucléaire. Tout le monde devrait faire pareil.»
François

«À mon avis, on devrait revoir notre façon de consommer … ou de gaspiller, devrais-je dire! Ça ne nous coûterait rien d'éteindre les enseignes néons des magasins la nuit ou bien d'éteindre les appareils électroménagers au lieu de les mettre en veille.»
Mylène

«Nous pourrions tous faire des gestes simples afin de réduire notre impact sur l'environnement. Nous devrions faire des efforts pour vivre plus simplement. Consommer moins, économiser, changer nos habitudes, voilà la seule solution.»
Christophe

«Ma mère ne voulait pas d'électricité produite à partir d'énergie fossile ou nucléaire à la maison. Il y a un an, elle a donc choisi Enercoop. Cette coopérative qui fournit de l'énergie «verte» rachète à de petits producteurs une électricité fabriquée à partir de panneaux solaires, d'éoliennes et de petits barrages hydrauliques. C'est en moyenne 30% plus cher, mais on contribue à sauvegarder la planète. Elle dit qu'elle aurait dû changer il y a longtemps.»
Aziza

«À mes yeux l'énergie éolienne, c'est une belle perte de temps et d'argent! On peut utiliser la force du vent, mais seulement quand il y en a. Et puis, pour répondre aux besoins en énergie des logements et des bureaux il faudrait installer des éoliennes sur 7% du territoire. Imaginez le paysage! Et ne parlons pas du bruit!»
Youssouf

Parler 3 À deux, dites si vous êtes d'accord avec les opinions des jeunes ci-dessus. Justifiez vos réponses.

 i Culture

Production d'énergie en France
11% énergie fossile   11% énergie renouvelable
78% énergie nucléaire

Grammaire

Devoir

The use of **devoir** is quite nuanced. Impress the examiner by showing you can switch confidently from one meaning to the other, in different tenses.

Le protocole de Kyoto **devait** changer nos attitudes. *(was supposed to)*

Les Britanniques **ont dû** abandonner les mines de charbon. *(had to)*

Mon grand-père, qui était mineur, **a dû** avoir peur. *(must have been)*

Elle **aurait dû** opter pour l'énergie verte il y a longtemps. *(should have)*

Nous **devrions** faire un effort pour vivre plus simplement. *(should)*

Je dois visiter l'usine marémotrice de la Rance cet été. *(I am to)*

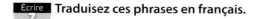

Écrire 4 Complétez les phrases avec la forme correcte de **devoir**.

1 On _____ plus exploiter les ressources énergétiques inépuisables. (*should*)
2 Les mineurs _____ travailler dans des conditions affreuses. (*had to*)
3 À l'avenir, on _____ utiliser de nouvelles sources d'énergie pour remplacer le pétrole. (*will have to*)
4 Nous _____ revoir nos habitudes de consommation il y a longtemps. (*should have*)
5 Nous _____ visiter le parc éolien d'Aumelas l'été prochain. (*are to*)
6 Nous ne _____ pas consommer autant d'énergie. (*shouldn't*)

Écouter 5 Toutes ces phrases contiennent un détail incorrect. Notez le détail et corrigez les phrases.

1 L'énergie marémotrice est un phénomène récent.
2 L'énergie marémotrice est une source d'énergie non-renouvelable et inépuisable.
3 L'usine marémotrice de la Rance en Bretagne a été installée en 1976.
4 La construction du barrage de la Rance a préservé l'écosystème de l'estuaire.
5 La centrale électrique nucléaire Hammerfest StrØm produira dix fois plus d'énergie.

Écouter 6 Écoutez ce reportage et écrivez le numéro des trois phrases qui sont vraies.

1 La France s'intéresse au potentiel des hydroliennes.
2 Une hydrolienne est une éolienne que l'on place sur la plage.
3 Les hydroliennes ont pour but de capter l'énergie des courants marins.
4 Les courants marins sont moins prévisibles que les vents.
5 Les hydroliennes ont un vaste potentiel.
6 La corrosion des hélices constitue un inconvénient des hydroliennes.

| les hydroliennes | *water turbines* |
| les hélices | *propellers* |

Écrire 7 Traduisez ces phrases en français.

1 It is possible to produce electricity with the sun, the wind and the waves.
2 We should make an effort to live more simply to save energy the next generation may need.
3 Scientists have just discovered that hydrogen could be the solution.
4 Leaks of radioactive waste should not have very serious consequences on water resources.
5 One million wind machines will be necessary to cover France's need for electricity.

Écrire 8 Traduisez ce passage en anglais.

Est-ce une bonne idée de continuer avec le nucléaire?

La centrale nucléaire de Tricastin est située dans la Drôme. Dans la nuit du 7 au 8 juillet, une fuite de déchets radioactifs a été détectée dans les nappes phréatiques. Suite à l'accident, on a interdit la consommation d'eau, la baignade, la pêche, et l'irrigation dans plusieurs communes. Les experts estiment que les conséquences pour la population devraient être «négligeables». D'autres prétendent que les nappes phréatiques sont contaminées et déclarent que ce nouvel accident illustre les problèmes de pollution que pose l'industrie nucléaire. Selon Frédéric Marillier de *Greenpeace*, «le nucléaire est une énergie polluante et dangereuse».

| une nappe phréatique | *ground water* |
| une commune | *town, village* |

à l'examen

For your exam, you have listening, reading and transfer of meaning – French to English and English to French – on the same paper. Make sure that you pace yourself and manage your time well. The exam lasts 2.5 hours. Aim to divide your time up as follows: 30 minutes on listening, 1 hour on reading and writing, 1 hour on the essay.

Parler 9 À deux, adoptez chacun un point de vue différent. Préparez vos arguments et préparez-vous à modérer ou contrer les arguments de votre opposant. Utilisez au moins une fois les expressions de la liste.

Quelle source d'énergie devrait-on choisir?

C'est absurde de penser que les énergies renouvelables pourront se substituer à l'énergie nucléaire et à l'énergie fossile. Ces énergies vertes ne subviendront jamais aux besoins énergétiques du pays.
Il faut envisager de très importantes économies d'énergie et en même temps développer les sources d'énergies renouvelables, c'est le seul moyen de sauver la planète.

Je partage votre avis sauf sur un point …
C'est vrai ce que vous dites, mais j'ai pu constater que …
Vous avez raison dans un sens, mais …Si vous permettez, je pense que ce n'est pas tout à fait exact …

5 · Ça se réchauffe!

Écouter 1 **Écoutez ce passage expliquant le phénomène de l'effet de serre. Remplissez les blancs en choisissant des mots ci-dessous.**

L'effet de serre est un phénomène 1 *naturel* qui est indispensable à la vie. La présence de 2 _____ dans l'atmosphère permet de garder sur Terre une partie de 3 _____ émise par le Soleil. Sans eux, la température moyenne serait de −18°C. Mais le développement économique, fondé sur 4 _____ (charbon, 5 _____), a amplifié le phénomène. Résultat, La Terre 6 _____ à vitesse grand V, subissant des changements climatiques: tempêtes, sécheresses, inondations ...

7 _____ est la cause du réchauffement climatique avec 8 _____, de chauffage, de production industrielle et agricole. Nous sommes tous responsables. Les pays riches, 9 _____ depuis le XIXème siècle, sont les principaux accusés. Un Américain émettrait autant de 10 _____ que 107 Bangladais!

En plein boom économique, la Chine pourrait cependant 11 _____ du classement dès 2007. La France, elle, se situe légèrement 12 _____ de la moyenne mondiale.

au-dessus   gaz
~~naturel~~
les énergies fossiles
        les moyens de transport
gaz carbonique   essence
        les eaux
la pollution   industrialisés
        méthane
déchet   se réveille
prendre la tête   virer
l'énergie   se réchauffe
artificiel   au-dessous
        pétrole
        notre mode de vie
notre approche

Lire 2 **Complétez le texte en choisissant le mot correct.**

À cause des humains, la terre se **1 réchauffe/refroidit**.

Le dérèglement climatique est dû à **2 la diminution/l'accumulation** de gaz à effet de serre dans l'atmosphère depuis **3 la fin/le début** de l'ère industrielle.

Depuis 1850 environ, les humains ont émis dans **4 la mer/l'atmosphère** une quantité considérable de gaz à effet de serre. Ces émissions proviennent principalement de **5 la combustion/propagation** des énergies fossiles (charbon, pétrole, gaz) qui ont justement permis le **6 développement/déclin** industriel et conduit à notre civilisation actuelle. Ainsi, depuis 1850, la concentration des gaz à effet de serre **7 a diminué/a augmenté** considérablement dans l'atmosphère, augmentant ainsi l'effet de serre. Notre couette **8 s'est épaissie/s'est amincie**: au lieu de nous protéger du froid, elle commence à nous donner trop chaud ...

les gaz à effet de serre = vapeur d'eau, dioxyde de carbone, méthane ...

Lire 3 **Complétez ce tableau avec le vocabulaire du texte.**

	verbe	participe passé	nom
1	réchauffer	réchauffé	le réchauffement
2			le dérèglement
3	diminuer		la diminution
4	accumuler		l'accumulation (f)
5		émis	
6			le développement
7		augmenté	
8	protéger		

Expand your vocabulary all the time. When you look up a word, write down all the members of the word family you come across, e.g **réchauffer, le réchauffement**. You can also note their opposite e.g **refroidir, le refroidissement**. In doing so, you will have a wide range of words and structures with which to paraphrase

Grammaire
Le futur antérieur (*the future perfect*)

The future perfect translates as *will have*. It is a compound tense you form by using the future tense of the appropriate auxiliary + the past participle.   La terre **se sera réchauffée**.   *The earth **will have warmed** up.*

Auxiliary *avoir*	+ past participle	Auxiliary *être*		+ past participle		ending
j'aur**ai**	parlé	je ser**ai**	Reflexive form:	mort	réchauffé	+ **e/s/es**
tu aur**as**	diminué	tu ser**as**	je me ser**ai**	retourné	refroidi	
il/elle/on aur**a**	augmenté	il/elle/on ser**a**	tu te ser**as**	arrivé	épaissi	
nous aur**ons**	fini	nous ser**ons**	il/elle/on se ser**a**	parti	aminci	
vous aur**ez**	perdu	vous ser**ez**	nous nous ser**ons**	entré		
ils/elles aur**ont**	disparu	ils/elles	vous vous ser**ez**	venu		
	vu	ser**ont**	ils/elles se ser**ont**	+ other **être** verbs		

The future perfect is sometimes used in French where we would not use it in English, after certain conjunctions like **quand, lorsque** (*when*), **dès que, aussitôt que** (*as soon as*).

Écrire 4 Mettez le verbe entre parenthèses au futur antérieur, ensuite traduisez les phrases en anglais.

Si on ne met pas un frein à la pollution, d'ici 2100 …
1 La banquise de l'Arctique (**rétrécir**) de moitié.
2 Les ours polaires (**disparaître**) et les glaciers (**fondre**).
3 La température de la terre (**augmenter**) de 1,4 à 5,8°C.
4 La température en France en été (**atteindre**) 35°.
5 1 200 espèces menacées (**perdre**) leur habitat.
6 Le désert (**gagner**) du terrain et des terres productives (**devenir**) arides à cause du manque d'eau.
7 Le niveau de la mer (**monter**). Les Maldives, les Pays-Bas et des villes comme Venise (**disparaître**).
8 Des populations entières (**devoir**) être déplacées.

Parler 5 Regardez les graphiques. Avec un(e) partenaire, préparez une réponse aux questions suivantes.

1 Combien de millions de tonnes de gaz carbonique la Chine émet-elle?
2 Et les États-Unis?
3 Quelle est votre réaction face à ces chiffres?
4 Quels sont les pays qui ont réussi à réduire leurs émissions entre 1990 et 2002?
5 Quels sont les pays dont les émissions ont augmenté entre 1990 et 2002?
6 Selon les prévisions, combien de tonnes de gaz carbonique émettra l'Amérique du Nord en 2030?
7 Et l'Asie?
8 Selon le graphique, quelles seront les conséquences du réchauffement dans le monde?

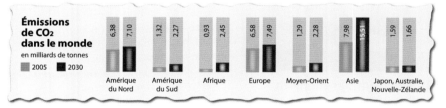

Émissions de CO₂ dans le monde
en milliards de tonnes
■ 2005 ■ 2030

	Amérique du Nord	Amérique du Sud	Afrique	Europe	Moyen-Orient	Asie	Japon, Australie, Nouvelle-Zélande
2005	6,38	1,32	0,93	6,58	1,29	7,98	1,59
2030	7,10	2,27	2,45	7,49	2,28	15,51	1,66

It is essential to practise high numbers. Take your time when you are preparing an answer to make sure you get the numbers right.

1113 mille cent treize
5912 cinq mille neuf cents douze

Pay attention to basics too. Practise 50, 60, 70, 80, 90 and be clear on the differences between: 13/30 – **treize/trente**; 14/40 – **quatorze/quarante**; 15/50 **quinze/cinquante**; 16/60 – **seize/soixante**.

Parler 6 Faites une présentation orale sur le réchauffement climatique (deux minutes maximum). Vous devez mentionner les points suivants:

● Expliquez ce qu'est l'effet de serre.
● Expliquez les causes du réchauffement climatique.
● Incluez au minimum cinq verbes au futur antérieur.
● Incluez au minimum trois statistiques.

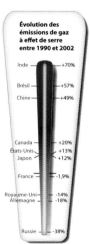

Évolution des émissions de gaz à effet de serre entre 1990 et 2002

Inde	+70%
Brésil	+57%
Chine	+49%
Canada	+20%
États-Unis	+13%
Japon	+12%
France	–1,9%
Royaume-Uni	–14%
Allemagne	–18%
Russie	–38%

Arctique et Antarctique

Canada 588
Grande-Bretagne 580
Allemagne 862
Europe
Russie 1685
Chine 4707
États-Unis 5912
Amérique du Nord
France 406
Italie 485
Japon 1262
Mexico 389
Afrique
Inde 1113
Asie et Océanie
Brésil 337
Amérique du Sud
Afrique du Sud 430

Émissions de CO₂;
La GB et les pays émergents
862 Émissions de CO₂ en millions de tonnes (2004)

Exemples de conséquences du réchauffement
Fonte des glaces
Risques de tempêtes
Risques d'inondations
Biodiversité menacée
Pénurie d'eau
Sécheresse
Risques de cyclones
Risques d'épidémie
Déplacements de populations

en baisse	*in decline*	réduire/diminuer	*to reduce*
en hausse	*on the way up*	en moyenne	*on average*
augmenter	*to increase*		

6 · La Terre en colère

Les changements climatiques en France

Les Français assistent depuis quelques années à une augmentation sensible des situations extrêmes, avec une alternance de pluie, inondations plus fréquentes, et de sécheresse, voire de canicule meurtrière comme ce fut le cas pendant l'été 2003.

Cette évolution confirme la perspective de réchauffement annoncée par les spécialistes qui aurait des conséquences désastreuses dans certaines zones côtières (avec l'élévation du niveau de la mer) ou en montagne (avec l'absence de neige dans les stations de basse et moyenne altitude, des risques d'avalanche en haute altitude).

29 août 2005

Katrina dévaste la Nouvelle-Orléans

L'ouragan Katrina dévaste et inonde le sud de la Louisiane et du Mississippi. La Nouvelle-Orléans est particulièrement frappée, suite à l'apparition de brèches sur les digues des lacs voisins. Malgré une évacuation partielle du territoire les jours précédents, des milliers de personnes sont prises au piège. Le désordre règne dans les quartiers privés d'eau courante, d'électricité et de ravitaillement. Faute de pouvoir faire baisser les eaux et face aux risques d'épidémie, le gouvernement décide d'évacuer entièrement les zones sinistrées. Le bilan établi un mois plus tard fait état de 1.132 morts, tandis que les dégâts sont estimés à 125 milliards de dollars.

26 décembre 2004

Un tsunami gigantesque ravage les côtes de l'Océan Indien

Un tremblement de terre d'une amplitude exceptionnelle de 9 sur l'échelle de Richter secoue les fonds marin au large de Sumatra. Quelques heures plus tard des vagues géantes atteignant 10m de haut s'abattent sur l'Indonésie, la Thaïlande, le Sri Lanka, l'Inde et la Malaisie. Elles tuent plus de 220 000 personnes et font plus d'un million de réfugiés.

27 mai 2

Séisme en Indonésie

Un tremblement de terre d'une magnitude de 6,3 sur l'échelle de Richter touche indonésienne de Java. La région de Yogyaka est ravagée, près de 5 000 personnes sont tu et plus de 30 000 sont blessées. S'ajoutent à triste bilan plus de 100 000 habitants à la sans aucune ressource. Par ailleurs, l'inquiétu persiste chez les spécialistes, qui craigne une violente éruption du volcan Merapi, do l'activité ne cesse d'accroître.

Lire 1 Lisez ces textes sur les conséquences du réchauffement climatique en France et ailleurs, et trouvez l'équivalent des phrases suivantes en français.

1 floods	4 an earthquake	7 trapped	9 disastrous consequences
2 drought	5 giant waves	8 deprived of	10 coastal areas
3 rising sea level	6 hurricane		11 disaster zones

12 damage	14 following	
13 refugees	15 in spite of	
	16 furthermore	

Écouter 2 Dans ce passage, il s'agit d'une coulée de boue aux Philippines. Notez cinq chiffres et ce à quoi ils correspondent.

> Numbers often figure in passages on natural disasters. Listen out for subtleties, e.g. **plusieurs dizaines de milliers**.

-aine – une trentaine = *about thirty*

dix mille personnes/des diz*aines* de **milliers** de personnes

près de	*nearly*	pas plus de	*not more than*
pas moins de	*not less than*	à peu près	*about*
environ	*about*		

pas plus d'une dizaine, pas moins d'une cinquantaine, environ un millier de personnes

millier(s)	*thousands*	un quart	*a quarter*	
deux tiers	*two thirds*	million(s)	*millions*	
un tiers	*a third*	la moitié	*half*	
milliard(s)	*billions*	trois quarts	*three quarters*	

Grammaire

In your oral and written work, use confidently and accurately a range of tenses to describe situations and refer to actions or events.

past → present → future

pluperfect | past historic | imperfect | perfect | present | imperative | near future | future | future perfect

3 Écoutez ces deux reportages à la radio. Notez les détails suivants.

 Look carefully at quantities and abbreviations. Make sure you get the details right!

	Reportage 1	Reportage 2
Type d'incident		
Date/jour		
Lieux		
Nombre de victimes		
Autres détails (3)		
Précaution prise		

 4 Préparez un reportage pour la radio sur l'incident suivant.

Type d'incident: séisme 7,6–7,8
Date: 8 octobre 2005
Lieu: À la frontière de l'Inde et du Pakistan; la région du Cachemire
Nombre de victimes: 75 000: 45 000 blessés; 30 000 morts; 10 000+ sans abris
Autres détails: région montagneuse; accès difficile; aide extérieure – arrive lentement; France – envoi: 20 hommes, 5 chiens, 1 équipe médicale, 100 000€; réaction de la communauté internationale – critiquée

Accompagné de vents soufflant à 230 **km/h**
230 kilomètres à l'heure
Un tremblement de terre d'une magnitude de 6,3 sur l'échelle de Richter   *six VIRGULE trois*
Des vagues géantes atteignant 10 **m** de haut   *dix mètres*
Près de 5 000 personnes sont tuées   *cinq mille*
12,5 % de l'île est ravagée   *douze virgule cinq pour cent*
Les températures devraient augmenter de 6,4°
six virgule quatre degrés

Lettre ouverte aux jeunes par Nicolas Hulot

C'est à toi d'ouvrir les yeux maintenant. Tu le sais comme moi: aux terribles injustices qui ravagent l'humanité et qui font que l'espoir des deux tiers de la population mondiale ne consiste plus qu'à tenter de survivre au jour le jour, vient s'ajouter le fardeau d'une empreinte écologique excessive.

Plus personne ne peut le nier, les scientifiques sont unanimes, et nous le constatons chaque jour: jamais dans l'histoire de l'humanité, les menaces n'ont été aussi grandes. Cette fois c'est le fragile équilibre de la vie même qui est en jeu. Ce sont l'air, l'eau, le sol, le climat, les océans, les fleuves, les forêts, les animaux, les plantes, les glaciers que nous sommes en train de massacrer méticuleusement. Tous les équilibres et les ressources qui garantissent notre milieu de vie se trouvent compromis.

Comment redresser la situation? Comment faire mieux avec moins parfois, comment protéger et partager équitablement nos ressources et nos richesses entre tous les êtres vivants? Seuls des citoyens responsables et solidaires favoriseront le passage de cette société de l'avoir, que nous incarnons, à cette société de l'être, qui est la seule société écologiquement viable.
Toi et tes ami(e)s, vous avez rendez-vous avec l'histoire. Devenez des consomm'acteurs avertis, partagez vos bonnes pratiques et soyez avocats de la vie et citoyens de la Terre pour tendre vers plus de liens et moins de biens.

Nicolas Hulot
Président de la Fondation Nicolas Hulot pour la nature et l'homme

 5 Répondez aux questions suivantes en anglais.

1 According to Nicolas Hulot, why must young people open their eyes?
2 According to Hulot, what are we currently in the process of massacring? Mention 10 details.
3 What questions does he ask?
4 According to Hulot, which type of society is ecologically viable?
5 What type of citizen does Hulot exhort young people to become?

ravager	détruire
tenter	essayer
nier	dire le contraire
redresser	améliorer
tenter de	*to attempt to*
le fardeau	*burden*
empreinte	*footprint*
compromettre	*to compromise*
garantir	*to guarantee*
viable	*viable*
tendre vers	*to lean towards*
lien	*link*

 Nicolas Hulot uses different devices to get his reader's attention. You can copy his approach if you need to write something similar.

- He begins: **C'est à toi d'ouvrir les yeux maintenant.**
- He includes his reader in his line of argument: **Tu le sais comme moi …**
- He uses unusual sentence structures: **Aux terribles injustices …, vient s'ajouter …**
- He asks questions: **Comment redresser la situation?**
- He uses dramatic language: **Toi et tes ami(e)s, vous avez rendez-vous avec l'histoire.**
- He uses imperatives: **Devenez des 'consomm'acteurs' avertis, partagez vos bonnes pratiques et soyez avocats de la vie …**

6 Écrivez une brochure pour informer les jeunes des conséquences du réchauffement climatique et de la nécessité de contribuer à réduire son impact.

● Décrivez les changements climatiques en France et dans le monde (*present and past*).
● Décrivez une ou deux catastrophes naturelles passées (*past historic or perfect, imperfect*).
● Décrivez une catastrophe qui pourrait se produire (*conditional, subjunctive*).
● Donnez des conseils aux jeunes qui voudraient améliorer la situation (*imperative*).
● Réutilisez les phrases clés de Nicolas Hulot.

7 · C'est si simple d'être écolo!

Écouter 1 Parmi les phrases ci-dessous, choisissez cinq phrases correspondant au passage sur le développement durable que vous allez écouter.

1 Les pays développés ont pris conscience qu'ils ne peuvent plus continuer à prospérer s'ils continuent à surexploiter les ressources naturelles.
2 Le développement durable nécessite un changement de comportement, de modes de production et de consommation.
3 «Nous n'héritons pas de la Terre, nous l'empruntons à nos enfants.» Antoine de Saint-Exupéry.
4 Plus de la moitié des Français participent au tri sélectif.
5 Pour lutter contre le réchauffement de la planète, chacun peut contribuer en diminuant sa consommation d'énergie.
6 Le développement durable serait un nouveau modèle de développement prenant en compte l'environnement en plus de l'économie et du social car l'ancien modèle est devenu «insoutenable».
7 Certains industriels et certains agriculteurs polluent notre terre, notre air et nos rivières.
8 «Le petit livre vert pour la Terre» est en faveur du développement durable.

i culture

Le Petit Livre Vert pour la Terre

Plus de 100 gestes écolos classés par lieux de vie (cuisine, salon, salle de bains, bureau voyage …) y sont répertoriés pour améliorer la qualité de l'air, réduire les nuisances sonores, trier et recycler les déchets, faire des économies d'eau, d'énergie, les énergies renouvelables, le respect des espèces vivantes et les attitudes en faveur du développement durable.

Lire 2 Associez ces moitiés de phrases pour obtenir des phrases qui ont un sens. Ensuite, traduisez-les en anglais.

Exemple: *1 Si j'avais laissé couler l'eau en me brossant les dents, j'aurais gaspillé 12 litres d'eau.*
If I had left the tap running whilst brushing my teeth, I would have wasted 12 litres of water.

1 Si j'avais laissé couler l'eau en me brossant les dents,
2 Si j'étais allé à l'école à pied,
3 Si j'avais utilisé le verso de mes feuilles,
4 Si j'avais utilisé des piles rechargeables,
5 Si j'avais rangé les courses dans mon sac à dos,
6 Si j'avais éteint l'ordinateur,
7 Si j'avais pris une douche et pas un bain,
8 Si j'avais éteint les appareils électriques au lieu de les mettre en veille,

a j'aurais économisé de l'électricité.
b j'aurais consommé moins d'eau.
c j'aurais réutilisé quelque chose au lieu de polluer.
d j'aurais gaspillé moins d'électricité.
e je n'aurais pas utilisé de sacs en plastique.
f j'aurais gaspillé 12 litres d'eau.
g j'aurais consommé moins de papier.
h j'aurais économisé du carburant.

Grammaire

Le conditionnel passé (*the conditional perfect*)

Use the conditional perfect to talk about what would have happened if the situation had been different or to present unconfirmed information.

It is a compound tense formed by using the conditional tense of the appropriate auxiliary plus the past participle.

Auxiliary *avoir*	+ past participle	Auxiliary *être*	+ past participle	ending
j'aur**ais**	recyclé	je ser**ais**	mort	+ e/s/es

To make a supposition in the past, use **si** with the pluperfect (see p129) then the conditional perfect.

Écrire 3 Traduisez ces phrases en français.

1 If they had taken the train, they would have saved fuel.
2 If she had used the back of the sheets, she wouldn't have wasted as much paper.
3 If I had known, I would have chosen rechargeable batteries.
4 He would not have lost the election if he had talked about sustainability in his manifesto.
5 I would have gone to the sustainability demonstration if you had asked me.
6 If we had been conscious of the problem earlier, the situation would have improved more quickly.

Écouter 4 Complétez les phrases suivantes selon le sens du passage en utilisant certains des mots ci-dessous. Ensuite, trouvez cinq verbes au conditionnel passé.

Luc, 17 ans, éco-délégué

Protection des animaux, jardin organique … un agenda d'actions écologiques bien rempli

Les actions écologiques **1** _____ sont possibles. Hier les élèves du lycée agricole nous l'ont prouvé en élisant leur nouveau éco-délégué. Pratiquement tous les élèves du lycée **2** _____ aux élections, ce qui montre leur intérêt pour **3** _____ et leur communauté.

Luc **4** _____ pour son enthousiasme, sa détermination à mettre en œuvre des projets écologiques et à sensibiliser, voire impliquer, le public.

L'année dernière, Luc a participé à la construction de nichoirs à oiseaux. **5** _____ du projet était de préserver les différentes espèces d'oiseaux que l'on trouve sur le site **6** _____. La mairie **7** _____ à cette initiative et envisage de collaborer avec le lycée pour élargir le projet aux étangs de la région.

En tant qu'éco-délégué, Luc aurait promis de créer un jardin organique et de **8** _____ une cabane écologique, où ils pourraient stocker leurs **9** _____. Les élèves comme les habitants de la ville pourraient travailler et profiter des produits du jardin. Le projet **10** _____ beaucoup d'**11** _____.

> intérêt   argent   de l'école
> à l'échelle locale   du lycée
> à l'échelle individuelle
> aurait été élu
> auraient participé   outils
> le but   se serait présenté
> éliminer   se serait intéressée
> l'environnement
> seraient allés   balais
> les animaux   l'objectif
> construire   aurait suscité

Lire 5 Résumez ces projets communautaires en anglais. Mentionnez les points suivants:

- Type of project
- People's reaction to the project
- Any obstacles encountered

le tri	sorting
le ramassage	collection
sensibiliser	to raise consciousness, make aware
les énergies renouvelables	renewable energy
amortir	to pay off

A

Trier les déchets

Martin, 16 ans, en seconde à Ambérieu

On a réussi à mettre en place le tri sélectif dans notre lycée. Cela nous a pris un an! Le proviseur a dit qu'il «tolérait» le projet, puis il l'a accepté, mais en ajoutant que c'était à nous de trouver les fonds nécessaires.

On a envoyé des lettres à la commune, à la Région, à tous ceux qui pouvaient nous fournir de l'argent. La Région nous a envoyé un chèque de 3 000€ pour payer les poubelles, les sacs de différentes couleurs et le ramassage. Un enseignant a finalisé les contrats. Après, il a fallu sensibiliser tout le monde. Pour cela, on a créé des jeux, organisé des petits débats. Aujourd'hui ça marche! Mais ce n'est pas toujours facile …

B

Installer des panneaux solaires

Ludovic, 19 ans, BTA GFS à Vendôme

Dans ma classe on a choisi de bosser sur les énergies renouvelables. On a découvert qu'un retraité habitant à proximité du lycée avait installé des panneaux solaires chez lui. On l'a rencontré et il a accepté que l'on revienne chez lui avec un groupe d'élèves. À notre retour nous sommes passés dans des classes de seconde pour présenter notre projet. Notre travail à nous en attendant c'est d'établir le cahier des charges: estimer le coût, expliquer le fonctionnement, optimiser l'installation … Nous avons opté pour des panneaux à installer sur le toit du lycée. On pense qu'en trois ou quatre ans, le projet pourrait être amorti grâce aux économies de chauffage réalisées. Ici, tout le monde a pris conscience du fait qu'il faut qu'on fasse quelque chose. Il est temps d'agir. Et puis, le soleil comme le vent, c'est gratuit! Alors profitons-en …

Parler 6 Préparez un exposé sur les écogestes possibles sur le plan individuel et sur le plan de la communauté. Répondez aux questions suivantes:

- Qu'est-ce que le développement durable?
- Que peut-on faire en tant qu'individu pour sauver la planète?
- Quels écogestes avez-vous fait hier? Si vous n'avez pas fait d'écogestes, dites ce que vous auriez dû faire. Faites des phrases en utilisant le conditionnel passé.
- Récemment, qu'avez-vous fait et que vous n'auriez pas dû?
- Comment avez-vous personnellement l'intention de contribuer?
- Que peut-on faire sur le plan collectif? Donnez trois exemples de projets.

> In this task you need to convince your audience they can do something at their level about a global issue. To be convincing, ensure:
> - you prepare a structured presentation: introduction, main points, conclusion;
> - you explain the issue, its impact and give clear and realistic examples;
> - you explain possible solutions, what you think of those;
> - you speak clearly and confidently.

> il s'agit de …/il faut …/il ne suffit pas de …
> contribuer/aider à l'échelle …
> être membre de …/s'impliquer dans une association
> informer/sensibiliser/alerter le public
> proposer/suggérer/imposer/interdire/mettre en place
> préserver la biodiversité/la faune et la flore/l'écosystème
> mettre en œuvre/installer/construire/installer
> éliminer/réduire/limiter la consommation/le gaspillage de …

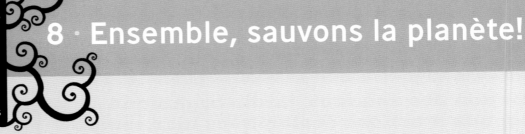

t	Considérer les solutions possibles pour sauver la planète
g	• Les verbes impersonnels • **Faire** + infinitif
s	• Élargir son vocabulaire • Relire son travail • Rédiger des fiches de révisions

8 · Ensemble, sauvons la planète!

Ecouter 1 · **Remplissez les blancs dans ce passage.**

Pour que le monde change, **1** _____ nous changions d'habitudes et d'attitudes, et pour cela, il faut convaincre tous les habitants de cette planète que la situation est **2** _____ si nous continuons (surtout les plus riches) à vivre de cette façon. Car nous sommes encore loin d'une prise de conscience générale! **3** _____ parle des changements climatiques, de la fin du pétrole, du manque d'eau, de la perte de la biodiversité, de l'érosion des sols … Mais tous ces discours restent abstraits pour **4** _____.
Or, si **5** _____ n'est pas intimement persuadé de l'imminence du danger, nous n'avancerons pas.
Il faut créer un sentiment d'urgence, un véritable état de guerre. **6** _____ beaucoup plus vite!
C'est pourquoi je passe mon temps à témoigner, à informer, à montrer l'état de la planète, de la manière la plus sincère et la plus honnête possible.

J'ai filmé il y a quelques jours en Afrique du Sud, pour mon émission, *Vu du ciel*, **7** _____ de petits manchots abandonnés par leurs mères, et de jeunes otaries **8** _____ de faim. C'est **9** _____ que les scientifiques n'avaient pas rencontré jusqu'alors, des mères abandonnant leurs petits parce qu'elles ne parviennent plus à les nourrir. **10** _____ : à cause de la surpêche, il n'y a plus assez de poissons!
L'homme est en train d'affamer les animaux sauvages! La situation est plus grave **11** _____. Autant dire que **12** _____, pour moi, tient dans l'éducation et l'information. C'est notre seule chance.

Yann Arthus-Bertrand

Grammaire

Les verbes impersonnels (*impersonal verbs*)

These verbs exist only in the **il** form. They are generally translated by *it*.
Look carefully at the tenses of impersonal verbs, the differences in meaning can be fairly subtle.

They are mostly followed by the infinitive:

il faut — *it is necessary/must …*
Il faut créer un sentiment d'urgence.
il s'agit de — *it is a question of …*
Il s'agissait de préserver les espèces d'oiseaux.
il vaut mieux — *it is better to …*
Il vaudrait mieux ne rien imposer.
il suffit de — *it is enough to …*
Il ne suffira pas de parler, il faudra agir.

or by **que** + subjunctive

il faut que … — *it is necessary that …*
Il faudrait qu'on **réduise** le taux de CO_2.
il vaut mieux que … — *it's better that …*
Il vaudrait mieux qu'on **change** d'attitude.
il suffit que … — *it is enough that …*
Il suffirait qu'on **modifie** nos habitudes.

Impersonal expressions are introduced by **il** or **ce/c'** (less formal) + **être** + adjective. They can also be followed by **de** + infinitive or **que** …
Il est urgent de changer les mentalités.
C'est important de faire quelque chose pour améliorer la situation.

> ⭐ Try to treat all activities as a vocabulary gathering exercise. Aim to build up your vocabulary by writing down as many members of the word family as you can: noun, verb, adjective, adverb, then aim to learn and reuse the phrases in your own work. Tick each item as you reuse it. When you have three ticks, it has become an active part of your vocabulary!

Ecrire 2 · **Selon le sens du texte, finissez ces phrases.**

Exemple: Il faut que … → *Il faut que le monde change.*

1 Il est urgent de …
2 Il est nécessaire que … (+ subjunctive)
3 Il vaudrait mieux …
4 C'est essentiel que … (+ subjunctive)
5 Il s'agit de …
6 Il est possible que … (+ subjunctive)
7 Il suffit de …
8 C'est capital de …

Lire 3 Répondez en français aux questions suivantes en utilisant le plus possible vos propres mots.

1 Quelle a été l'issue du Sommet de la Terre à Rio de Janeiro au Brésil en 1992?
2 En ce qui concerne le Grenelle de l'Environnement en France, quel a été le point positif?
3 Quel est le but du protocole de Kyoto?
4 Quelle est la différence entre les pays industrialisés et les pays émergents tels que la Chine?
5 Que pensez-vous du fait que les États-Unis n'ont pas signé le protocole de Kyoto?

Grammaire

faire + infinitive = to have or to get something done, to make something happen or to make someone do something

Ils ont **fait signer** l'accord **par** tous les pays.
They made all the countries sign the agreement.

1992 **Sommet de la Terre** à Rio de Janeiro (Brésil). Un plan d'action pour le XXIe siècle est décidé: l'Agenda 21. Il pose les bases d'un développement plus responsable, plus équitable et plus humain.

1995 Création du **Comité 21**. **Comité pour l'environnement et le développement durable**, créé pour faire exister en France l'Agenda 21.

2007 **Le Grenelle de l'Environnement** en France. Les programmes issus du Grenelle:
• Lutter contre les changements climatiques.
• Préserver la biodiversité, la santé et l'environnement.
• Le point positif du Grenelle, c'est qu'il a fait parler d'écologie.

Le protocole de Kyoto, en vigueur depuis 2005, est le seul traité international limitatif. Il oblige des pays industrialisés signataires à réduire de 5 % leurs émissions de gaz à effet de serre avant 2012.

Des discussions doivent être engagées aussi avec les pays émergents, le Brésil, l'Inde et la Chine, par exemple. Aucune contrainte ne leur est imposée à ce jour. Les États-Unis, responsables du quart des rejets n'ont toujours pas signé.

Écouter 4 Décidez si chacune des opinions exprimées sur ce forum relève d'une …

action individuelle **I**   action collective **C**   action gouvernementale **G**

Parler 5 Avec lesquelles de ces opinions êtes-vous d'accord? Avec votre partenaire, classez-les selon leur importance pour vous.

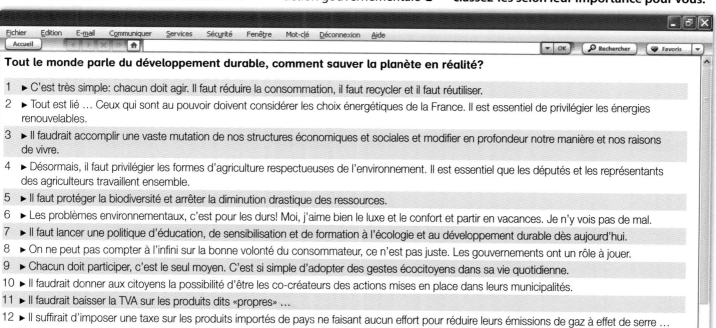

Fichier   Edition   E-mail   Communiquer   Services   Sécurité   Fenêtre   Mot-clé   Déconnexion   Aide

Accueil | OK   Rechercher   Favoris

Tout le monde parle du développement durable, comment sauver la planète en réalité?

1 ► C'est très simple: chacun doit agir. Il faut réduire la consommation, il faut recycler et il faut réutiliser.

2 ► Tout est lié … Ceux qui sont au pouvoir doivent considérer les choix énergétiques de la France. Il est essentiel de privilégier les énergies renouvelables.

3 ► Il faudrait accomplir une vaste mutation de nos structures économiques et sociales et modifier en profondeur notre manière et nos raisons de vivre.

4 ► Désormais, il faut privilégier les formes d'agriculture respectueuses de l'environnement. Il est essentiel que les députés et les représentants des agriculteurs travaillent ensemble.

5 ► Il faut protéger la biodiversité et arrêter la diminution drastique des ressources.

6 ► Les problèmes environnementaux, c'est pour les durs! Moi, j'aime bien le luxe et le confort et partir en vacances. Je n'y vois pas de mal.

7 ► Il faut lancer une politique d'éducation, de sensibilisation et de formation à l'écologie et au développement durable dès aujourd'hui.

8 ► On ne peut pas compter à l'infini sur la bonne volonté du consommateur, ce n'est pas juste. Les gouvernements ont un rôle à jouer.

9 ► Chacun doit participer, c'est le seul moyen. C'est si simple d'adopter des gestes écocitoyens dans sa vie quotidienne.

10 ► Il faudrait donner aux citoyens la possibilité d'être les co-créateurs des actions mises en place dans leurs municipalités.

11 ► Il faudrait baisser la TVA sur les produits dits «propres» …

12 ► Il suffirait d'imposer une taxe sur les produits importés de pays ne faisant aucun effort pour réduire leurs émissions de gaz à effet de serre …

Écrire 6 Vous écrivez un article sur les problèmes environnementaux (environ 250 mots). Une fois écrit, relisez et vérifiez votre article.

Vous devez mentionner les points suivants:

1 Les problèmes environnementaux qui se présentent actuellement.
2 Les responsabilités des individus et des communautés face aux problèmes environnementaux.
3 Ce que le gouvernement pourrait faire pour améliorer la situation.
4 Les traités internationaux qui existent pour faire face aux problèmes.

à l'examen

As you cover topics, especially controversial ones, be sure to keep lists of ideas you can reuse. Note down arguments, for/against, advantages/disadvantages, facts, dates, key events, names of important figures you can cite in oral or written exams.

E.g. Le développement durable
Personnages clés: Yann Arthus Bertrand, Nicolas Hulot
Dates clés: 2005 Protocole de Kyoto …
Certains pensent: question de responsabilité individuelle
D'autres pensent: les gouvernements doivent agir …

La nature, les éléments *Nature, the elements*

le soleil	sun	les étangs	ponds
le vent	wind	la terre	earth, soil
le fleuve	river	la mer	sea
le sol	soil	la forêt	forest
le désert	desert	la planète	planet
le volcan	volcano	l'eau (f)	water
l'air	air	l'atmosphère (f)	atmosphere
l'océan (m)	ocean	les nappes phréatiques	ground water
les glaciers	glaciers	les ressources naturelles	natural resources

Les êtres vivants *Living creatures*

le plancton	plankton	les bélougas	beluga whales
les oursins	sea urchins	la langouste	lobster
les mammifères	mammals	les larves	larva
les manchots	penguins	les otaries	sea lions
les ours polaires	polar bears	les espèces menacées	endangered species
les animaux sauvages	wild animals		

L'énergie *Energy*

le méthane	methane	la nourriture	food
le charbon	coal	la géothermie	geothermal science
le pétrole	oil	l'hydroélectricité (f)	hydroelectricity
l'uranium (m)	uranium	l'énergie (f) solaire/nucléaire	solar/nuclear energy
les combustibles fossiles	fossil fuels	renouvelable	renewable
les aliments	food	inépuisable	inexhaustible

La pollution *Pollution*

un pic de pollution	air pollution peak	touché	affected
le brouillard	fog	dû (masc.), due (fem.) à	due to
le gaz carbonique	carbon dioxide	persistant	persistent
le moteur diesel	diesel engine	notamment	in particular
le cancer	cancer	empoisonner	to poison
l'asthme (m)	asthma	mettre en danger	to put in danger
les produits toxiques	toxic, harmful substances	recouvrir	to cover
les gaz d'échappement	exhaust fumes	émettre	to emit, discharge
les résidus	waste	répandre	to spread
les phares	headlights	respirer	to breathe
les prématurés	premature babies	allumer	to switch on
une métropole	major city	porter un masque	to wear a mask
une allergie	allergy	contaminer	to contaminate
les usines	factories	avaler	to swallow
les mines	mines	expirer	to breathe out
les maladies	diseases, illnesses	infecter	to infect
épais	thick	avoir des difficultés à	to find it difficult to
irrespirable	unbreathable, stifling	s'infiltrer	to seep through/to leach
émis	emitted	se protéger	to protect oneself

Des solutions écologiques

Environmental solutions

le co-voiturage	car sharing
le calendrier	schedule
l'impact (m) écologique	environmental impact
les citoyens	citizens
les conseils	advice
la vidéoconférence	video-conference
l'écologie (f)	ecology
les entreprises	companies, businesses
les voitures hybrides	hybrid cars
à l'échelle locale/mondiale	on a local/national scale
économique	affordable

convivial	friendly
inciter	to encourage
résoudre	to solve
changer ses habitudes	to change one's habits
éviter	to avoid
privilégier	to favour
se tourner vers	to turn to
s'inquiéter de	to worry about
revenir moins/plus cher	to cost less/more
mettre en place	to put into place

Les moyens de transports

Means of transport

un automobiliste	driver
le déplacement	trip, journey
le chassé-croisé	continual coming and going
le trafic	traffic
le bouchon	traffic jam
le réseau	network
le RER	Rapid-Transit Rail System
le transport aérien	air travel
l'embouteillage (m)	traffic jam
l'essor (m)	rapid development
les vols long-courrier	long-haul flights
les passagers	passengers
la route, l'autoroute	road, motorway
la circulation	traffic
la grève	strike
la climatisation	air conditioning
la file d'attente	queue
l'autonomie (f)	independence
l'empreinte (f) carbone	carbon footprint
l'économie (f)	affordability

les migrations estivales	summer holiday travel
les heures de pointes	rush hour
réservé à	reserved for
perturbé	disturbed
polluant	polluting
surchargé	overloaded
dense	dense
futé	sharp, crafty
annulé	cancelled
engendrer	to create
atteindre	to reach
accroître	to increase
être en service	to be in working order
être au volant	to be at the wheel
prendre la route	to set off
emprunter un itinéraire	to take a route
se rendre	to go to
s'impatienter	to become impatient
se faire piéger	to get trapped

Les émissions de CO_2

CO_2 emissions

le carbone	carbon
le carburant	fuel
le reboisement	reforestation
le réchauffement climatique	global warming
le bilan	outcome
le blé	wheat
le colza	rape
le véhicule	vehicle
le constructeur	manufacturer
les dons	gifts, donations
les gaz à effet de serre	greenhouse gases
les industriels	manufacturers
les agrocarburants	bio fuel
la compensation carbone	carbon offsetting
la plantation d'arbres	tree planting
la location	renting
la betterave	beetroot

l'efficacité (f) énergétique	energy efficiency
l'huile (f) de friture	frying oil
les zones tempérées	temperate zones
les graisses	fat
les allées et venues	comings and goings
neutre en CO_2	carbon-neutral
déductible des impôts	tax deductible
énergivore	energy-consuming
il est grand temps	it's high time
sans odeur, inodore	odourless
signer un accord	to sign an agreement
fabriquer	to make
récompenser	to reward
pénaliser	to penalise
plancher sur	to work on
compenser	to compensate

Le défi énergétique — *Energy challenge*

un barrage hydraulique	*dam*	une usine marémotrice	*tidal power station*
des capteurs photovoltaïques	*solar panels*	en moyenne	*on average*
des panneaux solaires	*solar panels*	tirer profit de	*to take advantage of*
le toit	*roof*	avoir la conscience tranquille	*to have a clear conscience*
le lave-vaisselle	*dishwasher*	gaspiller	*to waste*
le style de vie	*lifestyle*	éteindre les enseignes néons	*to switch off neon signs*
le bruit	*noise*	mettre en veille	*to put on standby*
les déchets	*waste*	ruiner le paysage	*to ruin, spoil the landscape*
les gestes quotidiens	*everyday habits*	fournir	*to provide*
les appareils électroménagers	*household appliances*	opter pour	*to opt for*
une perte de temps	*waste of time*	remplacer	*to use instead, to replace*
une démarche	*approach*	revoir	*to review, to revise*
une éolienne	*windmill*	subvenir aux besoins de	*to provide for*
une coopérative	*cooperative*		

Le réchauffement de la planète — *Global warming*

le phénomène	*phenomenon*	les inondations	*floods*
le dérèglement climatique	*climate imbalance*	les prévisions	*predictions*
le déclin	*decline*	fondé sur	*based on*
le mode de vie	*lifestyle*	accusé de	*accused of*
le manque de	*lack of*	considérable	*significant*
l'effet (m) de serre	*greenhouse effect*	à vitesse grand V	*at top speed*
l'habitat (m)	*habitat*	légèrement	*slightly*
les changements climatiques	*climate change*	amplifier	*to amplify, to increase*
une tonne de	*a ton of*	atteindre	*to reach*
la température	*temperature*	émettre	*to emit*
la tempête	*storm*	gagner du terrain	*to gain ground*
la sécheresse	*drought*	prendre la tête du classement	*to take the lead*
la combustion	*combustion*	subir	*to undergo, be subjected to*
la couette	*duvet*	se réchauffer	*to warm up*
la banquise	*ice floe*	se refroidir	*to cool down*
l'accumulation (f)	*accumulation*	s'épaissir	*to get bigger*
l'ère industrielle	*industrial era*	s'amincir	*to get thinner*

Les catastrophes naturelles — *Natural disasters*

un tsunami	*tsunami*	les dégâts	*damage*
un tremblement de terre	*earthquake*	une région/zone sinistrée	*disaster area*
un séisme	*earthquake*	une avalanche	*avalanche*
des réfugiés	*refugees*	une brèche	*gap*
le territoire	*territory*	une évacuation	*evacuation*
le ravitaillement	*supplies*	une épidémie	*epidemic*
le fardeau	*burden*	une éruption	*eruption*
le climat	*climate*	une vague géante	*giant wave*
le milieu de vie	*(life) surroundings*	la canicule	*heatwave*
l'espoir (m)	*hope*	la frontière	*border*
l'avocat (m) de	*a champion of*	l'eau courante	*running water*
l'ouragan (m)	*hurricane*	l'inquiétude (f)	*concern*
les fonds marins	*seabed*	l'élévation (f), la montée	*rise*

les zones côtières	coastal area	assister à	to witness
les digues	dykes, seawalls	ravager	to destroy
les menaces	threats	secouer	to shake
meurtrier	deadly	régner	to rule
désastreux	disastrous	faire état de	to report
gigantesque	gigantic	craindre	to fear
frappé	hit	tenter de	to attempt, try to
pris au piège	trapped	nier	to deny
privé de	deprived of	massacrer	to massacre
averti	aware	redresser la situation	to redress the situation
équitablement	fairly	incarner	to embody, be
faute de	in the absence of	garantir	to guarantee
au large	offshore	s'abattre sur	to beat down on
au jour le jour	one day at a time		

Le développement durable

Sustainable development

un modèle	a model	prospérer	to prosper
un jardin organique/bio	organic garden	surexploiter	to overexploit
un nichoir à oiseau	nest box	hériter de	to inherit
le comportement	behaviour	emprunter à	to borrow from
le tri sélectif	separating out waste	prendre en compte	to take into account
le lycée agricole	agricultural college	laisser couler	to let run
le chauffage	heating	éteindre	to switch off
le gaspillage	waste	mettre (un appareil) en veille	to put (a machine) on standby
les pays développés	developed countries	économiser	to save
les appareils électriques	electrical devices	consommer	to use, consume
une cabane	shed	réutiliser	to re-use
la consommation	consumption	lutter contre	to fight against
la pile (rechargeable)	(rechargeable) battery	diminuer	to decrease
la biodiversité	biodiversity	trier (les déchets)	to sort out (waste)
en faveur de	in favour of	recycler	to recycle
prendre conscience	to realise	ranger (les courses)	to put away (the shopping)

Sauver la planète

Saving the planet

un sommet	conference	la TVA	VAT
un plan d'action	action plan	la manière (de vivre)	way (of life)
le sentiment d'urgence	feeling of urgency	l'issue (f)	outcome
le manque (d'eau)	lack (of water)	l'érosion (f)	erosion
le but	objective	les bases	bases
le traité	treaty	équitable	fair
le consommateur	consumer	lié	linked
le geste écocitoyen	green choice	respectueux de (l'environnement)	(environmentally-)friendly
les choix énergétiques	energy choices	drastique	drastic
les pays émergents	developing countries	grave	serious
les députés	representatives	responsable	responsible
les produits importés	imported goods	au pouvoir	in power
une politique	policy	convaincre	to convince
une taxe	tax	considérer	to consider
la fin (du pétrole)	end (of oil)	affamer	to starve
la surpêche	overfishing	témoigner	to testify
la mutation	mutation	faire parler de	to create a debate about
la prise de conscience	awareness	changer d'attitude	to change one's attitude
la sauvegarde	saving, safeguarding	légiférer	to legislate
la bonne volonté	good will	obliger qqn à	to force sb to

The first part of your speaking exam is a **Stimulus Card** exercise.

- You will have a choice of two cards from two different topic areas of your A2 topics (Environment, the Multicultural Society and Contemporary Social Issues). **Choose one card.**
- You will then have **20 minutes preparation time**. Choose one of the two opposite points of view on the card; the examiner will adopt a contrary point of view. **Prepare your one minute presentation of the point of view you adopted.** Think of the arguments that the examiner may use to challenge it and prepare your response. You can make notes, but you won't have a dictionary.
- After the preparation time **the stimulus card exercise will last five minutes**. **Speak unchallenged** on the aspect of the card that you have chosen for up to one minute, then defend your point of view during a **discussion** with the examiner.

 Écoutez la première minute de l'examen de ce candidat. Comment dit-il …?

1 to sort out our rubbish
2 the impact is almost invisible
3 the government can do nothing
4 the bosses are too influential
5 household waste
6 the government could make laws
7 recycling won't make a difference

What makes a good one minute speech?

- Personal reaction and opinions
- Range of vocabulary and structures
- Range of tenses
- Specific aspects for the examiner to challenge
- You dictate the terms of the exchange.

 Réécoutez ce candidat et trouvez des exemples pour chacun des points de la liste ci-dessus.

Écoutez cette candidate parler du même sujet. D'après ce qu'elle dit, trouvez et corrigez les dix erreurs de ce texte.

Il est difficile d'ignorer que nous avons de gros problèmes de pollution. La situation de nos jours est terrible. Dans toutes les villes on peut voir des papiers par terre, des containers qui débordent, des tas de journaux abandonnés sur les trottoirs. On pensait avoir trouvé une réponse rapide avec le recyclage mais recycler les déchets domestiques, c'est loin d'être assez. Pour améliorer la situation il faut modifier nos habitudes, nos gestes quotidiens, comme par exemple refuser les sacs en plastique ou les emballages dans les hypermarchés, arrêter de manger au fast-food et insister pour que le gouvernement donne des amendes aux entreprises qui ne font pas assez pour réduire leurs déchets industriels. C'est nous qui avons le pouvoir et il faut qu'on agisse aujourd'hui avant qu'il ne soit trop tard.

Card A — Recycling

Recyclage à la maison, cela en vaut-il vraiment la peine?

① Le recyclage domestique, c'est une perte de temps. La quantité d'ordures ménagères est ridicule comparée à la quantité de déchets industriels qui sont produits chaque année. Les gouvernements ne font pas assez contre ces industriels qui polluent tant.

② Il faut absolument que nous réduisions nos déchets quotidiens. Le plastique, les boîtes de conserve, sans oublier les emballages de fast-food, les ordures dans la rue … Il n'y a pas assez de place dans les décharges pour tout ça.

If you chose card A and adopted this point of view, you will argue that **domestic recycling is a waste of time** in your debate …

… and the examiner will need to argue that **we all need to contribute**.

Card B   Pollution

Touche pas à ma voiture!

> La pollution rend la vie urbaine insupportable. Les voitures, les camions, même les bus sont responsables de la pollution atmosphérique. On devrait marcher plus, utiliser plus souvent son vélo, ou même ses rollers! **(1)**

> Quelqu'un trouvera bien un jour une solution au problème de la pollution atmosphérique. Et puis tant qu'on autorise encore les courses automobiles et les vols à prix réduits, eh bien moi je continuerai à rouler avec ma voiture. **(2)**

If you choose this point of view you will argue that **urban transport causes too much pollution** and that we should use less fossil fuel.

If you choose this one, you will argue that **restrictions on using fossil fuels should apply to everybody not just individuals**.

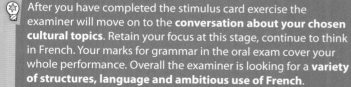

After you have completed the stimulus card exercise the examiner will move on to the **conversation about your chosen cultural topics**. Retain your focus at this stage, continue to think in French. Your marks for grammar in the oral exam cover your whole performance. Overall the examiner is looking for a **variety of structures, language and ambitious use of French**.

If you play safe you may not make many mistakes but you will not be able to access the top bands of marks for grammar.

 Écouter 4 Écoutez les arguments de ces cinq candidats. Selon vous, quelle carte ont-ils choisie, A ou B? Quelle opinion ont-ils adoptée?

Marie   **Paul**   **Sarah**   **Fiona**   **Sam**

- Choose your card on the basis of how much you know about the topic on the card, how much useful vocabulary you know, and how much variety of structure you can introduce into your presentation and your answers.
- Avoid choosing only on the basis of how passionately you may feel about the topic. If you feel very strongly about a topic you may have more ideas, you may be eager to defend them and you may be more convincing. But be careful that your strong convictions and opinions don't interfere with your ability to speak.
- Remember, you are being examined on how well you can speak French, not about your personal views. As Stendhal said «Les plus grandes passions sont silencieuses».

Écrire 5 Avec votre partenaire, choisissez l'une des deux cartes (A ou B). Ensuite adoptez chacun une des deux opinions. Préparez chacun votre minute de présentation, d'autres arguments pour défendre votre point de vue et imaginez aussi les arguments de votre adversaire et quelques réponses possibles.

 As you prepare your card, try to imagine what the counter-arguments might be.

Have some ideas and phrases ready to defend the opposing arguments.

Je ne suis pas d'accord
À mon avis, vous avez tort de croire que
Je dois vous expliquer que
Les statistiques prouvent le contraire
Vous oubliez que

Parler 6 Vous êtes le candidat, votre partenaire l'examinateur. Exposez votre point de vue pendant une minute puis faites un débat pendant deux minutes. Ensuite échangez les rôles.

Écouter 7 Écoutez et notez les questions que pose cet examinateur à un candidat qui a choisi de parler d'une région ou d'une communauté francophone.

Écrire 8 À deux. D'après vous, quelles autres questions l'examinateur pourrait-il poser au sujet de l'environnement dans cette région ou communauté?

Écrire 9 À deux: Choisissez une région ou une communauté francophone et composez vos réponses aux questions.

Épreuve écrite

 As part of the Unit 3 exam paper you will be required to **translate a short text from French into English** and **sentences from English into French.**

The vocabulary required will be more general. The grammar points tested will cover any of those that appear for active use in the specification.

These exercises are known as **transfer of meaning** and the following apply:

- You should convey the meaning of a text **including all the elements of the original**, in good language whether that is French or English.
- You should not necessarily give a word for word translation of a text.
- You will be assessed for **accuracy** in French and for the **range of vocabulary** that you can produce and that you can understand.

> Which sounds better?
> *A public debate is necessary* about cleanliness … or
> *We need an open debate* about cleanliness …?

Lire 1 Traduisez **en anglais** le texte suivant dans lequel on parle de la collecte des ordures en France.

> Which sounds better?
> **The discussions planned for tomorrow** about the privatisation … or
> **Tomorrow's planned talks** on the privatisation of …
> The second version is more succinct and sounds more like what we would use in English.

> Les débats prévus demain sur la privatisation de la collecte des ordures seront intenses. Le syndicat des travailleurs de nettoiement, qui assistera à la séance avec le soutien d'élus communistes et Verts, participera ce matin à un rassemblement devant l'hôtel de ville. «Il faut un débat public sur la propreté, avec le personnel, le maire et les conseillers de la ville», a expliqué le secrétaire général du syndicat.

> Beware words which look familiar but which have a different meaning in French (**faux amis**).

> Note the variety in tense between the quotation **«Il faut un débat …»** and the main text which uses the future most of the time. Be ready for the sudden shift of tense at the end of the passage.

 Don't be afraid to **revise the structure of the sentence** in order to achieve a reliable **transfer of meaning.** Sometimes it **sounds better** to use a noun phrase in English where a verb phrase is used in French, and vice versa. It is not always a word-for-word translation that is required.

Retaining the same tense usage is very important, however. Resist the temptation to change the tense in a translation. Look carefully for the tense used in the original and try to keep to that tense usage.

Lire 2 Traduisez en anglais le texte suivant dans lequel un biologiste parle des pigeons.

> «Sales», «laids», «envahissants» … Généralement, les pigeons, ces oiseaux familiers qui partagent notre ville et souvent nos sandwichs aussi, sont flanqués d'une triste réputation. La cohabitation avec les Parisiens est difficile, mais inévitable. Peu de chances qu'on parvienne à se débarrasser d'eux, les chercheurs s'intéressent donc à l'alternative: le pigeonnier. «On fidélise les pigeons dans un lieu peu pénalisant, le plus souvent un parc» reprend la biologiste. «On les nourrit et on limite leur reproduction en prenant les œufs ou en les stérilisant». Selon l'étude, le système paraît efficace. À terme, le projet proposera de nouvelles pistes pour améliorer nos relations avec ces oiseaux.

 For the transfer of meaning into French you must concentrate on **accents, adjectival agreements, verb agreements**, simple **spellings** and **tenses**.

Écrire 3 Traduisez **en français** les phrases suivantes.

> Check the position of the object pronoun.

> *It is important* triggers the use of the subjunctive.

> Remember that negatives have a **ne …** + another part.

> Check which preposition you need after *to decide*.

> Choose the right auxiliary to form the perfect in French.

1. In summer, traffic jams prevent you driving quickly on the motorway.
2. It is important for everybody to make an effort to sort domestic waste.
3. Nobody knows if global warming will continue.
4. My carbon footprint is no longer too great; I have decided to walk instead of taking the car.
5. The heatwave in France caused several thousand deaths; we could have done more to help old people.

1 Several buildings were destroyed because of an unforeseen earthquake.
2 Something should have been done in order to stop climate changes.
3 In the future it will no longer be enough to save energy; we will have to use less.
4 The main problem that we have is rather difficult; but it would be better to find the solution soon.
5 As soon as we have reduced greenhouse gas emissions, we shall see an improvement in the environment.

Écrire 4 Traduisez **en français** les phrases ci-contre.

 Content is the most important aspect of the **Cultural Topic Essay**. Telling the story, giving facts is not enough. You must give **reasons and explanations** for what you write. Content is worth 25 marks whereas Grammar, Vocabulary and Range of language are worth 15 marks all together. You cannot access the highest bands of marks unless your content mark is good.

Comparez l'importance du tourisme et de l'industrie dans la région que vous avez étudiée.

J'ai étudié la Normandie, en France. Le tourisme est important dans cette région à cause de la Deuxième Guerre mondiale, de la tapisserie de Bayeux et des merveilleuses plages au nord de la région. L'industrie est importante dans la ville de Rouen où il y a beaucoup de grandes usines et dans le Calvados où on fabrique du cidre, du pommeau et du calvados.

Chaque année beaucoup de touristes viennent en Normandie voir les plages du débarquement, où les batailles pour libérer la France en 1944 ont eu lieu. Ils visitent aussi les musées de la région qui racontent l'histoire des événements importants de 1944. Les plages sont importantes pour le tourisme parce qu'il y a beaucoup de petits cafés où les touristes peuvent manger/déjeuner/se restaurer et écrire les cartes postales qu'ils achètent dans les magasins de souvenirs. Donc on voit que le tourisme est important pour le commerce aussi. Les touristes visitent aussi la région et ils restent dans des hôtels, des chambres d'hôtes, des gîtes et des campings. Ils dépensent beaucoup d'argent pendant leurs vacances. (Une nuit dans un hôtel de luxe peut coûter 300€). On peut payer 700€ pour une semaine dans un gîte. Les chambres d'hôtes sont souvent moins chères que les hôtels et c'est bien pour rencontrer les habitants de la région et pour pratiquer la langue française. Les campings sont moins chers et aussi on rencontre d'autres campeurs de toute l'Europe.

L'histoire de la région est importante pour le tourisme aussi. Les musées expliquent les événements de la Deuxième Guerre mondiale en France. À Caen le Musée Mémorial a reçu des prix internationaux parce que c'est un très bon musée. Les musées à Arromanches sont intéressants aussi et beaucoup d'autres villes ont des musées intéressants. La deuxième guerre mondiale est importante pour les musées mais le musée de la Tapisserie de Bayeux est important aussi. La Tapisserie est très vieille et il y a une exposition intéressante qui explique les événements de la Bataille de Hastings en 1066.

Pour conclure il faut admettre que le tourisme et l'industrie dans la région que j'ai étudiée sont importants tous les deux. Nul ne peut nier que le tourisme attire beaucoup de touristes mais en revanche l'industrie est essentielle pour l'économie française. Sans le tourisme la région serait moins riche, sans l'industrie il y aurait plus de chômage. Il est impossible de décider si le tourisme en Normandie est plus important que l'industrie dans la même région.

Lire 5 Lisez la copie de ce candidat. Est-ce une bonne copie? Répondez par vrai ou faux et justifiez vos réponses.

1 L'introduction explique pourquoi le candidat a choisi ce sujet, mais les thèmes abordés sont trop restreints.
2 Toutes les idées et les faits mentionnés dans le premier paragraphe sont pertinents et répondent au sujet.
3 Le paragraphe trois sur le tourisme n'est pas assez superficiel et descriptif.
4 Toutes les idées annoncées dans l'introduction sont développées en détail.
5 Le vocabulaire n'est pas assez varié, il y a beaucoup trop de répétitions.
6 La conclusion résume bien toutes les idées et en bon français.
7 Tous les exemples de cet essai sont intéressants et vrais.
8 On traite bien du sujet, et en profondeur.

 Even good language cannot rescue limited or poor content. Start with the ideas then think how to express them to impress. Avoid repetition: use synonyms, pronouns.

Écrire 6 Comment pourriez-vous améliorer cette copie?

● Éliminez les informations qui sont hors sujet.
● Incluez deux nouvelles idées.
● Éliminez les répétitions et utilisez un vocabulaire plus varié.
● Incluez des phrases complexes (**que … qui … dont … parce que …**).
● Y a-t-il assez d'exemples de conjonctions, adjectifs, adverbes, participes présents?
● Quels temps sont déjà utilisés? Quels autres temps pourriez-vous inclure?

Module 3 · objectifs

(t) Thèmes

- Parler des rapports à l'argent
- Traiter de la précarité et des actions bénévoles
- Examiner la pauvreté dans le monde
- Parler de la délinquance et de la criminalité
- Parler de l'usage et du trafic du drogue

- Examiner la prison et les peines alternatives
- Question d'éthique: le clonage
- Question d'éthique: les OGM
- Question d'éthique: l'euthanasie
- Parler de la technologie et du futur

(g) Grammaire

- La négation
- Accorder les verbes et les adjectifs
- Les constructions impersonnels
- L'infinitif
- Le plus-que-parfait
- Le conditionnel

- Le subjonctif (1)
- Le subjonctif (2)
- Le subjonctif passé
- L'imparfait du subjonctif
- Les pronoms indéfinis (2)

(s) Stratégies

- Présenter un point de vue
- Traduire de l'anglais au français
- Comment analyser et évaluer
- Développer un argument
- Utiliser le bon registre
- Adopter une position
- Vérifier son travail

- Préparer un exposé oral
- Peser le pour et le contre
- Utiliser des expressions idiomatiques
- Évaluer les avantages et les inconvénients
- Écrire un essai (2)

1 · L'argent ne fait pas le bonheur

Amélie
À mes yeux, il y a trop d'inégalités dans notre société. Personnellement, je trouve indécent qu'un sportif ou qu'un chef d'entreprise gagne autant que plusieurs centaines de salariés payés au SMIC. Il n'y a aucune justification à de tels revenus.

Rosalie
Pour certains privilégiés, l'addition dans un restaurant hyper chic peut facilement atteindre l'équivalent de deux mois de RMI. J'avoue que je trouve ça révoltant.

Clément
Il me semble que quand les gens travaillent beaucoup, ils doivent être récompensés, sinon pourquoi se donner de la peine et s'investir autant?

Elysa
Si vous voulez mon point de vue, il est inacceptable que 6% des Français puissent être considérés comme pauvres. La pauvreté ne devrait plus exister au 21ème siècle, et d'autant plus en France!

Xavier
Les revenus des stars du show-business ont de quoi donner le vertige! Alors que tous les jours je vois des gens qui dorment dans la rue... C'est impensable, scandaleux même. Ça me met vraiment en colère!

Laurent
Eh bien moi, je ne crois pas vraiment que l'argent garantisse à lui seul le bonheur. Pourtant, beaucoup de gens semblent penser que l'argent est un élément essentiel à leur épanouissement.

Pierrick
Actuellement, notre société est obsédée par l'argent. Tout le monde rêve d'en avoir toujours plus. Pourtant rien ne prouve que notre bonheur soit proportionnel à notre pouvoir d'achat!

Vanessa
À Caen, des parkings pour les deux-roues ont été construits sur les bouches d'aération sur lesquelles les sans-abri s'installaient pour la nuit afin de trouver un peu de chaleur. À Paris, dans certains quartiers, les bancs qui servaient de lits aux SDF ont été supprimés. Et aux Halles, les terrasses sont arrosées régulièrement pour les rendre «insquattables», un autre moyen de se débarrasser des personnes jugées indésirables. On traite les êtres humains comme du bétail... Je trouve que c'est inhumain.

Arthur
Selon moi on a assez d'argent lorsque l'on n'a pas besoin de compter pour joindre les deux bouts à la fin du mois, et que l'on peut se payer des vacances de temps en temps!

Dounia
D'après moi, quand on a de l'argent, on se sent libre. Si on n'en a pas, on est forcément plus dépendant des autres. Pour ma part, l'argent ne fait pas le bonheur, mais il y contribue.

Mélanie
Il est indéniable qu'il existe un grand fossé entre les riches et les pauvres. Pourtant, il me paraît inconcevable qu'aujourd'hui certaines personnes n'arrivent pas à nourrir leur famille, tandis que d'autres gagnent des millions d'euros par an, sans compter ce que rapportent leurs actions...

i Culture

RMI (Revenu Minimum d'Insertion) = une allocation pour les personnes de plus de 25 ans sans revenu.
SMIC (Salaire Minimum Interprofessionnel de Croissance) = le salaire mensuel minimum.

Lire 1 Avec votre partenaire, discutez du point de vue de ces jeunes sur l'argent. Êtes-vous ...

A tout à fait d'accord?
B d'accord dans une certaine mesure?
C pas du tout d'accord?

Lire 2 Identifiez et copiez les expressions que ces jeunes utilisent pour exprimer leurs points de vue.
Traduisez-les en anglais.

à l'examen

In your oral exam you are required to take a stance. Start collecting vocabulary to express your viewpoint and underline your opinion. Vary the phrases you use each time.

Lire 3 Cherchez ces phrases dans l'article. Complétez-les en anglais selon le sens du texte.

1 I don't really think that money alone guarantees _____.
2 Poverty should no longer _____ and certainly not in France.
3 It's not normal that a big boss alone can earn _____ of his employees on the minimum wage.
4 Celebrities' wages can really _____.
5 Some people don't always manage to _____.
6 Though, nothing proves that happiness _____ to one's buying power.
7 Money can't buy happiness but it _____.
8 You have enough money when _____ to make ends meet.

Écouter 4 Toutes ces phrases contiennent un détail incorrect. Écoutez ce reportage, identifiez le détail incorrect et corrigez-le.

1 Depuis le début des années 60, l'émergence de la société de consommation a changé les mentalités en ce qui concerne l'argent.

2 Selon les Français, l'argent est avant tout synonyme de précarité.

3 En réalité, le rapport que les Français entretiennent avec l'argent est malsain.

4 En France, l'argent est un indicateur d'inégalité et de fraternité.

5 Certains ne peuvent espérer s'enrichir qu'en travaillant.

Lire 6 Remplissez les blancs de cet article avec des noms choisis dans la liste. Attention! Il y a deux noms de trop.

Les Bobos

Bobo, c'est l'acronyme de «Bourgeois-Bohème», **1** _____ choisie par le journaliste américain David Brooks du New York Times.

On ne naît pas bobo … on le devient! Pour devenir bobo, il vaut mieux avoir les **2** _____ bien remplies. Par définition, le bobo ne fait jamais comme tout le monde: il critique la mode, mais va chez Gap ou Zara pour trouver le **3** _____ vrai-faux-chic et décalé qui lui permettra de se faire quand même remarquer.

En **4** _____, ne cherchez pas le bobo dans les lieux branchés:

efforts	terminologie	dentifrice	poches
comptes en banque	idée		vêtement
vacances	dirigeant	commerce	racisme

 Be a magpie language learner. If you like a phrase, make sure you use it in your next piece of work. Keep reusing language you come across. Set yourself a goal of how many phrases to reuse each week.

Écrire 7 Réécrivez ces phrases avec le négatif indiqué.

1 Les bobos s'intéressent à l'argent. (**ne … pas du tout**)

2 Pour elle, il y a seulement l'argent qui compte dans la vie. (**ne … pas que**)

3 Nous avons découvert une solution au problème de la pauvreté. (**ne … pas encore**)

4 Ceux qui touchent des allocations ont suffisamment d'argent pour joindre les deux bouts. (**ne … pas toujours**)

5 Ces jeunes gens riches avaient envie d'entendre parler des problèmes des pauvres. (**ne … nul**)

6 Pour eux, l'argent était important. (**ne … point**)

Écrire 8 «L'argent fait le bonheur.»

Qu'en pensez-vous? Écrivez environ 200 mots à ce propos.

Parler 5 D'après vous et votre partenaire, qui sont les pauvres et qui sont les riches aujourd'hui en France? Justifiez vos réponses.

Exemple: En général, **les chômeurs** font partie des personnes considérées comme **pauvres** car **ils n'ont pas d'emploi,** donc **ils ont peu d'argent**.

les SDF	la jet-set	les jeunes	les ouvriers
les smicards	les immigrés	les retraités	les bourgeois
les chômeurs	les célébrités	les analphabètes	
les agriculteurs	les familles nombreuses		

les personnes ayant fait des études
les personnes exerçant une profession libérale
les personnes appartenant à la classe moyenne
les personnes démunies qui vivent en milieu rural
les personnes sans emploi qui dépendent des allocations

notre homme préfère retaper une vieille ferme à la campagne plutôt que de s'exposer aux flashs de la jet-set. Il doit se ruiner pour des choses qui ne sont pas chères … le **5** _____ bio à 35 euros le tube par exemple.

Question idéologie, le bobo est très «open»: contre le **6** _____, pour le droit d'adoption des homosexuels, pas macho… Toute nouvelle **7** _____ est bonne à prendre et à exploiter (rappel: ne jamais faire comme tout le monde.)

Malgré tous ses **8** _____ pour paraître différent, le bobo reste désespérément «humain». À force de s'inventer, il apparaît comme un nouveau riche pas très révolutionnaire, un écolo moderne qui aimerait concilier nouvelle économie et profit avec culture de son jardin et **9** _____ équitable … Un doux utopiste en somme. C'est Candide chez les réalistes!

Grammaire

La négation (*negatives*)

Ne … pas can be modified as follows:
- ne … pas **du tout** (*not at all*)   ne … pas **encore** (*not yet*)
- ne … pas **toujours** (*not always*) ne … pas **que** (*not only*)

Some negatives (except **pas**) can be combined:
- Il **ne** fait **jamais rien** comme tout le monde.
- Il **ne** va **plus du tout** dans les lieux branchés.

Jamais and **plus** always come first. When combined together, **plus** comes first.
- Il **ne** va **plus jamais** dans les boîtes branchées.

When **personne**, **rien** or **aucun** is the subject of the sentence, use only **ne/n'**.
- **Plus rien ne** m'intéresse.

In compound tenses, most negatives go around the auxiliary verb (**avoir** or **être**).
- Il **n'**est **plus jamais** allé dans les bars branchés.

Other negatives you may encounter, which don't combine with others:
- ne … ni … ni … (*neither … nor …*)
- ne … point (*not at all* – literary)
- ne … nul(le) (*not one …*)
- ne … guère (*not at all* – literary)
- ne … nullement (*hardly/not at all*)

2 · Situations précaires

Lire 1 Reliez les expressions qui ont la même signification.

1 l'exclusion
2 les chômeurs
3 la pauvreté
4 les sans-abri
5 la précarité
6 l'instabilité familiale
7 une situation précaire
8 toucher des allocations
9 exclure de la société, du système
10 mendier
11 ne pas avoir les moyens
12 expulser

a demander de l'argent dans la rue
b recevoir des aides sociales
c les SDF (Sans Domicile Fixe)
d les demandeurs d'emploi
e chasser, faire partir, évacuer
f ne pas joindre les deux bouts
g les problèmes familiaux
h la mise à l'écart, le rejet
i des conditions difficiles et instables
j une situation difficile, fragile
k marginaliser
l la misère

Écouter 2 Écoutez ce reportage à la radio sur le droit au logement. Écrivez la lettre des six phrases qui sont vraies.

a En France on compte plus de trois millions de personnes avec un problème de logement.

b Il y a à peu près 86 000 sans-abri.

c 790 000 familles vivent dans un logement précaire.

d À Paris en 2005, plus de 50 personnes sont mortes dans trois incendies de bâtiments vétustes.

e 1,3 million: c'est le nombre de ménages sur la liste d'attente pour un logement social.

f Les loyers sont trop chers pour un grand nombre de personnes.

g Le nombre d'expulsions est en baisse.

h Une des solutions serait de faire construire de nouveaux logements.

High numbers frequently come up in listening or oral exams. Revise dates and higher numbers and percentages.

Ensure you know what the number relates to: **personnes, familles, ménages, morts, blessés, sinistrés, crimes …**

Watch out for words which change the meaning like **mal** or **sans**, e.g. **sans logement** (*without a place to live*), **mal logé** (*badly housed*).

Parler 3 Lisez les deux articles pages 38 et 39. À deux, répondez aux questions en français.

i Culture

L'association Droit Au Logement (DAL) a été créée en 1990 par des familles mal logées ou sans logis. Ses membres luttent pour la défense du droit à un logement décent pour tous.

Avant il y avait les clochards, aujourd'hui il y a les sans-abri. Les «sans domicile fixe». Ces sans-abri ne sont pas de vieux ivrognes, des malades du troisième âge, des paresseux. Ils sont jeunes, valides et ils ont peut-être tout pour être ambitieux.

Ils sont engloutis dans une vague de misère, rejetés par un système qui ne veut plus s'embarrasser de ceux qui n'arrivent plus à ramer en rythme.

Ils sont devenus personne. Sans nom, sans attache, sans domicile fixe. Et la France, comme la Belgique, comme la Grande-Bretagne, submergée par ce phénomène social, ne trouve pas les mots qu'il faut, ne sait par où prendre le mal.

Pire: cette nation n'a pas les moyens financiers de s'occuper de ses nouveaux pauvres. Tandis que la plupart de la classe politique préfère ignorer cette honte qui la gêne tellement.

C'est pour cela qu'est né *Macadam*. Le proverbe dit «au lieu de lui donner un poisson, apprends-lui à pêcher». L'équipe de *Macadam Journal* a décidé d'apprendre à pêcher. Pour que les sans-abri redeviennent quelqu'un. Pour qu'ils s'investissent dans un projet susceptible de leur rapporter quelques euros. Et parce qu'on n'a rien inventé de mieux qu'un journal pour défendre une certaine idée de la dignité humaine.

1 Qui sont les sans-abri et comment sont-ils?

2 Pourquoi le système veut-il se débarrasser d'eux?

3 Quels sont les pays qui sont touchés par ce problème?

4 Les politiciens ont-ils trouvé une solution à ce problème? Justifiez votre réponse.

5 Quel proverbe est cité? Que veut-il dire?

6 Que permet *Macadam*?

Solidarité: à cœur ouvert

Cela fait près de 22 ans qu' «on a plus le droit ni d'avoir faim ni d'avoir froid». Et pourtant, tous les ans, les Restos du Cœur sont contraints de réouvrir leurs portes pour accueillir des centaines de milliers de personnes qui n'ont pas les moyens de manger à leur faim. Depuis 1985, l'année où Coluche fonda les Restos, les milliers de bénévoles n'ont pas manqué à l'appel et malheureusement les bénéficiaires n'ont jamais cessé d'augmenter. L'hiver dernier, les Restos avaient distribué 81,7 millions de repas à plus de 700 000 personnes. Ceux qui ont un logement pour cuisiner peuvent recevoir des colis alimentaires. Pour les autres, les Restos offrent des repas chauds toute l'année. Les repas sont servis dans des centres de distribution ou par les Camions du Cœur qui distribuent, le soir sur le trottoir, une soupe, un plat chaud et un café. À Paris et à Nantes, un fourgon, la Maraude, circule dans les rues la nuit pour aller à la rencontre de ceux qui n'ont même plus la force de se déplacer. Lorsqu'il avait fondé les Restos du Cœur, Coluche pensait que leur action serait provisoire. 20 ans plus tard le continent européen et la France en particulier n'arrivent toujours pas à régler le problème de la grande pauvreté. Il existe ainsi des Restos en Belgique et en Allemagne. On estime qu'en France, entre 2 et 3 millions de personnes ont recours à l'aide alimentaire. En 2005, 3 733 000 personnes gagnaient moins de 681 euros par mois et 7 136 000 moins de 817 euros.

1 Quelle est la fonction des Restos du Cœur?
2 Que font les Camions du Cœur?
3 Que croyait Coluche quand il a ouvert les Restos du Cœur?
4 Résumez la situation en chiffres.
5 Pensez-vous que le soutien d'organisations telles que les Restos du Cœur permette aux pouvoirs publics d'apaiser la situation sans avoir à agir?
6 Pourquoi devient-on bénévole à votre avis?

i Culture

Coluche est l'humoriste et acteur qui a lancé les Restos du Cœur, et qui a donc fait entrer l'aide alimentaire dans l'ère des médias. Sous son influence, le bénévolat a conquis un Français sur quatre. Pour recueillir des fonds, il a utilisé sa notoriété et fait appel à sa bande de copains, qui deviendront *Les Enfoirés*: une chanson, un CD, puis des dizaines de concerts et autres manifestations.

à l'examen

Translation from English to French

You need to be accurate, but also natural and idiomatic when you transfer meaning from one language to another.

- Be exact. Don't write creatively, translate only what is conveyed by the English.
- Don't paraphrase.
- Read through carefully and try to identify phrases which require an idiomatic expression.
- Try to identify exactly what you are being tested on before you start.
- Identify the vocabulary and structures you will need to use.
- Stay close to the English.
- Write on alternate lines so you can make alterations easily if you need to.

Écrire 4 Traduisez ces phrases en français:

1 Nowadays, more and more people are excluded from society.
2 Everyone has the right to housing.
3 We must struggle against injustice.
4 By selling a newspaper, homeless people can preserve their dignity.
5 When Coluche opened the first *Resto du Cœur*, he thought that their existence would be temporary.
6 Unemployed people struggle to make both ends meet, in spite of the benefits they receive.
7 It is essential that politicians deal with the problem of poverty.
8 Many people do not have the means to eat their fill.
9 Fortunately there are voluntary workers who help those who have nothing.
10 No one should be trapped in this spiral of misery in the 21st century.

Écrire 5 Complétez le texte avec les verbes au présent et la forme correcte des adjectifs. Faites attention aux accords.

Annie **1** (**habiter**) dans la rue. Elle **2** (**faire**) la manche dans le métro tous les jours avec sa **3** (**meilleur**) amie Alice. Elles **4** (**être**) toutes les deux **5** (**désespéré**). Elles **6** (**se sentir**) **7** (**vulnérable**), **8** (**abandonné**) par la société. «Une fois qu'on **9** (**être**) marginalisé, la réinsertion devient **10** (**problématique**). Je n'ai pas beaucoup d'espoir.» dit Annie.

Écrire 6 « De nos jours, trop de personnes vivent dans des conditions indignes. Il faut augmenter les aides sociales. »
Que pensez-vous de cette affirmation? Écrivez une réponse environ 250 mots.

à l'examen

When you are writing a Cultural Topic essay use conjunctions to make your sentences more complex. Use a variety of tenses and vary your vocabulary as much as possible to show what you know.

When planning an essay, do an initial brainstorm to get ideas down and then order them into a plan, before you think about how you are going to say something in French.

Grammaire

L'accord (*agreement*)

Check for agreement of the verbs and auxiliaries with their subject.

Check for agreement of the adjectives with the noun they describe.

Ces sans-abri ne **sont** pas de **vieux ivrognes malades**.

subject: masc pl	verb: pl	adj: masc pl	noun: masc pl	adj: masc pl

Beaucoup de personnes sont déjà **allées** aux Restos.

subject: fem pl	**être** auxiliary: pl	past participle: fem pl

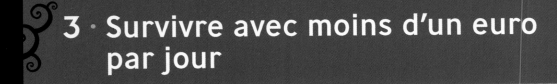

3 · Survivre avec moins d'un euro par jour

Écouter 1 Écoutez ce reportage sur la pauvreté dans le monde. Complétez les phrases selon le sens du passage.

1 Il y a 20 ans, il y avait …
  a plus de personnes considérées comme très pauvres.
  b le même nombre de personnes considérées comme très pauvres.
  c moins de personnes considérées comme très pauvres.

2 Une personne est considérée comme très pauvre …
  a lorsqu'elle gagne moins de vingt et un euros par jour.
  b lorsqu'elle gagne moins de dix euros par semaine.
  c lorsqu'elle gagne moins d'un euro par jour.

3 Les pays riches n'aident …
  a pas du tout les pays pauvres.
  b pas vraiment les pays pauvres.
  c jamais les pays pauvres.

4 800 milliards d'euros par an …
  a sont consacrés au développement des pays pauvres.
  b sont dépensés par les pays pour les forces militaires.
  c sont consacrés au développement de l'Éthiopie.

5 En Chine et en Asie, la pauvreté …
  a est stable.
  b est en hausse.
  c est en baisse.

6 En Afrique, les pauvres sont …
  a de moins en moins nombreux.
  b de plus en plus nombreux.
  c deux fois plus pauvres qu'il y a 20 ans.

---

1 **La moitié des deux millions d'habitants de Port-au-Prince vivent en dessous du seuil de pauvreté.** L'absence de services et d'infrastructures de base les empêche de participer à la vie publique. **Les jeunes de ces bidonvilles, en particulier, n'ont qu'un accès limité aux opportunités sociales et éducatives et aux possibilités d'emploi.**
Pour répondre à ces problèmes, l'Unesco a lancé plusieurs projets d'amélioration des espaces publics. Dans le cadre de ces programmes, les jeunes reçoivent une formation d'artisan et de chef de projet dans des domaines tels que le travail du bois, le travail du métal et l'utilisation du ciment. **De nombreux jeunes étant illettrés, une solution innovante a été élaborée sous la forme de vidéos d'une durée de 15 minutes,** diffusées aux exclus au moyen d'une unité mobile de projection.

2 L'Organisation mondiale de la santé (OMS) estime à **20 millions le nombre d'enfants souffrant en permanence de malnutrition aiguë sévère.** Chaque année la malnutrition est à l'origine de la moitié des décès des enfants de moins de cinq ans.
Dans les pays en développement, 146 millions d'enfants de moins de cinq ans ont un poids insuffisant, soit un enfant sur quatre. Soixante millions d'enfants de moins de cinq ans souffrent d'émaciation (près d'un enfant sur dix).
L'Asie du Sud, le Sahel, la corne de l'Afrique sont les régions où la malnutrition et la mortalité infantile sont les plus alarmantes. La moitié des décès d'enfants de moins de cinq ans dans les pays en développement a lieu dans ces régions.

3 **Chaque année les maladies liées à l'eau insalubre et au manque d'hygiène provoquent huit millions de morts.** C'est la première cause de mortalité au monde.
Choléra, typhoïde, hépatite … Ces maladies hydriques provoquent une véritable hécatombe silencieuse particulièrement dans les pays confrontés à une urgence humanitaire. **La diarrhée, qui se traite facilement chez nous, tue à elle seule 1,8 million d'enfants par an.**
Solidarités lutte quotidiennement contre ce fléau dans une quinzaine de pays avec des spécialistes de l'eau et de l'assainissement, des hydrauliciens, des logisticiens, avec le concours de son organisation et de ses partenaires.
En effet, aujourd'hui encore, 1,2 milliard d'êtres humains n'ont pas accès à l'eau potable et 2,6 milliards n'ont pas accès aux conditions élémentaires d'hygiène. Face à ce défi, nous sommes tous concernés.

le seuil	threshold
le bidonville	shanty town
aigu	acute
insalubre	unsanitary
une hécatombe	tragedy, mass murder
un fléau	scourge

Lire 2 Quelle image pour quel texte?

When you are doing an exercise such as exercises 1 or 2, there may well be statistics that you could use in your oral exam or in an essay. Find a place to note information that you can use.

Lire 3 Copiez et remplissez ce tableau en français.

	Thème?	Problème?	Affecte qui/où?	Cause?	Solution?
1	*Pauvreté*				
2					
3					

Écrire 4 Traduisez en anglais les phrases en gras dans les articles.

...ammaire

...s constructions impersonnelles (impersonal expressions)

...tch out for these in translation exercises.

...rench the impersonal subject is **il** or **ce**.

...**st** can be followed by:

...ective + **de** + infinitive — Il est difficile **de** s'en sortir.

...ective + **de** + infinitive + direct object — Il est bon **de** donner de l'argent.

...**st** can be followed by:

...ective + **à** + infinitive — C'est dur **à** croire.

...ective + **de** + infinitive + direct object — C'est dur **de** croire en l'avenir.

...**oir**, **être** and **faire** can be used as impersonal verbs:

...**st** temps d'agir. **Il y a** trop de souffrance. **Il fait** beau ailleurs.

...her verbs can be used impersonally:

...**st arrivé** un désastre. Il **devient** difficile de gérer la situation.

...a **s'est** bien **passé**. Il **se peut** que la situation s'améliore.

...e **trouve** que beaucoup de personnes vivent au-dessous du seuil de pauvreté.

Lire 5 Reliez les moitiés de phrases et traduisez-les en anglais.

1 Selon l'Unesco, il est
2 Puisque beaucoup sont analphabètes, ce serait plus facile
3 Il devient urgent
4 C'est difficile
5 Il se pourrait
6 Il existe

a de trouver une solution au problème de la malnutrition.
b de nombreuses associations qui distribuent de la nourriture et des médicaments.
c temps de former les jeunes.
d de leur montrer une vidéo pour qu'ils comprennent l'essentiel.
e à concevoir, mais au XXIème siècle, il y a encore des gens qui n'ont toujours pas accès à l'eau potable.
f que l'accès à l'eau potable devienne un droit universel.

Parler 6 Classez ces opinions selon leur importance pour vous. Comparez votre choix avec celui de votre partenaire.

1 **Il est urgent de** fournir des médicaments.
2 **Il y a** encore des analphabètes, **il est capital que** tous les enfants puissent aller à l'école.
3 **Il existe** toujours des familles qui n'ont pas accès à l'eau potable, il faut construire plus de puits.
4 **Ce serait bien de** construire plus d'hôpitaux et de dispensaires.
5 Envoyer des équipes de médecins bénévoles sur place, **c'est facile à** organiser.
6 Nous devons aider les pays les plus défavorisés, surtout quand **il arrive** une catastrophe naturelle.

Écrire 7 La pauvreté: le plus grand des défis

Écrivez 200 mots au sujet de la pauvreté dans le monde.

Rédigez quatre paragraphes:

1 la pauvreté   3 l'accès à l'eau potable
2 la malnutrition   4 la course à l'armement

Dans chaque paragraphe, mentionnez qui est affecté et où, quelles sont les causes du problème et précisez s'il existe des solutions.

When you are speaking and especially when you are writing at this level, it is important to avoid narrating or describing. Rather, you should seek to

- **analyse**: consider in detail, identify essential features such as **origins, causes, consequences**.
- **evaluate**: judge or determine the **significance** of something.

It is the distinction between describing the situation and commenting on the situation. Use **facts** such as those you glean from exercise 1 and 2 **to back up your analysis**.

Description: Il y a beaucoup de pauvreté dans le monde.

Analysis: La pauvreté est toujours un problème mondial. Aujourd'hui, 1,1 milliard de personnes pauvres vivent avec moins d'un euro par jour. Ceci est inacceptable.

t Parler de la délinquance et de la criminalité
g L'infinitif
s Développer un argument

4 · Délits mineurs?

Parler 1 À deux, regardez ces chiffres clés sur les jeunes et la violence. Devinez les statistiques qui manquent, puis écoutez le reportage pour vérifier si vous avez raison.

3	4	6	6	9	10
	13	14	48	87	
		5.000	41.141		

Parler 2 À deux. Y a-t-il des chiffres qui vous ont surpris? Lesquels et pourquoi?

J'ai été frappé(e) de constater que …
Je ne savais pas …/Je ne me doutais pas que …
C'est à la fois inquiétant et choquant
Cela me laisse sans voix
Je reste perplexe devant une telle situation

a _____% destruction et dégradation

b _____% vols

c _____% recels

d _____% escroqueries et abus de confiance

e _____% infractions diverses (stupéfiants, circulation routière …) *!@#!*

f _____% coups et blessures

g _____% agressions sexuelles

h _____% atteintes à l'ordre public

Sur 184 696 mineurs interpellés ou mis en cause par la police ou la gendarmerie (en 2004), 58 148 ont été poursuivis et i _____ condamnés pour un délit. Parmi les peines infligées, la justice privilégie les mesures éducatives. La prison ferme ne concerne que j _____ mineurs. En vingt ans, le nombre de délits commis par des mineurs a plus que doublé. Plus grave: la violence commence de plus en plus tôt. 18,5% des personnes mises en cause pour agression physique ont moins de 18 ans, dont k _____% de garçons et l _____% de filles.

D'où vient la violence des jeunes?

Lucienne Bui Trong,
ancienne commissaire des renseignements généraux

On constate une tendance lourde, la montée de la violence en groupes. Ces bandes spontanées sans référence culturelle ou politique repérables rassemblent généralement des petits délinquants connus des services de police. En échec scolaire, sans projet, ces jeunes sont attachés à un territoire limité, une cité, un coin de rue, voire une cage d'escalier. Souvent issus de l'immigration, ils se sentent rejetés. Ils pensent que leurs difficultés d'insertion sont héritées de leurs parents. Ils éprouvent un profond sentiment d'injustice, nourrissent un ressentiment très fort contre les Français de souche et les institutions.

Sébastien Roché,
sociologue

L'échec scolaire constitue le facteur n°1 de la violence. Or, le nombre d'enfants en échec scolaire est particulièrement important dans les quartiers dits «sensibles», qui, d'après l'Insee, concentrent près de cinq millions de personnes, soit 8% des habitants de notre pays. Dans ces zones d'exclusion, la pauvreté et la ghettoïsation favorisent la violence. Le lieu de résidence, le niveau des ressources de la famille, les fréquentations et les relations avec les parents contribuent aussi à expliquer la délinquance.

Marie-Rose Moro,
pédopsychiatre

Les manifestations de la violence chez les adolescents s'accompagnent désormais d'une défiance grandissante à l'égard des adultes. L'impatience se manifeste plus brutalement. Le ton monte plus vite. La violence touche également un nombre croissant de filles, un phénomène mis en évidence par la récente affaire de la jeune fille torturée et violée dans un internat dans la région parisienne.

Lire 3 Qui parle? Écrivez L pour Lucienne, S pour Sébastien et M pour Marie-Rose.

1 Les adolescents se sentent mis à l'écart.
2 L'échec scolaire est liée à la délinquance.
3 Les jeunes se méfient des institutions.
4 De plus en plus, les adolescents ont une attitude négative par rapport aux adultes.
5 La violence envers les filles est en hausse.
6 Vivre dans un quartier défavorisé peut conduire les jeunes à la violence.
7 L'environnement familial joue aussi un rôle.

Lire 4 Prenez des notes en anglais pour résumer l'essentiel de cet article.

- who the delinquents are
- their origin
- factors contributing to delinquency and violence
- where they live
- attitude to school
- attitude to their families

 Get into the habit of keeping facts and figures, main ideas, a bank of arguments for each topic in a section of your French folder. A few well chosen facts will serve you well for both speaking and writing exams.

Écouter 5 Écoutez et répondez aux questions en anglais.

1 What type of project did Samy take part in?
2 What was Samy's attitude before it started?
3 What did he not wish to spend his summer doing?
4 What did the guest speakers talk about?
5 What was Samy's initial reaction and his attitude subsequently?
6 What does he say about the experience?

Samy

Grammaire

L'infinitif (*infinitives*)

The infinitive can be used in French:

- after modal verbs (e.g. pouvoir, devoir, vouloir, falloir)
  On **pouvait faire** de l'athlétisme ou du canoë-kayak.
- after prepositions (e.g. à, de, pour)
  Les relations avec les parents contribuent **à expliquer** la délinquance.
- dependent infinitives (e.g. faire + inf)
  Toutes les semaines, on **faisait venir** des gens pour discuter avec nous.
- to translate -ing
  Vivre dans un quartier pauvre peut conduire les jeunes à la violence.
- to avoid the passive
  Les obstacles **à surmonter** sont nombreux.
- to avoid a subjunctive.
  Il faut que l'on mentionne … → Il faut **mentionner** …

Écrire 6 Traduisez cet extrait en anglais.

Il ne faut pas oublier de mentionner l'importance de l'entretien et de la rénovation d'un quartier. Il est généralement admis que le cadre de vie a une incidence sur le taux de criminalité et de délinquance. Plus le cadre de vie est agréable, plus ses habitants auront tendance à le respecter. Offrir aux jeunes des activités de loisirs c'est aussi contribuer à réduire la délinquance. Tous les résidents devraient donc collaborer avec les municipalités et les associations pour entretenir et faire vivre leur quartier.

Lire 7 Identifiez les infinitifs dans le passage de l'exercice 6 et justifiez leur usage.

Écrire 8 Traduisez ces phrases en français.

1 One can't get out of the ghetto.
2 Committing crimes through boredom is not acceptable.
3 It is necessary to supervise young people but also to provide them with activities.
4 What can be done to struggle against delinquency and urban violence?
5 It is necessary to examine the school programmes.
6 Citizenship projects are to be encouraged.

à l'examen

When you are developing an argument in speaking or writing, it is useful to:

1 Define your case
2 Back up your case
3 Anticipate the opposition
4 Reject the opposing view point
5 Invoke the broader context, make a follow up point related to this.

1 De quoi s'agit-il en fait?
   On prétend que …
   La question est de savoir si/pourquoi …

2 Les chiffres montrent/mettent en évidence que …
   Les statistiques semblent indiquer que …
   D'après les experts, on estime que …
   Il est indéniable que …
   À l'heure actuelle …

3 On pourrait présenter l'objection suivante …
   Il est vrai que … cependant …
   Certains soutiennent que …

4 mais d'autres affirment que …
   Incontestablement …
   Jusqu'à preuve du contraire, il est inexact de dire que …

5 À ceci, il faut ajouter …
   Il faut cerner le problème essentiel, celui de …
   Étant donné que/Vu que …

Parler 9 Choisissez une de ces opinions et développez votre argument.

A «La pauvreté est le facteur principal menant à la délinquance.»
B «Quelle que soit la situation, on ne devrait jamais se tourner vers le crime.»
C «Les jeunes sont plus violents qu'avant, les délits et les crimes commis sont plus graves que dans le passé.»

un quartier défavorisé	l'ennui
les zones d'exclusion	prendre certaines initiatives
commettre un crime/ un délit	lutter contre la délinquance
	améliorer le cadre de vie
les cambriolages/ les dégradations	entretenir les lieux communs
la ghettoïsation	encourager la citoyenneté

5 · En finir avec la drogue

Lire 1 Dans les propos ci-contre, trouvez l'équivalent de ces expressions idiomatiques:

1 to lose control
2 hypocritical
3 drug addict
4 consumption
5 hell
6 faded away
7 leave me alone
8 to cough one's lungs up
9 thrown out of my flat
10 I didn't have a penny left

Lire 2 Qui parle?

1 Acheter de la drogue? Ça va pas la tête, je ne veux pas gaspiller mon argent!
2 Je consomme des drogues douces, mais jamais de drogues dures.
3 Je ne supporte pas les effets du haschisch, je préfère rester maître de moi-même.
4 Mon père et moi, on ne partage pas la même définition de la dépendance.
5 La drogue, c'était une solution immédiate à tous mes problèmes.

à l'examen

Use the correct register for your work. Who is your audience? You will not write an article as you write emails or text messages. The oral exam is a formal discussion. Practise using the **vous** form as this will be used during the oral exam with the examiner.

Impress the examiner by using idiomatic expressions in your work, but don't use slang.

> Je ne supporte pas l'idée de perdre le contrôle de moi-même. Si toi, tu as décidé de te droguer, c'est ton problème, mais lâche-moi les baskets. Pour moi, la drogue c'est «non merci».
> **Vanessa, 17 ans**

> Quand papa fume quarante cigarettes par jour et qu'il crache ses poumons le matin, je me dis qu'il est hypocrite de me traiter de toxicomane parce que je fume parfois un joint le week-end.
> **Paul, 17 ans**

> Je ne sais pas très bien pourquoi mes parents s'inquiètent de ma consommation de hasch. On se retrouve parfois le samedi avec des copains, on fume un joint et on regarde une vidéo. Mais je ne toucherai jamais à l'héroïne ou à quoi que ce soit d'autre. Je ne suis pas stupide!
> **Mathieu, 17 ans**

> On était en train de me jeter de mon appartement. Je ne savais pas où aller. Je n'avais plus un sou. L'enfer quoi. J'ai volé une carte de crédit. Grâce à elle, j'ai pu acheter quelques doses d'héroïne. Juste après l'injection, tous mes problèmes se sont évanouis. La vie m'a paru simple et facile. Plus rien d'autre ne comptait que ce sentiment de calme et sécurité. L'ennui, c'est que ça n'a pas duré…
> **Tina, 19 ans**

> Je trouve que se droguer est complètement idiot. Je préfère garder mon argent pour autre chose. Inutile d'insister.
> **Max, 18 ans**

Lire 3 Traduisez ce que dit Mathieu en anglais.

When you are translating, be precise. Don't move too far from the French, take great care to translate only what is there, but do make things sound idiomatic in English and make sure that what you are writing makes sense. Look at the meaning of phrases or groups of words and also the meaning of the whole sentence. Pay attention to tenses, articles and negatives.

On était **en train** de me jeter … *I was being thrown out of …*

→ The passive works better in English. The nuance of **en train** is translated by a past continuous.

Je **n'**avais **plus** un sou. *I didn't have a penny left.*

J'ai volé une carte de crédit. Grâce à **elle**, j'ai pu … Plus rien d'autre ne **comptait**.
I stole a credit card. Thanks to it … Nothing else mattered.

→ **elle** refers to the credit card, so use *it*.
→ Use the correct past tense (perfect tense for actions, imperfect tense for description, atmosphere, feelings).

Écouter 4 Écoutez cet entretien avec Maryse à propos de sa fille Karine, puis répondez à ces questions en anglais.

1 Why did Maryse go to the parents group?
2 What does Maryse say about Karine's addiction?
3 What was the relationship between Maryse and Karine like before Maryse went to the group?
4 How did Maryse's approach change after attending the group?
5 What did Maryse's husband wish to do?
6 Why did Maryse resist this?
7 What has been the outcome for Karine?

Écrire 5 Mettez les verbes entre parenthèses au plus-que-parfait.

1 Karine (**essayer**) de décrocher mais elle (**rechuter**).
2 Elle (**ne pas entrer**) dans un centre de désintoxication.
3 Elle (**se mettre à**) voler.
4 Si Maryse (**donner**) de l'argent à Karine, elle aurait acheté de l'héroïne.
5 Le père de Karine en (**avoir**) assez.
6 Maryse et son mari (**ne jamais imaginer**) qu'ils se trouveraient dans une telle situation.

Grammaire

Le plus-que-parfait (*the pluperfect tense*)

The pluperfect refers to an action which precedes another action or event in the past.

Use the imperfect form of the auxiliary verb (**avoir** or **être** as appropriate) + and the past participle.

passer	aller	s'installer
j'avais passé	j'étais allé(e)	je m'étais installé(e)
il/elle/on avait passé	il/elle/on était allé(e)	il/elle/on s'était installé(e)
ils/elles avaient passé	ils/elles étaient allé(e)(s)	ils/elles s'étaient installé(e)(s)

It is often used in a **si** clause as follows: **Si** + pluperfect, conditional perfect
Si je l'**avais mise** à la porte, elle **se serait retrouvée** en marge de la société.

Lire 6 Complétez le texte avec les mots de la liste. Attention, il y a deux mots de trop.

Une large majorité d' **1** _____ ne consomment jamais de drogues. Parmi ceux qui en **2** _____, la quasi-totalité use de drogues douces, et la plupart n'y recourt qu'une fois ou deux pour **3** _____.

D'une manière générale, lorsqu'un adolescent consomme de la drogue, c'est pour les mêmes **4** _____ que celles qui incitent un adulte à fumer ou à boire: il veut avoir un sentiment de détente et diminuer ses inhibitions (**5** _____ sa **6** _____ par exemple ou diminuer ses angoisses). Certains adolescents touchent à la drogue pour tester leurs limites. D'autres **7** _____ vivre quelque chose d'illégal, donc d'excitant … Beaucoup ne savent pas **8** _____ à la pression des copains. Un petit nombre consomme de la drogue pour explorer de **9** _____ sensations et connaître ses effets sur leur **10** _____ et leur psychisme.

raisons	vaincre	corps	rejeter
inconvénients	essayer	souhaitent	
timidité	adolescents	prennent	
résister	nouvelles		

Parler 7 À deux, décidez si ces jeunes sont pour ou contre la dépénalisation de certaines drogues. Avec qui êtes-vous d'accord?

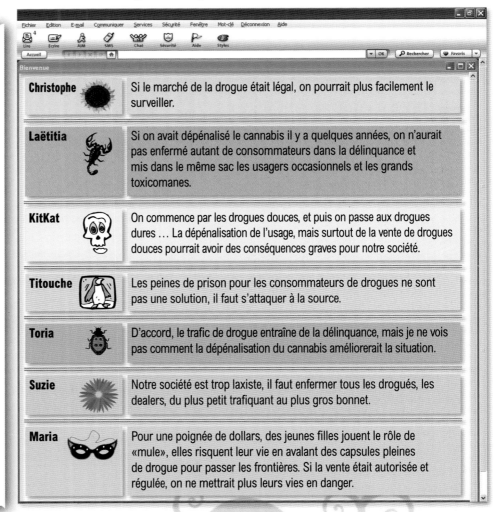

Christophe Si le marché de la drogue était légal, on pourrait plus facilement le surveiller.

Laëtitia Si on avait dépénalisé le cannabis il y a quelques années, on n'aurait pas enfermé autant de consommateurs dans la délinquance et mis dans le même sac les usagers occasionnels et les grands toxicomanes.

KitKat On commence par les drogues douces, et puis on passe aux drogues dures … La dépénalisation de l'usage, mais surtout de la vente de drogues douces pourrait avoir des conséquences graves pour notre société.

Titouche Les peines de prison pour les consommateurs de drogues ne sont pas une solution, il faut s'attaquer à la source.

Toria D'accord, le trafic de drogue entraîne de la délinquance, mais je ne vois pas comment la dépénalisation du cannabis améliorerait la situation.

Suzie Notre société est trop laxiste, il faut enfermer tous les drogués, les dealers, du plus petit trafiquant au plus gros bonnet.

Maria Pour une poignée de dollars, des jeunes filles jouent le rôle de «mule», elles risquent leur vie en avalant des capsules pleines de drogue pour passer les frontières. Si la vente était autorisée et régulée, on ne mettrait plus leurs vies en danger.

Écouter 8 Écoutez ces cinq autres jeunes parler du même sujet. Qui est contre?

Écrire 9 Faut-il dépénaliser l'usage des drogues douces? Êtes-vous pour ou contre la légalisation du cannabis?

Exprimez votre point de vue à ce propos (environ 100 mots).

le trafic/la vente/l'usage de drogue
dépénaliser/légaliser/condamner/punir
donner une amende/envoyer en prison
forcer à faire une cure de désintoxication

6 · La prison, seule option?

Parler 1 À deux, décidez pour chaque délit de la punition adéquate.

Prenons par exemple …

- un meurtre/un assassinat/un homicide
- un vol
- une agression
- un acte de délinquance mineur
- un acte de vandalisme
- le trafic de drogue
- la consommation/la vente de drogue
- un cambriolage/un braquage
- une fraude
- un détournement de fonds
- des violences sexuelles

pour ce crime une punition adéquate serait …

- une amende
- un bracelet électronique
- une peine de prison ferme
- une peine de prison avec sursis
- une peine de substitution
- un séjour dans un centre de semi-liberté
- l'hospitalisation en hôpital psychiatrique
- des TIG (Travaux d'Intérêt Général)
- la réclusion à perpétuité

Écouter 2 Écrivez la lettre de l'expression qui convient le mieux pour compléter les phrases.

1 Avant Rémy …
   a méprisait les dealers.
   b consommait et revendait de la drogue.
   c passait son temps dans un centre de réhabilitation.

2 Après avoir été arrêté, Rémy …
   a s'attendait à recevoir une peine de substitution.
   b s'attendait à recevoir une amende.
   c pensait qu'il irait en prison.

3 Rémy déclare que quand on se drogue …
   a on est inconscient de ce qu'on fait.
   b on sait exactement ce qu'on fait.
   c on se sent très puissant.

4 Il avait également …
   a volé des choses et agressé des gens.
   b cambriolé des maisons.
   c tué quelqu'un à coup de couteau.

5 Rémy est persuadé que si on accordait la même possibilité à d'autres …
   a ils iraient tous à l'université.
   b ils en tireraient profit aussi.
   c ils récidiveraient tout de suite.

> When you are having a debate with someone, listen carefully to their argument in order to find the counter-argument. Take time to phrase your response convincingly.

Parler 3 À deux, considérez ces points de vue et dites si vous êtes:

A tout à fait d'accord **B** d'accord dans une certaine mesure
C pas du tout d'accord

1 Si on utilisait des peines alternatives à l'emprisonnement, par exemple des peines de substitution, en milieu ouvert, des amendes, des travaux d'intérêt général, cela permettrait de réduire le nombre de détenus dans les prisons.

2 On devrait enfermer tous les délinquants. Ils doivent comprendre les conséquences de leurs actes, qu'en fin de compte ils sont responsables de leurs actions.

3 La prison devrait servir à dissuader, à neutraliser, à punir ou réhabiliter. En fait, elle fait souffrir, c'est tout …

4 La prison échoue à réhabiliter. Qui plus est, elle nourrit la criminalité. Si on donnait des peines de restitution par exemple des peines de travaux d'intérêt général, il y aurait moins de récidivisme.

5 J'éprouve beaucoup de frustration devant les décisions de justice. Je préférerais voir ces lourdes peines transformées en mesures de prévention et d'éducation des jeunes.

6 Les peines de substitution sont souvent considérées comme une marque de laxisme, mais le taux de récidive après ces peines est inférieur à celui observé après une peine de prison. On pourrait y recourir plus souvent.

7 Il faudrait enfermer les petits voyous et jeter la clé. Voilà!

8 À mon avis, on ferait mieux d'aider les jeunes à se réinsérer dans la société car pour l'instant l'incarcération ne sert qu'à augmenter la criminalité.

9 Certains pensent qu'un traitement sévère empêche les récidives. Pourtant, les études montrent que la plupart récidive après leur libération. Et en plus, l'incarcération nous coûte très cher. La meilleure solution serait de privilégier les peines de substitution.

10 La peine de mort existe toujours dans certains pays. On devrait la supprimer, c'est un crime contre l'humanité.

Lire 4 Trouvez dix exemples du conditionnel dans les opinions page 52. Traduisez les exemples en anglais.

Écrire 5 Écrivez les verbes entre parenthèses au conditionnel.

1 On croyait que le juge le (**condamner**) à trois mois de prison ferme.
2 Selon une source proche de l'enquête, ils (**abolir**) l'usage des bracelets électroniques l'année prochaine.
3 On dit que vous lui (**rendre**) visite au parloir tous les mois.
4 Le juge a dit qu'il (**demander**) une peine de réclusion à perpétuité.
5 Grâce aux empreintes digitales, on (**savoir**) déjà qui est le coupable.
6 Selon une source, les criminels (**se cacher**) à l'étranger.

Écrire 6 Traduisez ces phrases en français.

1 More and more judges would prefer to give alternative punishments rather than a jail sentence.
2 A certain number of people think that there would be less recidivism if life in prison was less comfortable (TV, gym, internet access).
3 The number of detainees would be reduced if sentences were appropriate to the crime.
4 A majority of people believes that we would do better to try to rehabilitate delinquents.
5 A minority of people thinks we should lock recidivists up and throw away the key.
6 The people of this area believe that if we locked all the young offenders up, they would understand the consequences of their acts.

Grammaire

Le conditionnel (*the conditional*)

It usually translates as *would …* and refers to events that are not certain to occur. To form it, take the future tense stem of the verb and add the imperfect tense endings.

je -ais	nous -ions
tu -ais	vous -iez
il/elle/on -ait	ils/elles -aient

They would like → to lock up: enfermer → future stem: enfermer → + *they* ending **-aient** = conditional: **ils enfermeraient**

Remember many common verbs have irregular future stems.
aller/j'**ir**ais, avoir/j'**aur**ais, être/je **ser**ais, faire/je **fer**ais, pouvoir/je **pourr**ais, falloir/il **faudr**ait, vouloir/je **voudr**ais, devoir/**je devr**ais

Watch out! **on devrait** = *we should/ought to*
on pourrait = *we could*

The conditional is often used:
• in **si** clauses. **Si** + imperfect tense, conditional
Si on **rétablissait** la peine de mort, cela **irait** à l'encontre des droits de l'homme.
• for allegations, or for information that is not confirmed in news reports for example.
La police **pense** qu'il **serait** à la tête de ce gang.

Parler 7 Lisez cet article et adoptez une position. Rédigez votre opinion à l'écrit puis faites un débat en classe.

La prison sans barreaux

En Corse, une prison à ciel ouvert, unique en Europe, accueille des détenus presque tous condamnés pour viol, pédophilie ou inceste.

Vous êtes au centre de détention de Casabianda, à 70 kilomètres de Bastia. Une prison unique en Europe dont les détenus sont à 81% des délinquants sexuels.

Ici on peut faire de la planche à voile, du VTT et même du golf. Pour l'administration pénitentiaire,

Casabianda est une prison modèle qui contrebalance l'image des prisons françaises, vétustes et surpeuplées. Pour d'autres, en accordant un régime de faveur à ceux que la société considère comme des monstres, Casabianda est une aberration.

Les 194 cellules sont individuelles. Ce sont les détenus eux-mêmes qui ferment leur porte, avec la clé qu'ils gardent en permanence autour du cou.

à l'examen

When you are taking a clear stance, you need to be fairly categorical. Prepare strong arguments with justification and use phrases showing how convinced you are.

C'est une évidence
Il est évident que …
Il est clair que …
C'est irréfutable/indiscutable
Ceci est indéniable/incontestable

Ce qui est certain, c'est que …
Sur ce point, je suis formel(le).
Cela va de soi
Cela crève les yeux

7 · Manipuler le vivant, est-ce bien raisonnable?

Parler 1 À deux, mettez ces grandes découvertes dans l'ordre chronologique. Écoutez et vérifiez vos réponses.

1895 1898 1953 1955 1973 1978 1988 1996

La structure de l'ADN est découverte en …
Le rayon X est inventé en …
La première manipulation transgénique est réalisée en …
La première greffe d'organe a lieu en …

Dolly, le premier clone est né en …
Le cœur artificiel est mis au point en …
La pilule abortive est disponible en …
Le radium est découvert par Marie Curie en …

Parler 2 Écoutez et imitez.

GASPARD, STAN, ALPHONE ET LE CLONAGE THÉRAPEUTIQUE

Prononciation

Practise pronouncing combinations of vowels:
ou (**jou**er)
ui (p**ui**sque)
ai, aî, ay (m**ai**s, m**aî**triser, ess**ay**er)
au, eau (t**au**x, p**eau**)
oi, oy (**oi**seau, n**oy**au)
io, yo, ie (b**io**log**ie**, embr**yo**nnaire)
eu, œu (h**eu**reux, c**œu**r)

Écouter 3 Répondez en français.
● Quels sont les deux types de clonages dont on parle?
● Quelle est leur utilité?

Lire 4 Lisez ce que ces jeunes gens pensent du clonage. Sont-ils plutôt pour, contre, ou leur avis reste partagé? Êtes-vous d'accord avec eux ou pas?

In exercises or in your independent reading, be on the lookout for specialised vocabulary that you can use to express your viewpoint.

Fichier Édition E-mail Communiquer Services Sécurité Fenêtre Mot-clé Déconnexion Aide

Accueil | ▼ OK | 🔎 Rechercher | 😊 Favoris ▼

Bienvenue

Que pensez-vous du clonage?

Céline: ► Le clonage humain, fabriquer des êtres humains artificiellement, ça relève de la science-fiction. Et dans quel but? Pour fabriquer des armées de clones? Nous sommes bien loin de pouvoir cloner des êtres humains, et tant mieux pour l'avenir de l'humanité.

David: ► Si on arrive à maîtriser le clonage thérapeutique, ne faut-il pas craindre qu'un savant fou ne donne naissance à des clones humains?

Julien: ► Je suis farouchement opposé à cette idée. C'est le désir humain de jouer à Dieu. Le clonage va à contre-courant des lois de la nature. Il faut respecter la nature, il est important que nous n'en abusions pas.

Jeanne: ► Le clonage reproductif, je suis contre. En revanche, s'il s'agit de clonage thérapeutique, c'est-à-dire cloner des cellules souches, cela ne pose pas de problèmes éthiques selon moi, puisque ces cellules ne sont pas vraiment vivantes.

Salima: ► D'ici peu, on arrivera à cloner des animaux pour des raisons de productivité. Pourquoi pas? Le clonage des animaux pourrait présenter bien des avantages économiques. Si cela aide à lutter contre la faim, je suis en faveur. Il est urgent qu'on trouve une solution à ce problème.

Rose: ► On devrait interdire le clonage des êtres humains à cause des problèmes psychologiques dont les pauvres clones pourraient souffrir.

Clarisse: ► Que l'on utilise des cellules souches pour remplacer le don d'organes, ça, d'accord. Le clonage pourrait en effet résoudre le problème de la pénurie d'organes pour les greffes.

Abdel: ► Je suis ni pour, ni contre … Enfin, je ne suis pas pour tous les types de clonage, pas pour le clonage humain par exemple.

Marek: ► Cela représente un nouvel espoir pour traiter, voire guérir des maladies incurables, comme la maladie de Parkinson ou d'Alzheimer, le diabète ou bien même le cancer. Il faut que les scientifiques continuent leurs recherches.

Lire 5 Complétez cet article avec les mots donnés.

À quoi servent les cellules souches embryonnaires?

À tester de nouveaux médicaments.

À partir de **1** _____ souches embryonnaires, on peut obtenir des muscles, de la peau ou encore des neurones. Cela permet aux chercheurs d'**2** _____ le développement d'une **3** _____ dans un tube à essai et d'essayer de nouveaux **4** _____ jusqu'à ce que l'un d'eux s'avère **5** _____.

À soigner des organes **6** _____.

En reprogrammant les cellules d'un patient en cellules souches **7** _____, on peut obtenir des morceaux d'**8** _____. L'objectif est de pouvoir greffer ensuite ces tissus chez le **9** _____ au moment où il en a besoin (après un accident cardiaque par exemple).

traitements	**rejetés**	**médecins**
cellules	**patient**	**embryonnaires**
organes	**étudier**	**endommagés**
maladie	**efficace**	**implanté**

Grammaire

Le subjonctif (*the subjunctive*)

The present subjunctive is very common, used after some verbs and phrases to express obligation, necessity, possibility, wishes, doubt, feelings, opinions, preferences.

- after impersonal expressions:
  il est possible/nécessaire/naturel que …

- certain verbs + **que**:
  avoir peur, craindre, interdire, permettre, proposer, recommander, exiger

- certain conjunctions:
  pour que (*so that*), pourvu que (*provided that*), en attendant que (*while, until*)

- in a subordinate clause after **ne … personne qui …**, **ne … rien …**
  Je **ne** connais **personne qui** veuille avoir un clone.

After certain verbs and conjunctions, **ne** is required:
éviter que + ne, craindre que + ne, à moins que + ne, avant que + ne
On doit voter des lois **avant qu'**il **ne** soit trop tard.

Écrire 6 Mettez les verbes entre parenthèses au subjonctif.

1 Il est capital que l'on (**arrêter**) toutes les recherches sur le clonage humain.
2 Il faut faire des recherches pour qu'on (**pouvoir**) traiter les maladies incurables.
3 J'ai peur qu'un fou dangereux (**se cloner**).
4 Le gouvernement recommande que le clonage (**être**) réglementé.
5 Je crains que le clonage (**transformer**) le monde.
6 Ce laboratoire ne fait rien qui (**être**) illégal.

 Show your understanding of the implications of the topic, including potential risks or dangers and, conversely, any benefits.

Watch the news, listen to the radio, podcasts, read papers, articles on line, in French and in English to learn about current or controversial issues. Listen to people's ideas and opinions but do make up your own mind.

Parler 7 À deux. Utilisez les phrases-clés pour donner votre opinion.

Êtes-vous pour ou contre … le clonage végétal et pourquoi?
le clonage animal
le clonage humain
le clonage reproductif
le clonage thérapeutique
cloner n'importe qui (un sportif, un homme politique, vous!)

À mon sens/À mes yeux
Je suis catégoriquement opposé(e) à
Je suis consterné(e)/persuadé(e)/convaincu(e)/stupéfait(e)/ sceptique
Je ne peux pas m'empêcher de penser que
Je ne vois pas l'intérêt
J'ai un avis partagé

à l'examen

When checking your work, draw up your own list of elements to check. These might include: adjectival endings, agreement, tenses, spelling, gender, verb forms.

Écrire 8 A-t-on le droit de créer puis de tuer des cellules uniquement pour les besoins de la médecine?
Écrivez un essai environ 250 mots.

 It is essential to plan an essay carefully.
- Make sure you understand the issue.
- What are the moral issues?
- Break down the question to see what needs covering.
- Marshall your arguments for and against.
- Use ideas from the unit as well as your own ideas.
- Give your personal opinion.

8 · Ni dans mon assiette, ni dans mon champ!

Les *manipulations* génétiques

Les OGM sont des plantes et des animaux dont les gènes ont subi des modifications. Les gènes sont porteurs des informations concernant le développement: la forme des feuilles, la couleur des poils … Les chercheurs savent identifier chaque gène responsable des différentes caractéristiques. Ils peuvent les extraire d'un organisme vivant et les intégrer dans un autre dès le début de son développement. Il y a création d'un organisme transgénique. Cet être modifié grandira avec d'autres caractéristiques génétiques qui se transmettront à la future génération.

La *lutte* contre la faim

Certains chercheurs pensent que les OGM peuvent diminuer la faim dans le monde et que nous devons saisir cette opportunité d'aider les populations affamées. Les modifications génétiques assurent la croissance des plantes dans des conditions difficiles: sécheresse, pauvreté des sols.

Nouveauté ou tradition?

Les partisans de cette technique arguent qu'elle ne diffère guère des méthodes de sélection millénaires pour les plantes et les animaux. Les militants anti-OGM redoutent les conséquences de croisements contre-nature qui n'auraient jamais eu lieu sans la main de l'homme.

Une culture *controversée*

Les agriculteurs désireux de retourner vers des cultures traditionnelles rencontrent des difficultés lorsque leurs champs se situent dans le périmètre de cultures OGM qui risquent de les polliniser. Il ne peut y avoir de garantie possible de non-propagation génétique.

Lire 1 Trouvez dans l'article les synonymes de…

1 les scientifiques
2 passeront
3 à peine
4 combattants
5 sans intervention humaine
6 aridité

… puis l'équivalent en anglais de…

7 have undergone modifications
8 extract from a living organism
9 genetically modified
10 supporters
11 fear
12 seize this opportunity

Lire 2 Vrai ou faux?

1 Les gènes déterminent le développement d'un organisme.
2 Les organismes transgéniques sont des organismes qui ont été modifiés génétiquement.
3 La modification transgénique ne se transmet pas de génération en génération.
4 Les personnes en faveur des OGM croient que la manipulation génétique est l'équivalent de la sélection naturelle.
5 Ceux qui sont pour les OGM ont peur des conséquences de la manipulation génétique.
6 Il existe un danger de contamination si les champs d'OGM sont trop proches des champs de cultures traditionnelles.
7 Certains chercheurs pensent que les OGM peuvent éliminer la faim dans le monde.
8 Les OGM ne poussent pas dans des conditions difficiles.

Écouter 3 À deux, décidez si ces arguments sont pour ou contre les OGM. Ensuite, écoutez le point de vue des deux personnes interrogées et écrivez le numéro des arguments utilisés.

1 Si le gène de tolérance aux herbicides passait aux mauvaises herbes, celles-ci deviendraient indestructibles.
2 Les OGM sont très résistants, ce qui permet de limiter l'utilisation de pesticides et d'engrais chimiques.
3 Avec les OGM on peut faire pousser des récoltes dans des conditions difficiles, les plantes ont moins besoin d'eau par exemple.
4 Les OGM augmentent la productivité, ce qui veut dire qu'on peut avoir plus de récoltes sur moins de surface.
5 On ne connaît pas encore les effets à long terme des OGM. Il n'y a aucune preuve que les OGM puissent nuire à la santé de l'homme ou à l'environnement.
6 Les OGM menacent l'indépendance des agriculteurs: seul un petit groupe de multinationales vend des semences d'OGM et possède donc le monopole.
7 Les OGM représentent une solution possible au problème de la faim dans le monde.
8 La biodiversité est menacée. Les OGM mettent en danger les insectes et les oiseaux qui se nourrissent de graines.
9 Les OGM sont testés de façon à garantir leur sûreté.
10 Grâce aux OGM, les agriculteurs travaillent moins car ils n'ont plus besoin d'épandre de pesticides.
11 Les aliments qui ont été génétiquement modifiés peuvent être plus nutritifs.

i Culture

En 1998, 1 500 hectares sont consacrés à la culture de plantes génétiquement modifiées, en 2005, 10 000 hectares et en 2007, 20 000 hectares.

Lire 4 Complétez cet article avec les bons noms de la liste. Attention, il y a deux noms de trop.

conflit   agriculture   lutte   agriculteur
éducation   révolutions   extension   moutons
arrestations   idées   réunions

Un **1** _____ cultivé, voilà le parcours de José Bové! Avec un père spécialiste en agronomie et une mère professeure, il bénéficie d'une **2** _____ poussée. En 1973, il participe au rassemblement national contre l'**3** _____ du camp militaire dans le Larzac. Avec sa femme Alice, il s'y installe alors et élève des **4** _____, mais ne lâche en rien son côté contestataire, bien au contraire. Il prône une **5** _____ autre. Après la création de la Confédération paysanne en 1987, Bové devient peu à peu le héros de la **6** _____ altermondialiste. Le porte-parole du syndicat multiplie les actions choc vis-à-vis des OGM (arrachage de plants) ou de la «malbouffe» (démontage d'un McDo) qui lui vaudront quelques condamnations et **7** _____ spectaculaires. Son aura va désormais au-delà du cercle agricole. Présent dans les grandes **8** _____ mondiales (comme celle de Seattle en 1999) ou dans les points sensibles de la planète (Palestine, Brésil …) José Bové, moustache au vent et pipe à la bouche, sait se servir du «tout médiatique» de notre société pour défendre ses **9** _____.

Écrire 5 Traduisez ces phrases en anglais.

1   Certains agriculteurs cultivent des OGM pour qu'ils puissent augmenter leur productivité et donc leur profit.
2   Les OGM ne sont pas l'unique moyen qu'on ait de résoudre les problèmes de famine.
3   Quoiqu'on dise ou qu'on fasse, les consommateurs continueront d'acheter des produits contenant des OGM, jusqu'à ce qu'un jour il y ait des morts.
4   À moins qu'on me prouve que les OGM ne sont pas dangereux pour la santé, je suis contre.
5   Je suis pour les OGM à condition qu'ils soient testés.
6   Le maïs est la première plante qui ait été génétiquement modifiée.
7   Réagissons et détruisons les produits contenant des OGM avant qu'il ne soit trop tard.

à l'examen

Before a debate about a controversial issue, make sure you have prepared your arguments and thought about the counter arguments that will be put forward.

Show that you can develop your views, defend or justify your opinions.

Speak confidently, naturally and spontaneously.

Try to cover a wide range of relevant points and to use varied vocabulary and structures.

Parler 6 À quatre, faites un débat sur les OGM. Choisissez un de ces rôles:

● un scientifique qui est pour les OGM
● un agriculteur qui cultive des OGM pour la première fois
● un député vert opposé aux OGM
● un consommateur opposé aux OGM.

Grammaire

Le subjonctif (2) (*the subjunctive*) (2)

Use the subjunctive

• after these conjunctions:

avant que + ne	*before*
jusqu'à ce que	*until*
bien que, quoique	*although*
afin que, pour que	*so that*
à condition que	*on condition that*
à moins que	*unless*

• after superlatives
C'est le plus + adjective + que + subj
le seul   l'unique
le premier   le dernier

Écrire 7 Les OGM: solution à un problème mondial majeur ou risque pour la santé publique? Pesez le pour et le contre des OGM. Écrivez un essai (environ 250 mots).

à l'examen

Before you start to write consider both sides of the argument and structure your essay accordingly.

Try to cover different areas (e.g. **avantages/dangers liés à l'environnement, bénéfices/problèmes par rapport à la santé, avantages/inconvénients économiques**).

Give examples to back up your case.

t Question d'éthique:
   l'euthanasie

g • Le subjonctif passé
   • L'imparfait du subjonctif

s Utiliser des expressions
   idiomatiques

9 · Droit de vie, droit de mort

Le cas de Chantal Sébire rouvre le débat sur l'euthanasie

Éthique. La justice se prononce lundi sur la demande d'euthanasie d'une femme de cinquante-deux ans, atteinte d'une maladie incurable.

C'est un cri de détresse, un de plus dans la longue liste de ceux que la loi française, qui continue de refuser le principe d'une euthanasie active, ne satisfait pas. Victime d'une maladie incurable (l'esthesioneuroblastome), une tumeur évolutive des sinus et de la cavité nasale, qui lui fait vivre d'atroces souffrances, Chantal Sébire, ancienne professeure des écoles et mère de trois enfants a demandé mercredi à la justice le droit d'être euthanasiée par un de ses médecins.

«Aujourd'hui, je suis allée au bout de ce que je peux supporter et mon fils et mes filles n'en peuvent plus de me voir souffrir», avait avoué, le 27 février, à l'AFP, l'ancienne institutrice. «Défigurée par la tumeur qui lui ronge le visage, Chantal Sébire a perdu le goût, l'odorat, la vue», détaille son avocat. Ses souffrances, qualifiées d'«intenses et permanentes», ne peuvent être soulagées par l'administration de morphine, «en raison des effets secondaires de cet antalgique». Bref, la mère de famille vit un calvaire quotidien, dont elle refuse de supporter «l'irréversible dégradation».

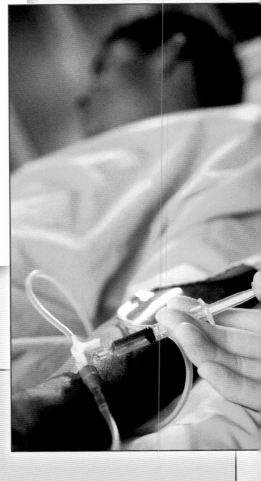

 Répondez en français.

1 De quoi souffre Chantal?
2 Quelle était sa profession?
3 Que demande-t-elle?
4 À qui?
5 Pourquoi?
6 Quelle est la position de la France par rapport à l'euthanasie?

 Trouvez la bonne définition.

1 l'euthanasie
2 l'euthanasie passive
3 le suicide médicalement assisté
4 l'euthanasie active
5 les soins palliatifs
6 l'euthanasie volontaire
7 l'euthanasie non volontaire

a C'est lorsque l'on procède selon les vœux du malade.
b C'est quand on aide quelqu'un à mourir en lui fournissant les informations ou les moyens nécessaires.
c C'est le refus ou l'interruption des traitements pour maintenir en vie.
d Ce sont les soins qui permettent d'atténuer les douleurs, d'améliorer la qualité de vie.
e C'est quand le malade en phase terminale demande qu'on l'aide à mourir.
f C'est lorsque l'on donne la mort par injection à un patient pour qui il n'y a plus aucun espoir de guérison, sur sa demande, pour mettre fin à ses souffrances car il ne peut le faire lui-même.
g C'est lorsque l'on ne sait pas ce que le malade désire.

L'euthanasie oppose le respect de la liberté de chacun de disposer de son corps comme il l'entend et le respect de la vie qui interdit de tuer quelqu'un même avec leur consentement.

 François de Closets est l'auteur d'un essai sur l'euthanasie *La dernière liberté.* Écoutez son interview et notez en anglais les questions que lui pose le journaliste.

 Réécoutez l'interview et notez en anglais les réponses de François de Closets.

i Culture

En France, l'euthanasie est contraire au serment d'Hippocrate, à l'éthique des médecins, à la loi. Elle est punie par le Code Pénal qui en fait un homicide volontaire.

En revanche, en Belgique, l'euthanasie a été légalisée en 2002, et en Suisse, le suicide médicalement assisté est autorisé.

5 Complétez les expressions avec le bon verbe et traduisez-les.

choisir	1	_____ le droit de vie ou de mort
légaliser	2	_____ en finir avec la vie
prolonger	3	_____ la vie à tout prix
injecter	4	_____ l'euthanasie
perdre	5	_____ la douleur
mourir	6	_____ une substance léthale
avoir	7	_____ l'envie de vivre
être	8	_____ entouré de ses proches
être	9	_____ son heure
mettre fin à	10	_____ un acharnement thérapeutique
exprimer le désir d'	11	_____ à bout
ne plus supporter	12	_____ dans la dignité

Impress the examiner by using idiomatic expressions.

e.g. faire la une = *to make the front page*
e.g. choisir son heure = *to choose one's time*

6 Écrire Traduisez ces phrases en français.

1 Prolonged artificial life support is inhuman.
2 We must recognise the right to die with dignity.
3 A person should be in charge of his life and have the right to choose when to die.
4 It is necessary to respect the wishes and the religious convictions of each person.
5 A patient who is suffering is not capable of making a decision about euthanasia.
6 I am surprised that they haven't forbidden euthanasia because to authorise it is to legalise murder.
7 Although they choose to help people, the role of doctors is not to administer lethal substances.
8 In France up to now I doubt that we have treated humans at the end of their lives as well as animals at the end of their lives.
9 You're happy that you have had the time to talk about it with your mum.

Grammaire

Le subjonctif passé (*the past subjunctive*)

It is used when the verb in the subordinate clause happened before the verb in the main clause.

Put the auxiliary verb in the present subjunctive and add the past participle of the main verb.
Je suis heureux qu'elle soit venue.
Bien qu'ils aient compris qu'on ne peut pas le guérir, ils espèrent toujours.

7 Parler Faut-il légaliser l'euthanasie? Organisez un débat en classe. Préparez vos arguments.
Écoutez bien et notez les arguments de vos camarades de classe.

POUR
- un droit comme celui de refuser toute transfusion sanguine
- éviter les euthanasies clandestines ou à l'étranger
- mourir dans son sommeil semble moins atroce que mourir d'un arrêt respiratoire
- refuser de dépendre de machines, d'autrui
- ne pas vouloir vivre dans un état végétatif

CONTRE
- il faut mourir de mort naturelle
- on ne décide pas d'être vivant, on ne doit pas décider de mourir
- ma religion/foi ne le permette pas
- personne ne devrait avoir le droit de vie ou de mort sur quelqu'un d'autre
- cela pourrait encourager le suicide de personnes souffrant moralement
- certains meurtres pourraient être maquillés en euthanasie

8 Écrire Vous êtes journaliste. Rédigez un article résumant les arguments du débat sur l'euthanasie (environ 250 mots).

Grammaire

Le subjonctif imparfait (*the imperfect subjunctive*)

This is a literary form that you need to recognise, not to use.

Take the **il** form of the past historic, remove **-t** from **-ir** and **-re** verbs and add the endings:
-sse, -sses, -accent t, -ssions, -ssiez, -ssent

aimer → j'aimasse	être → nous fussions
finir → tu finisses	avoir → vous eussiez
croire → il crût	prendre → ils prissent

9 Lire Lisez ces paroles de chanson et donnez l'infinitif des verbes en gras.

L'imparfait du Subjonctif
Paroles: Claude Steiner *Musique:* Sylvain Richardot

Dès le moment que je vous **vis**
Beauté torride vous me **plûtes**
De l'amour qu'en vos yeux je **pris**
Aussitôt vous vous **aperçûtes**

Ah **fallait**-il que je vous **visse**
Fallait-il que vous me **plussiez**
Qu'ingénument je vous le **disse**
Qu'avec orgueil vous vous **tussiez**

À l'imparfait du subjonctif
Vous m'**avez fait** un drôle d'effet
Au présent de l'indicatif
Vos yeux **étaient** plus que parfaits

Fallait-il que je vous **aimasse**
Fallait-il que je vous **voulusse**
Et pour que je vous **embrassasse**
Fallait-il que je vous **reçusse**

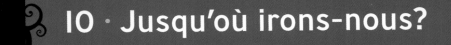

t Parler de la technologie et du futur

g Les pronoms indéfinis (2)

s • Peser le pour et le contre, évaluer les avantages et les inconvénients
  • Écrire un essai (2)

Parler 1 À deux. À votre avis, ces scénarios sont-ils probables ou pas? Utilisez les expressions données pour formuler vos réponses.

En 2100 …

1 Les robots feront partie de notre quotidien, certains accompliront les tâches ménagères, d'autres les tâches dangereuses pour l'homme.

2 Tout le monde aura des puces électroniques implantées sous la peau.

3 Chacun d'entre nous aura une carte d'identité ou un passeport biométrique.

4 Toutes les formations professionnelles se feront par vidéo.

5 On pourra localiser n'importe qui, n'importe où, n'importe quand grâce à des centaines de satellites.

6 Passer un séjour dans une station spatiale internationale sera abordable.

7 Quelqu'un aura enfin découvert un traitement contre tous les cancers.

8 On aura développé des matériaux cent fois plus résistants que l'acier.

9 Tout le monde utilisera l'hydrogène comme énergie principale.

10 Les robots seront capables de raisonnement.

Mais non, voyons!
Ça ne se passera pas comme ça!
Hors de question!
Jamais de la vie!
C'est de la folie!

à l'examen

Remember to use the appropriate register. You can use **tu** and familiar expressions with people you would address as **tu**. However the exam is a formal situation during which you should use more formal expressions, e.g. **C'est vrai jusqu'à un certain point mais …**

Écouter 2 De quel robot s'agit-il? Écrivez la bonne lettre.

Lire 3 Complétez le texte avec les mots donnés.

En règle générale le jeu vidéo est montré du doigt et décrié parce que certains médias, psychologues ou **1** _____ ont décidé que ces activités vidéoludiques étaient **2** _____ et vraiment pas recommandables. Alors pour une fois qu'une étude parle positivement du jeu vidéo, **3** _____ ne va pas s'en priver!

Le très sérieux site de CNN vient de révéler les résultats d'une enquête aussi étrange que stupéfiante sur les liens de cause à effet entre l'adresse des **4** _____ et la pratique du jeu vidéo. Il vient d'être prouvé que les chirurgiens qui jouent à des jeux vidéo sont beaucoup plus efficaces que **5** _____ qui n'y jouent pas. En effet, selon ladite enquête, sur 33 chirurgiens **6** _____, les neuf qui s'adonnent aux jeux vidéo trois heures par semaine au minimum ont réalisé 37% moins d'erreurs que leurs confrères non «gamers», et ont accompli leurs **7** _____ 27% plus vite. Mais ce n'est pas **8** _____, les pratiquants ont obtenu un score 42% supérieur aux non pratiquants lors du test de chirurgie.

néfastes
handicapés
expérimentés
ceux
tout
soi
on
autres
quiconque
chirurgiens
opérations
interrogés

4 Terminez ces phrases en anglais selon l'article de l'exercice trois.

1 The general attitude towards video games is …
2 CNN has just revealed the results of a study on …
3 According to the study the nine out of 33 surgeons who play games three hours …
4 Furthermore, they carried out their operations …
5 In surgery tests, they also scored …

Grammaire

Remember indefinite pronouns can be subjects or objects.

Impress the examiner by showing you can use a variety of indefinite pronouns, whether they agree or they are irregular.

On pourra localiser **n'importe qui**.

Use the following to impress the examiner at A level:
certain(e)s … d'autres … l"un(e) de …
quelques-un(e)s plusieurs (d'entre nous, vous, eux, elles)
chacun(e) (d'entre nous) quiconque*
n'importe qui/quoi/où*   (* invariable)

Écrire 5 Traduisez ces phrases en français.

1 In 2100 each one of us will have a home robot.
2 Certain people will have three of them.
3 Others will have five maybe!
4 Several of us will be driving with hydrogen.
5 Whoever wants to visit a space station will be able to do it in 2052.
6 Anyone will be able to find someone anywhere.

Parler 6 Quel genre d'infos pourra-t-on entendre à la télé ou à la radio en 2050? À deux, formulez le texte du bulletin d'information pour les gros titres suivants.

Exemple:

— Première rentrée pour les cartables électroniques! —

Première rentrée des classes sans cartable! Finis les problèmes de dos, finies les excuses «j'ai oublié mes devoirs», nos enfants ont maintenant une clé USB à la place de leurs cartables. Ils n'écrivent plus mais tapent sur leur ordi portable, ils envoient directement leurs devoirs par e-mail à leurs professeurs. Certains pensent que cela nuira à l'apprentissage de l'écriture, de l'orthographe.

1 **Un aller simple pour Mars!**
2 *Le premier homme bionique*
3 Un dîner 5 étoiles dans un petit sachet
4 **Le téléphone élastique**
5 *Plus de voitures!*

 Écoutez ce texte sur les sites tels que *Facebook*. Prenez des notes en français sur:

● les sites mentionnés
● les informations que l'on trouve sur ces sites
● l'usage qu'en font les entreprises et les pirates informatiques.

Parler 8 Que pensez-vous de l'idée d'une carte d'identité biométrique? Préparez-vous à exprimer votre point de vue à ce propos. Ensuite faites un débat en classe.

«Une carte d'identité informatisée représente un danger pour la liberté individuelle. C'est en quelque sorte un dossier contenant tous vos faits et gestes qui pourrait être utilisé contre vous. Il faut lutter contre à tout prix.»

«Les cartes d'identité électroniques ne portent pas atteinte à la vie privée. Elles aideront l'État à combattre les fraudes, les usurpations d'identité et les actes de terrorisme.»

un fichier central	regrouper des bases de
une carte à puce	données
l'empreinte de l'iris	avoir accès à
des données personnelles	porter atteinte à
les empreintes digitales	nuire à
enregistrer des informations	protéger de/contre

Écrire 9 *La technologie … malédiction ou bénédiction?*

Écrivez environ 250 mots.

Writing an essay
One approach to planning. Plan four sections. Use your planning time wisely. Think carefully and make a proper plan.
a Introduction
b Section 1: Advantages, benefits, arguments for
c Section 2 : Disadvantages, arguments against
d Conclusion

- Always think carefully about how the title is worded and what exactly it means.
- Brainstorm for/against, advantages/disadvantages.
- Brainstorm key language before you start.
- A clear plan and structure are essential.
- Each paragraph should make a point, avoid repetition.
- Start with the point of view which is opposite to your own; this will give weight to your conclusion.
- Find a balance between factual information and opinions.
- Give examples and statistics if appropriate.
- Show range of vocab, grammar and tenses.
- Write on alternate lines so that you can easily make alterations or corrections without making it difficult for the examiner to read your work.

i Culture

CNIL: Commission Nationale de l'Informatique et des Libertés, créée afin de protéger les libertés individuelles des Français des abus liés aux progrès de l'informatique.

La pauvreté et la précarité

un chef d'entreprise	company director
un salarié	employee
un fossé	gap
le bonheur	happiness
le compte en banque	bank account
le pouvoir d'achat	buying power
le loyer	rent
le troisième âge	the elderly
l'épanouissement (m)	fulfilment
les sans-abri, les SDF	homeless people
les retraités	retirees
les analphabètes	illiterate people
les clochards	tramps
les ivrognes	drunkards
les demandeurs d'emploi	job seekers
les ménages	households
la société de consommation	consumer society
la pauvreté, la misère	poverty
la liste d'attente	waiting list
la notoriété	fame
la réinsertion	reintegration
la précarité, l'instabilité	insecurity
l'expulsion (f)	eviction
l'addition (f)	bill
les actions	shares
les bouches d'aération	air vents
révoltant	appalling
récompensé	rewarded
scandaleux	outrageous
dépendant	dependent
branché	trendy
démuni	deprived
vétuste	run-down

Poverty and insecurity

sinistré	victim of a disaster
valide	able-bodied
provisoire	temporary
piégé	trapped
indigne	disgraceful
forcément	necessarily
supprimer	to remove
arroser	to water/to hose
traiter comme du bétail	to treat like animals
atteindre	to reach
donner le vertige	to make you feel dizzy
mettre en colère	to make someone angry
arriver à	to manage, to succeed
nourrir	to feed
joindre les deux bouts	to make both ends meet
changer les mentalités	to change attitudes
entretenir un rapport sain avec	to maintain a healthy relationship with
mendier, faire la manche	to beg
avoir les moyens de	to afford, to have the means to
expulser	to evict
gêner	to embarrass
pêcher	to fish
rapporter	to bring in money
manger à sa faim	to eat one's fill
se débarrasser	to get rid of
se donner la peine	to bother
s'investir	to put a lot of oneself into
s'enrichir	to become rich
se ruiner	to lose everything
se remplir les poches	to line one's pockets
se faire remarquer	to draw attention to oneself

Les allocations et aides sociales

un camion, un fourgon	truck, van
un moyen	a means, way
le soutien	support
le bénévolat	voluntary work
le SMIC	guaranteed minimum wages
le RMI	minimum benefit
le logement social	social housing
les bénévoles	voluntary workers
les colis alimentaires	food parcels
les revenus	wages
la solidarité	solidarity

State Benefits

la fraternité	fraternity, friendship
les associations	organisations
fonder	to create, found
garantir	to guarantee, ensure
recueillir des fonds	to collect money
accueillir	to welcome
lutter, combattre	to struggle against
régler le problème	to sort out the problem
avoir recours à	to resort to
avoir la force de	to have the strength to
avoir de la peine à	to struggle to

Se battre pour survivre *Fighting for survival*

un bidonville	shanty town	les infrastructures	facilities
un domaine	area, field	les maladies (hydriques)	(water-related) diseases
un fléau	blight on society	illettré	illiterate
un poids	weight, influence	innovant	innovative, groundbreaking
un don	donation	insalubre	unsanitary
un puits	well	analphabète	illiterate
un dispensaire	free clinic	défavorisé	disadvantaged
des médicaments	medicine	avec le concours de	with the support of
le seuil de pauvreté	poverty line	consacrer	to dedicate
le décès	death	lancer un projet	to launch a project
le défi	challenge	diffuser	to broadcast, to show
l'assainissement	cleaning up	estimer	to reckon, to assess
une formation	training	avoir lieu	to take place
une hécatombe	tragedy, mass murder	provoquer	to cause
une urgence humanitaire	humanitarian emergency	se traiter	to be cured
la mortalité infantile	infant mortality	avoir accès (à)	to have access (to)
la course à l'armement	arms race	intervenir	to intervene
l'émaciation (f)	emaciation	fournir	to provide
l'hygiène (f)	hygiene	assurer	to secure
l'eau (f) potable	drinking water		

La délinquance *Delinquency*

un ressentiment	resentment, bitterness	perplexe	baffled
un mineur	person under 18, a minor	mis à l'écart	put aside
le cadre de vie	environment	défavorisé	disadvantaged
le taux	rate, level	issu de	coming from
l'ennui (m)	boredom	voire	or even
l'échec (m) scolaire	underachievement, failure at school	hériter	to inherit
		laisser qqn sans voix	to leave someone speechless
les services de police	police services	éprouver un sentiment d'injustice	to feel a sense of injustice
la ghettoïsation	ghettoisation	avoir de mauvaises fréquentations	to keep in bad company
la rénovation	revitalization, renovation	entretenir	to maintain
frappé	stricken	se méfier de	to be wary of, not to trust

Les crimes, les délits *Crimes, offences*

un meurtre, un assassinat	murder	la violence (envers)	violence (towards)
un voyou	thug	la gendarmerie	police
un délinquant, un criminel	delinquent, criminal	la délinquance juvénile	juvenile delinquency
le vol	theft	la pédophilie	paedophilia
le viol	rape	la torture	torture
le recel	handling stolen goods	l'escroquerie (f)	fraud
le vandalisme	vandalism	les agressions sexuelles	sexual assaults
le trafic de stupéfiants	drug trafficking	commis	committed
le cambriolage, le braquage	robbery	arrêté pour coups et blessures	arrested for grievous bodily harm
l'abus (m) de confiance	breach of trust		
les dégradations	damage, deterioration	interpellé	taken in for questioning
une infraction	offence, violation	grave	serious
une agression (au couteau)	an assault, attack (stabbing)	commettre un crime	to commit a crime
une enquête	inquiry	récidiver	to reoffend
la fraude	fraud		

L'usage et le trafic de drogue

Drug use and trafficking

un toxicomane, un usager	*a drug-addict, a drug user*
un dealer, un gros bonnet	*a drug dealer, the top man*
un joint, une dose	*a joint, a hit*
le hasch(ich), le cannabis	*hashish, cannabis*
le trafic de drogue	*drug trafficking*
l'enfer	*hell*
une mule	*a drug mule, smuggler*
la consommation	*consumption*
la dépendance	*dependency, habit*
les drogues douces/dures	*soft/hard drugs*

laxiste	*lax*
ne pas supporter	*not to be able to stand*
rester maître de soi	*to remain in control*
toucher à l'héroïne	*to use heroin*
décrocher	*to give up*
faire une cure de désintoxication	*to be in rehab*
légaliser, dépénaliser	*to legalise, to decriminalise*
risquer, mettre en danger	*to risk, to put in danger*
s'évanouir	*to faint/to disappear*
se mettre à	*to start*

Les peines

Sentences

un bracelet électronique	*electronic tag*
un détenu	*detainee*
un établissement pénitentiaire	*prison, penal institution*
le casier judiciaire	*criminal record*
le parloir	*visitors' room*
les TLG	*community work*
une peine de prison	*prison sentence*
une peine de substitution	*an alternative sentence*
une mesure éducative	*educational measure*
une amende	*a fine*
une cellule	*a cell*
la réclusion à perpétuité	*life sentence*

la prison ferme/avec sursis	*prison sentence with no remission/suspended sentence*
la peine de mort	*death penalty*
poursuivi/condamné à	*prosecuted/sentenced to*
vétuste	*run-down*
surpeuplé	*overcrowded*
derrière les barreaux	*behind bars*
mettre sous les verrous	*to send behind bars*
enfermer	*to lock up*
dissuader	*to dissuade, to put off*
réinsérer	*to rehabilitate*

Le clonage

Cloning

un but, un objectif	*aim*
un problème éthique	*ethical issue*
un savant fou	*mad scientist*
un tube à essai	*test tube*
un morceau	*a piece*
le clonage reproductif	*reproductive cloning*
le clonage thérapeutique	*therapeutic cloning*
les chercheurs	*researchers*
le don d'organes	*organ donation*
la manipulation transgénique	*transgenic manipulation*
la greffe d'organe	*organ transplant*
la pénurie	*shortage*
l'humanité (f)	*humanity*

les lois de la nature	*laws of nature*
implanté	*implanted*
réglementé	*regulated*
mis au point	*developed*
consterné/stupéfait	*filled with consternation/astounded*
persuadé/convaincu	*persuaded/convinced*
sceptique	*sceptical*
à contre-courant	*against the grain*
à mon sens, à mes yeux	*from my viewpoint, in my eyes*
ça relève de	*this comes close to*
fabriquer	*to make*

Les OGM (Organismes Génétiquement Modifiés) *GMO (Genetically Modified Organisms)*

un député vert	*MP for the Green party*
un altermondialiste	*anti-globalistation supporter*
un champ, un sol	*field, soil*
des croisements contre-nature	*crossbreeding against nature*
des herbicides	*herbicides*
des pesticides	*pesticides*

le maïs	*maize, corn*
le monopole	*monopoly*
le rassemblement	*rally*
le syndicat	*union*
l'arrachage (m)	*picking*
les agriculteurs	*farmers*

les militants anti-OGM	anti-GM militants	les manipulations génétiques	genetic modifications
les scientifiques	scientists	nutritif	nutritious
les engrais chimiques	fertilizers	affamé	starving
les consommateurs	consumers	quoiqu'on dise/qu'on fasse	whatever one says/does
les effets à long-terme	long-term effects	extraire	to extract
une méthode de sélection	method of selection	transmettre	to pass on
une réunion	meeting	polliniser	to pollinate
la croissance	growth	nuire à	to harm
la sécheresse, l'aridité (f)	drought, aridity	faire pousser	to grow
la productivité	productivity	arguer	to argue
la biodiversité	biodiversity	épandre	to spread
la malbouffe	unhealthy eating	subir	to be subjected to/to submit to
la sûreté	safety	saisir une opportunité	to seize an opportunity
les mauvaises herbes	weeds	redouter	to fear
les multinationales	multinationals	se nourrir	to eat
les graines, les semences	seeds		

L'euthanasie — *Euthanasia*

un calvaire	living death	atteint	affected by
le code pénal	penal code	maquillé	covered up
le goût	taste	défiguré	disfigured
le sommeil	sleep	sans espoir de guérison	without hope of recovery
le suicide médicalement assisté	medically-assisted suicide	dans un état végétatif	in a vegetative state
le consentement	consent	supporter	to tolerate
l'acharnement thérapeutique	prolonged artificial life support	soulager	to relieve
les soins palliatifs	palliative care or treatment	mettre fin à ses jours	to end one's life/to kill oneself
une substance léthale	lethal substance	maintenir en vie	to keep alive
une transfusion sanguine	blood transfusion	choisir son heure	to choose one's hour
la détresse	distress	dépendre des machines/d'autrui	to depend on machines/ on others
la vue	sight		
la douleur	pain	respecter les vœux de qqn	to respect someone's wishes
la loi/la foi/l'éthique (f)	law/faith/ethics	faire la Une/les gros titres	to make the front page/ headlines
l'euthanasie active/passive	active/passive euthanasia		
l'envie (f) de vivre	desire to live	atténuer	to lessen

L'avenir — *The future*

un satellite	satellite	une clé USB	memory/USB stick
un passeport biométrique	biometric passport	une atteinte à la vie privée	infringement of privacy
un ordi(nateur) portable	laptop	une malédiction/une bénédiction	curse/blessing
un sachet	packet	des données personnelles	personal data
un dossier	file	l'usurpation (f) d'identité	ID theft
un fichier central	central database	implanté	implanted
des matériaux résistants	resistant materials	abordable	affordable
l'apprentissage (m)	learning	capable de raisonnement	able to think
l'empreinte (f) de l'iris	iris print	efficace	efficient
les empreintes digitales	digital fingerprints	néfaste	harmful
les chirurgiens	surgeons	handicappé	disabled
les cartables	school bags	expérimenté	experienced
les pirates informatiques	hackers	bionique	bionic
les actes de terrorisme	acts of terrorism	informatisé	computerised
une station spatiale	space station	découvrir un traitement	to find a cure
une puce électronique	electronic chip	montrer du doigt	to point the finger at
une carte à puce	chip card	révéler	to reveal
une erreur	mistake	nuire à	to harm

Épreuve orale

After your 20 minutes preparation time, you will have five minutes during which you should **present and defend the point of view** of the card you adopted. The examiner is not there to 'prove you wrong' but to discover how well you can present a point of view, discuss the merits of your argument and counter any points made by the examiner.

Remember this is a **conversation**.

- Give the examiner a chance to question you.
- Do not be afraid to be insistent in presenting your case.
- Put in the normal **conversational cues** (e.g. vous voyez, eh bien) and include some 'and finally' comments. Practise these in class.
- Rhetorical question forms are a good way of getting a point across using quite simple language.

Écouter 1 Écoutez ce candidat pendant son examen et complétez le texte. Quel point de vue a-t-il décidé de soutenir (bulle 1 ou bulle 2)?

Si on a un accident, si on **1** _____ dans la rue, s'il y a un cambrioleur dans la maison on **2** _____ la police. C'est simple. La police est là pour nous **3** _____. Tous ceux qui **4** _____ la police **5** _____ réfléchir avant de parler. Sans la police **6** _____ l'anarchie dans les rues. Personne ne **7** _____ en sécurité. Je n'aime pas marcher dans la rue s'il y a des groupes de jeunes qui **8** _____, qui font trop de bruit, qui **9** _____ devant les pubs. Ce n'est pas **10** _____. Je suis honnête et je n'ai rien à **11** _____ de la police. Les **12** _____ me font beaucoup plus **13** _____ que la police!

 Parler 2 Comment pourriez-vous améliorer sa présentation sans dépasser une minute?

vous voyez	à ce propos
peut-être	je ne pense pas, non
mais	mais si, au contraire
eh bien	ne pensez-vous pas que …?
euh	que dire/faire alors?
c'est-à-dire	pour finir/terminer/conclure
bien sûr	en conclusion
honnêtement	je dirais/je voudrais ajouter que

Card A   Crime

La police, c'est la réponse au vandalisme?

Les bandes de voyous dans la rue, les hooligans en ville qui posent tant de problèmes … La police nous protège contre tout ça. Et c'est notre devoir civique d'aider la police. En ville, c'est plus rassurant de voir des uniformes bleus que des cagoules. **(1)**

La police croit que tous les jeunes sont des criminels. En ville on n'a pas le droit simplement de flâner dans les rues si on est jeune. On nous arrête et on nous questionne tout le temps. **(2)**

Parler 3 Relisez la bulle 2. Vous êtes le candidat, votre partenaire l'examinateur. Exposez votre point de vue pendant une minute puis faites un débat pendant deux minutes. Ensuite échangez les rôles.

Card B — Poverty

Sans argent, sans conscience et sans honte?

Les pauvres ne contribuent en rien à la société. Ils n'essaient pas de trouver du travail. Accepter de l'aide, de l'argent sans rien faire en échange ne semble pas leur poser de problème de conscience. **1**

On ne choisit pas d'être pauvre. C'est notre responsabilité à tous d'aider les personnes les plus désavantagées. Ce n'est pas vrai de dire que les pauvres ne veulent pas contribuer à la société. **2**

 Parler 4 Vous êtes l'examinateur et votre partenaire un candidat. Une fois que le candidat a choisi le point de vue qu'il va défendre, préparez chacun vos arguments. Le candidat fait sa présentation (une minute) puis à vous de mener le débat (quatre minutes). Vous pouvez vous aider des idées suivantes.

- Finding a job is not difficult.
- Working hard for qualifications is a duty at school.
- My taxes support a lazy lifestyle by poor people.
- Why can't poor people do voluntary work?
- People should have some social responsibility.
- Television encourages laziness.

- Poverty is not a comfortable state to be in.
- There are many reasons why people cannot work.
- Not all poor people are scroungers.
- Many poor people help in social centres.
- A compassionate society will help its less fortunate members.
- Who knows when we might fall onto hard times?

- Don't try to translate into French, find your own phrases to convey the ideas.
- Make your notes in French and practise giving your presentation from notes.
- **Make your delivery sound like spoken language**, not a speech. Remember the conversation clues and the concluding statement.
- The examiner expects you **to defend your chosen point of view**. Make your own list of your favourite expressions you can use to disagree with the examiner, to insist on your point of view.

Mais non, monsieur/madame
Je ne suis pas du tout d'accord
Il y a peut-être un point de vue différent
Votre argument est valable, cependant
Ce n'est pas tout à fait vrai
En revanche, je pourrais vous répondre que
Mais monsieur/madame, vous devez admettre que
Pourquoi est-ce que vous n'acceptez pas que
La plupart des gens diraient que
Écoutez, monsieur/madame, je ne voudrais pas vous contredire, mais

Écouter 5 Écoutez cet examinateur passer d'un sujet à un autre. Notez les phrases de transition qu'il utilise et les aspects culturels dont les candidats ont choisi de parler.

 The examiner will know in advance which topics you have chosen. Be prepared for the examiner to wind up the discussion after five minutes. You may be in full flow but s/he will curtail the discussion clearly and will lead immediately into a question on one of the topics you have prepared for the conversation. S/he will expect to have a conversation with you about that topic for approximately five minutes and will indicate clearly when it's time to move on to the second topic you have prepared.

Très bien … Eh bien …
Maintenant … Enfin …
Continuons avec
Passons maintenant à
Abordons
Je voudrais maintenant que vous me parliez de
Avez-vous autant aimé …?
Êtes-vous aussi passionné de …/par …?
Pour terminer

Écrire 6 D'après vous, quelles autres questions au sujet d'un réalisateur ou d'un architecte l'examinateur pourrait-il vous poser?
Écoutez pour voir si vous avez deviné juste.

Exemple:
- *Est-ce que vous voudriez être l'un des personnages de ce film? Lequel? Expliquez votre choix.*
- *Décrivez un bâtiment en France que vous admirez et expliquez pourquoi vous l'admirez.*

Épreuve écrite

 The **transfer of meaning**, French to English, exercise is not a word for word translation.

Aim to give the sense of the original without straying too far from the structure of the sentence. Remember to **include all the information** from the original. **Practise regularly** and often; short paragraphs, 5–6 lines maximum is enough. Practise **without a dictionary**; this will allow you to develop the technique of 'clever guessing'.

Écrire 1 Traduisez le texte suivant en anglais.

Un professeur de collège placé quelques heures jeudi en garde à vue à la suite d'une plainte d'un de ses élèves, qui l'accusait de lui avoir donné un coup de poing, a été retrouvé pendu à son domicile vendredi. Le professeur, retrouvé vendredi par les pompiers et les gendarmes, avait semble-t-il «un faisceau de problèmes familiaux» et son suicide ne peut donc, à ce stade de l'enquête, être lié formellement à sa garde à vue, selon une source proche de l'enquête. Le professeur aurait eu un différend mardi avec un élève de 15 ans, arrivé en retard en classe. C'est à la fin de la classe et dans la salle de cours que l'enseignant aurait donné un coup de poing à l'élève, lequel avait porté plainte avec ses parents mercredi.

Watch out for the passive voice and how to translate it ('was found' not 'found').

Learn and revise topic vocabulary: all highlighted words are related to crime, violence and school.

The conditional perfect is used here to translate the English idea of *allegedly* – either *it is alleged that …* or *the teacher is alleged to have…*

 In the exam the vocabulary used will be **ordinary vocabulary** that you could be expected to know, having studied the **A2 topics**. Practise this vocabulary regularly. Be aware of **idioms** that do not translate easily from English into French. Pay attention to **accents** and **agreements**. Make sure you translate the **correct tense and person**.

Écrire 2 Traduisez les phrases suivantes en français.

1 The homeless cannot find any accommodation, but nobody believes them.
2 It is undeniable that some unemployed people have never worked, that goes without saying.
3 Illiterates can neither read nor write but it's possible for them to drive a car.
4 Retired people nowadays are afraid to live in retirement homes.
5 It is possible to give students the work but you cannot make them work.

the homeless is plural in French so use a plural verb; *them* is a direct object pronoun.

Watch out for the tense in the sentence and *that goes without saying* is an idiomatic expression in French, but is similar to the English structure.

It's possible requires a subjunctive after it or you can try it as an infinitive expression with an indirect object pronoun.

Both nouns will be preceded by a definite article.

Use an infinitive construction here after *it's possible*, it'll help with the rest of the sentence. To make someone do something: **faire** + inf., or **obliger à** + inf.

Écrire 3 Traduisez les phrases suivantes en français.

1 Although there are fewer and fewer delinquents in France, some are very violent.
2 I would choose euthanasia if my life became too unbearable.
3 The immigrants had already decided to live in the suburbs before they arrived in France.
4 Travelling is the only way to understand the current problems of the world.
5 Several famous people went to the demonstration against GM crops but I didn't recognise them.

When writing **an essay on the Cultural Topic**, make sure you understand what the question is asking you. Spend at least **15 minutes planning your essay**; put down all the **ideas** you can think of that relate to the essay; **define or explain** the terms in the title; then put your **points into a sequence**.

Écouter 4 Écoutez ces quatre candidats relire leur copie. Lequel des sujets d'examen ci-contre ont-ils choisi?

Lire 5 Lisez le sujet d'examen et les plans d'essai de ces trois candidats. Lequel est le meilleur? Pourquoi?

Expliquez l'impact de l'événement le plus important pour la France depuis 1970.

1
Government decision to invest in nuclear energy in mid 70s
Cause – oil crisis of mid 70s
Why did this happen?
Electricity production will be beyond the influence of other nations.
React to the realisation that coal will not last forever
Clean energy production
Investment in new technology creates jobs in new industries.
Creates a hi-tech society.
Develops a better economy for France – able to export the electricity produced.

2
Death of Lady Diana in Paris
Increased tourism
Benefits for Paris hotel industry
Benefits for French media and journalism
Raised awareness of Paris as an international stage for famous people
Improved understanding of the French judicial system

A Expliquez l'importance du paysage géographique de la région que vous avez étudiée. (Les Alpes)

B Choisissez un personnage d'influence de la période que vous avez étudiée et expliquez les raisons de son influence sur les événements de cette période. (Daniel Cohn-Bendit)

C Examinez les idées principales exprimées dans l'œuvre de l'auteur que vous avez choisi. (Gide)

D Analysez la philosophie expliquée dans l'œuvre du dramaturge que vous avez choisi. (Sartre)

E Examinez les thèmes principaux dans l'œuvre du réalisateur que vous avez étudié. (Malle)

F Commentez l'importance de l'œuvre d'un architecte français que vous avez étudié. (Le Corbusier)

G Évaluez l'importance de l'œuvre du musicien que vous avez étudié. (MC Solaar)

H Analysez l'impact de l'œuvre du peintre que vous avez étudié. (Pissarro)

3
Winning the football world cup in 1998
Improved relationships between different ethnic groups in France
Unified cultural attitudes
Challenged racism in everyday life.
Put the FN policies under a spotlight.
Facilitated a discussion about what it means to be French nowadays.
Allowed a new kind of hero to emerge.
Gave disaffected young people some role models to emulate.
Gave hope to minority groups.
Improved relationships within Europe.

Écrire 6 À deux. Faites votre propre plan pour cet essai: développez vos idées, justifiez-les et ajoutez des exemples pour les illustrer.

Lire 7 Classez ces mots et expressions dans les bonnes colonnes.

Mots charnières	Opinions	Synonymes de dire	Synonymes de penser
tout d'abord	je pense que	déclarer	croire

tout d'abord je pense que déclarer croire bref
à mon avis estimer compter ensuite à mes yeux
juger trouver puis selon moi donc révéler
être convaincu pour vous indiquer être persuadé expliquer
alors d'après eux exprimer en fin de compte annoncer
dans le fond ajouter par contre affirmer notamment
en revanche demander par exemple contredire

 In order to prepare well for the Cultural Topics essay you should have **a range of structures** that you are familiar with and that you can bring in to almost any piece of French language whether that is written or spoken French.

You should try to use **a range of subjects** in your French and not rely too much on s/he or it for essay work. Neither should you use the **je** forms too much. Some opinions are a good idea, but you should aim for as much **variety** as possible in your language work. You should ensure that your French covers **a minimum of five tenses**.

A good range of grammatical knowledge and a wide range of vocabulary and structures will give you access to the top marks in your written French.

Écrire 8 Listez vos huit expressions préférées:

● pour exprimer une opinion, votre accord, votre désaccord
● pour introduire un exemple
● pour contredire poliment l'examinateur.

 Make a list of your own favourite phrases. Use some of the phrases given here if you wish, but try to find some more of your own that will give your work an individual character, like a linguistic fingerprint.

 Thèmes

- Examiner le statut et les droits de femmes
- Parler de l'immigration et des sans-papiers
- Comprendre les émeutes dans les banlieues
- Parler de la France plurielle et de la discrimination

- Agir contre le racisme
- Parler d'immigration et d'intégration
- Parler des fêtes et des traditions

g Grammaire

- Éviter l'usage du subjonctif
- La voix passive
- L'accord du participe passé (avec **avoir** et **être**)
- L'inversion dans le discours direct et après certains adverbes

- Le futur antérieur (2)
- **Mal** ou **mauvais**?
- L'infinitif passé

s Stratégies

- Défendre son point de vue
- Demander des explications, des précisions
- Exprimer son accord
- Donner une définition
- Être sûr de soi à l'oral

- Écrire un article
- Exprimer son désaccord
- Exposer son point de vue
- Raconter une histoire en utilisant son expérience personnelle

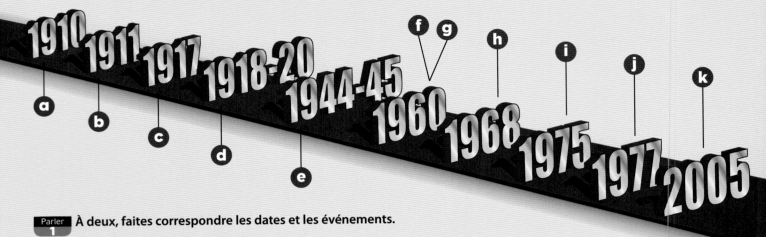

1910 — **a**
1911 — **b**
1917 — **c**
1918-20 — **d**
1944-45 — **e**
1960 — **f g h**
1968 — **i**
1975 — **j**
1977 — **k**
2005

Parler 1 À deux, faites correspondre les dates et les événements.

1 8 mars: un million de femmes manifestent en Europe
2 Droit de vote en France, en Italie
3 France: loi Veil sur l'avortement
4 Journée des femmes proposées par l'Allemande Clara Zetkin à Copenhague
5 8 mars: Journée internationale des femmes officialisée par l'ONU
6 8 mars: défilé d'ouvrières russes à St-Petersbourg contre la guerre

7 Ellen Johnson Sirleaf (Libéria), 1ère femme élue présidente en Afrique
8 Droit de vote au Royaume-Uni, en Russie, en Allemagne, aux États-Unis et autres.
9 1ère pilule contraceptive vendue aux États-Unis (1967 en France)
10 Valentina Terechkova (URSS), 1ère femme dans l'espace
11 Sirimavo Bandaranaike 1ère femme Premier Ministre au monde

Écouter 2 Remplissez les blancs avec les mots de la case ci-contre.

Le XXème siècle a été marqué par un **1** _____ sans précédent d'émancipation des femmes. La distribution traditionnelle des rôles **2** _____ (sphère familiale et domestique pour les femmes, sphère **3** _____ pour les hommes) a été largement remise en cause. Depuis 1946, le principe d'égalité entre les hommes et les femmes est **4** _____ dans notre Constitution. Ces conquêtes sont **5** _____ le fruit de mouvements féminins et féministes. Pour autant, la place des femmes reste **6** _____ par la domination masculine. Les **7** _____ subsistent et les inégalités se **8** _____ .

principes	conditionnée	stéréotypes	notamment
uniquement		perpétuent	mouvement
sociaux	égaux	publique	inscrit

Prononciation

Take care when you pronounce **e** with different accents. Make sure the difference can be heard.

l'in**é**galité — l'**é**mancipation
la sph**è**re familiale — ces conqu**ê**tes
vous avez **é**té — vous **ê**tes

Karima: insoumise, dévoilée et menacée

D'origine marocaine, Karima brise le silence pour raconter son parcours pour la conquête du droit à disposer librement de sa vie et de son corps.

Dans *Insoumise et dévoilée*, elle décrit les faits marquants de son enfance et de sa jeunesse: placement en institution, sévices corporels, obligation de porter le voile, mariage forcé … Sans haine et sans reproche, Karima raconte le comportement subitement violent, intransigeant et souvent irrationnel de son père, croyant, devenu fondamentaliste.

Le samedi 15 mars, Karima présentait à la presse son récit autobiographique.

Elle y a expliqué sa démarche d'écrivaine et pourquoi elle est à nouveau menacée de mort. Elle a également rappelé son profond respect pour l'Islam. Une religion de paix que certains adeptes instrumentalisent pour asservir les femmes.

Avant même la sortie de son livre, Karima recevait des menaces explicites sur le blog de son éditeur. Malgré ces menaces, jugées sérieuses par les autorités judiciaires, Karima tient bon et *Insoumise et dévoilée* sort comme prévu.

Lire 3 Trouvez l'équivalent de ces expressions dans l'article.

1 rebelle
2 l'obtention
3 brutalités
4 soudainement
5 religieux
6 tolérance
7 opprimer
8 ouvertes

Lire 4 Décidez si ces phrases sont vraies ou fausses selon l'article.

1 Karima vient d'Algérie.
2 Petite, elle avait choisi de porter le voile.
3 Son père n'a pas toujours été un religieux extrémiste.
4 Karima pense que l'on ne devrait pas se servir de l'Islam pour opprimer les femmes.
5 Karima n'a pas publié son livre comme prévu à cause des menaces.

Écouter 5 C'est en 1989 que l'affaire du foulard a commencé, voilà vingt ans que cela dure. Zahra et Sihem sont de deux avis opposés. L'une est pour le port du foulard, l'autre est contre. Écoutez leur discussion. Notez leurs arguments en anglais.

Parler 6 À deux, adoptez deux positions opposées sur le port du foulard à l'école. Qui a les meilleurs arguments et défend le mieux son point de vue?

Défendre son point de vue

Non, je ne partage pas ce point de vue	Contrairement à ce que dit
(Bien) au contraire	C'est incontestable que
Comme je l'ai déjà dit	C'est faux de prétendre que
J'ai déjà constaté que	En définitive

Grammaire

Éviter l'emploi du subjonctif (*avoiding the subjunctive*)

You can avoid the subjunctive by using:

• impersonal expressions	**il est important de** + infinitive
• impersonal verbs	**il faut** + infinitive
• constructions with **si**	**Si** on est tolérant, on respecte l'autre.

Écrire 7 Réécrivez ces phrases afin d'éviter l'emploi du subjonctif.

1 Il est nécessaire que l'on protège les droits des femmes.
2 Il est important qu'on établisse certains principes.
3 Si nous voulons lutter pour les droits des femmes, il faut que nous abordions le droit à l'avortement.
4 Il est impossible de parler d'avortement sans que l'on parle de moralité.
5 Il faut que nous prenions en compte les intérêts de la mère et ceux du fœtus.

Parler 8 À deux, décidez si ces arguments sont pour ou contre l'avortement.

1 Une femme a le droit de disposer de son corps comme elle le veut.
2 Il vaut mieux supprimer un fœtus que d'avoir un enfant malheureux, privé d'amour et dont on ne s'occupe pas.
3 À mon avis, le droit d'avorter librement et l'accès à la contraception a amélioré l'état de santé général des femmes.
4 Supprimer l'avortement, c'est du fanatisme religieux.
5 L'avortement est toujours traumatisant et comporte toujours un certain risque, par exemple celui de ne plus jamais avoir d'enfant.
6 Tuer un fœtus va à l'encontre des droits de l'homme.
7 Je partage le point de vue religieux selon lequel toute vie est sacrée. Tout naturellement, cela me conduit à penser que l'avortement est immoral. Tuer un être humain, c'est un péché.
8 L'IVG, quand la femme enceinte se retrouve seule, qu'elle est trop jeune ou trop âgée, qu'elle a déjà une famille nombreuse, s'il y a eu viol ou si l'enfant va être handicapé, dans ces cas-là, je le conçois.
9 Le fœtus n'a ni système nerveux, ni conscience, ce n'est pas une personne à part entière.
10 Une femme n'a pas le droit de disposer de la vie de son enfant. L'avortement, c'est une pratique barbare.
11 Supprimer l'avortement libre mènera inévitablement à une hausse du nombre d'avortements clandestins.
12 Si une femme n'a pas de situation sociale, s'il n'y a pas de père, supprimer un fœtus est une décision difficile et responsable et non pas égoïste comme certains le pensent.

Écrire 9 **«Un avortement est un meurtre.»**

Quelle est votre réaction? Exprimez votre point de vue (environ 250 mots).

«L'immigration n'est pas un phénomène récent. Elle contribue souvent au développement économique. Voilà des siècles que les gens se déplacent de pays en pays pour trouver du travail. Les grands mouvements de populations ont plutôt été la règle dans l'histoire de l'Europe et ce brassage est une très bonne chose.»

Samir

«Beaucoup d'immigrés travaillent dur et envoient l'essentiel de leur salaire à leur famille restée au pays. Les sommes expédiées par les travailleurs immigrés représentent plus de deux fois la somme versée par les pays occidentaux pour aider le développement des pays les plus pauvres!»

Nastia

«Les gens qui viennent des pays pauvres ont la possibilité de s'enrichir plus vite dans les pays développés que dans leur pays d'origine. Ils constituent une main-d'œuvre qui accomplit des tâches que parfois les habitants des pays développés ne veulent pas entreprendre.»

Aurélie

«Il est impossible de faire face à l'arrivée de nouveaux immigrants et demandeurs d'asile. On ne peut plus les recevoir, il y a déjà trop de chômage en France, sans parler de la crise du logement. À mon avis, les immigrés et les demandeurs d'asile ne s'intéressent qu'aux différentes allocations qu'ils peuvent toucher.»

Antoine

«Le monde bouge de nos jours. Avec le programme Erasmus, les étudiants ont la possibilité de se promener partout en Europe. Ils ont accès aux bourses de mobilité européenne, ensuite ils peuvent décider s'ils veulent s'installer et travailler dans le pays où ils ont choisi de faire leurs études.»

Fatima

«Dans mon pays, ceux qui font la manche dans la rue, ce ne sont pas des immigrés. Chez nous les immigrés font tout pour trouver un travail, même au noir, pour enfin vivre normalement.»

Romain

 Lire 1 **Qui parle? Écrivez le bon prénom.**

1 Qui estime que la mobilité des étudiants en Europe favorise l'immigration?
2 Qui croit que l'immigration a toujours existé?
3 Qui est de l'avis que les pays riches n'aident pas autant les pays pauvres que leurs émigrés?
4 Qui est persuadé(e) que les immigrés ne sont pas des mendiants et qu'ils veulent s'intégrer?
5 Qui considère que les pays riches ont besoin des travailleurs émigrés?
6 Qui est convaincu(e) que les immigrés veulent profiter des aides sociales en Europe?

Écouter 2 **Écoutez Kingsley Kum Abang parler de son histoire de clandestin. Répondez aux questions en anglais.**

Deux ans après sa traversée clandestine de l'Afrique subsaharienne puis de l'océan jusqu'en France, Kingsley, un jeune Camerounais de 24 ans, a interprété son propre rôle dans *Paris*, le film de Cédric Klapisch.

1 What was his job in Cameroon?
2 What was Kingley's ambition at the age of 16?
3 What was his impression of Europe?
4 How was he treated when he arrived?
5 Who helped him?
6 How did he find filming?
7 Where does he work now?
8 What does he say about his family in Cameroon?

Complétez le texte avec les mots donnés (attention aux intrus!).

Emploi et immigration: vers une convergence des pratiques en Europe?

Ce colloque a été **1** _____ par Brigitte Lestrade, professeure à l'université de Cergy-Pontoise. Une analyse de la place actuelle des **2** _____ dans le système productif national des pays européens sera **3** _____.

L'immigration est **4** _____ de façon de plus en plus négative dans la plupart des pays européens. En raison de la relation supposée étroite entre l'immigration et le marché du travail, l'arrivée des travailleurs migrants est souvent rendue **5** _____ de l'augmentation du chômage dans les pays d'accueil.

Depuis l'ouverture de l'union européenne aux pays d'Europe orientale, la peur d'un afflux massif d'une **6** _____ d'Europe de l'Est bien formée et très bon marché se développe. Dans le cadre d'une bonne conjoncture, les immigrés sont les **7** _____ pour combler les besoins en main-d'œuvre; en période de chômage et de récession, ils sont perçus comme une menace.

En raison du chômage et de la précarité que l'opinion publique associe à l'arrivée de travailleurs étrangers, la plupart des pays européens ont réduit ou vont réduire l'accès de **8** _____ migrants au marché du travail.

entreprise
responsable
bienvenus
organisé
nouveaux
immigrés
perçue
main-d'œuvre
étrangers
arrivée

Grammaire

Le passif (*the passive*)

Use it to focus on different aspects of an event, on the action itself or on the person or thing doing it.
active verb: the subject performs the action
passive verb: the subject is undergoing the action

	Subject	Verb	Object
(active)	Brigitte	a organisé	un colloque
(passive)	Un colloque	a été organisé	

Form the passive by using the appropriate tense of **être** + a past participle. The past participle must agree with the subject.

- present passive   Le colloque **est organisé par** Mme Lestrade.
  Mme Lestrade **est connue de** tous.
- perfect   Une conférence **a été organisée**.
- future   Une analyse **sera entreprise**.

Je n'ai pas saisi le sens de votre question
Je n'ai pas bien compris cet argument
Pouvez-vous m'expliquer … s'il vous plaît?
Pourriez-vous répéter/reformuler …?
Pourriez-vous me donner/citer un exemple précis?
Quand vous dites …, que voulez-vous dire exactement?
C'est-à-dire …?
… est-ce bien cela/correct?

le désespoir   la détresse   la double peine
fuir des conditions de vie affreuses
vivre dans la clandestinité
expulser
régulariser sa situation
obliger/contraindre
subvenir aux besoins de
être exploité/être traité comme
être en situation irrégulière
faire un mariage blanc
travailler au noir
appliquer/renforcer/changer la loi

The French often avoid using the passive when the action in the sentence is performed by a non-specific person:
- by using **on**, e.g. **On** va réduire l'accès de nouveaux migrants au marché du travail.
- by using a reflexive verb, e.g. La situation **s'explique** facilement.

 Lire 4 Trouvez cinq verbes à la forme passive dans l'article sur le colloque.

Écrire 5 Réécrivez ces phrases au passif.

1 On a coupé beaucoup de scènes du film.
2 On a coupé la scène du naufrage par exemple.
3 Arrivé en France, des amis ont hébergé Kingsley.
4 Aux yeux de Kingsley, les pays occidentaux géreront toujours les pays d'Afrique.
5 La lecture des carnets de Kingsley aurait touché Cédric Klapisch.

Parler 6 Vous allez participer à un colloque sur l'immigration. Préparez votre contribution.
Exposez votre point de vue (une minute maximum) lors d'un débat en classe. Au cours du débat, utilisez trois des phrases ci-contre pour demander des explications.

Est-il justifié de renvoyer les sans-papiers chez eux?

cités   banlieues   réfugiés   président
origine   conséquence   centaine   véhicules
émeutes   depuis   évaluer   voitures

Lire 1 Complétez l'article avec les mots de la liste.
Attention, il y a deux mots de trop.

Le bilan des émeutes de 2005

100, 200, 300 millions d'euros? Le coût définitif des émeutes de 2005 est toujours compliqué à **1** _____ avec précision. Une chose est certaine: les violences ont profondément marqué les habitants des **2** _____ concernées. En trois semaines, du 27 octobre au 17 novembre, plus de 9 000 **3** _____ ont été incendiés, engendrant près de 3 000 interpellations. Au total, 600 personnes ont été mises sous les verrous, dont une **4** _____ de mineurs. L'origine des émeutes a pour cause le décès de deux adolescents de Clichy-sous-Bois. Poursuivis par la police, ils se sont **5** _____ dans un poste de transformation EDF. Ils meurent électrocutés. Ce seront les seuls morts de cette vague de violence, sans précédent **6** _____ mai 1968. Peu à peu, les **7** _____ s'étendent aux villes de **8** _____ réputées «difficiles» de la région parisienne: Bobigny, Neuilly-sur-Marne, La Courneuve, Fontenay-sous-Bois, Montreuil, Argenteuil, Deuil-la-Barre, etc. Phénomène nouveau: les émeutes urbaines se répètent dans les autres régions françaises. Ce qui aura pour **9** _____ l'instauration de l'état d'urgence dans le pays par Jacques Chirac, alors **10** _____ de la République, le 8 novembre. Il sera levé trois semaines plus tard.

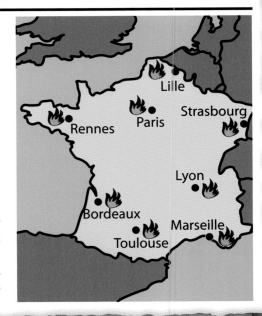

Lire 2 Pour chaque phrase écrivez V (Vrai), F (Faux) ou ND (information Non Donnée).

1 Il est difficile de déterminer le coût des émeutes de 2005.
2 Les véhicules que les participants ont brûlés étaient des voitures de police.
3 Deux jeunes, pourchassés par la police, sont morts, ce qui a déclenché les premières émeutes.
4 Plus de 9 000 policiers et CRS ont été déployés pendant les émeutes.
5 Les émeutes de 2005 ont commencé à Bobigny puis se sont répandues dans un grand nombre de banlieues à travers la France.
6 Heureusement, les émeutes ne se sont pas étendues à d'autres départements.
7 L'état d'urgence qui a été déclaré le 8 novembre 2005 a duré un mois.
8 La situation s'est apaisée en moins d'un mois.

Grammaire

L'accord du participe passé (*agreement of the past participle*)

With **être**, the past participle agrees with the subject of the verb.
La police est intervenu**e** très vite et **les pompiers sont** arrivé**s** ensuite.

With **avoir**, the past participle agrees with the preceding direct object if there is one.
Il **les** ont arrêté**s**.
Les personnes que la police a arrêté**es** vont être jugé**es**.

With reflexive verbs, the past participle agrees with the subject.
Les émeutes se sont répandu**es** à travers la France.

Unless the verb is followed by a direct object.
Les forces de l'ordre se sont lav**é les mains** de la situation.

Écrire 3 Écrivez les verbes entre parenthèses au passé composé.

1 Le gouvernement (**décider**) d'imposer un état d'urgence.
2 La police (**rétablir**) le calme.
3 Deux adolescents (**mourir**), trois policiers sont blessés.
4 La situation (**s'aggraver**) rapidement.
5 Les jeunes (**se mettre**) en colère.
6 La police (**mettre**) des centaines de personnes sous les verrous.
7 Les émeutes urbaines (**se répandre**) dans les autres régions françaises.
8 Les personnes que la police (**interpeller**) étaient des jeunes du quartier.
9 Les violences (**s'étendre**) aux villes de banlieues.
10 Les voitures que les jeunes (**brûler**) appartenaient aux gens de la cité.

Lisez ces opinions, puis expliquez à votre partenaire avec qui vous êtes d'accord ou pas. Justifiez votre opinion.

Chez les jeunes il y a énormément de ressentiment envers l'école, les programmes ne répondent pas à leurs besoins et le niveau de l'échec scolaire est effrayant. L'absentéisme mène forcément à la délinquance et finalement à ces émeutes …

Élise ▪ mère de famille ▪ 38 ans

Éric ▪ journaliste ▪ 22 ans

Les médias ont joué un grand rôle dans ces émeutes. Ils ont attisé les flammes. Les jeunes ont entendu à la télé qu'un certain nombre de voitures avaient brûlé la veille et ils sont sortis résolus à faire mieux et ainsi de suite.

Moi, j'habite à Argenteuil et je peux vous dire que les relations entre la police et les jeunes sont pourries. Les conflits entre une partie de la jeunesse et la police sont permanents. Les jeunes sont en colère contre une société qui ne les respecte pas, qui les exclut et les humilie. On n'a pas d'argent, on est au chômage, les cités sont dans un état lamentable. Et on s'étonne quand ça explose!

Mo ▪ chômeur ▪ 17 ans

Il n'est pas vrai de dire que les coupables sont des immigrés. Pour la plupart, ce sont des jeunes de nationalité française, des enfants d'immigrés, qui sont en quête de reconnaissance, à la recherche de leur place au sein de notre société. Les politiciens font trop vite l'amalgame.

Ariane ▪ sociologue ▪ 34 ans

Sarkozy avait raison. Il s'agit de racaille. Ces petits délinquants cagoulés, qui traînent, qui ne veulent pas travailler. Il faut être dur avec eux. C'est tout ce qu'ils comprennent. Ces jeunes s'attaquent aux forces de l'ordre. On devrait appréhender ces voyous et ne pas les relâcher.

Franck ▪ ingénieur ▪ 50 ans

Même avec des diplômes on ne nous reçoit même pas en entretien. Notre adresse, c'est pire qu'un casier judiciaire. À la télé on montre des voitures qui brûlent, pas les jeunes qui bossent. Ici comme ailleurs, il y en a qui veulent s'en sortir et d'autres qui glandent. Seulement, on nous prend tous pour des voleurs.

Rachida ▪ 18 ans

Je suis entièrement d'accord avec …
Je suis d'accord avec X qui …
X pense … et je pense la même chose
X a raison quand il/elle dit …
Je rejoins/partage cette opinion et j'irais même plus loin …
Bien sûr/C'est juste

à l'examen

Use a range of expressions to express your opinion, to say you agree or not, and always say **why** you agree. Justify your opinion.

Écouter 5 Écoutez cet extrait sur les émeutes de 2007. À quoi correspondent ces chiffres? Résumez les incidents en anglais (qui? où? quoi? origine?).

| 23 | 2007 | 2 | 20/30 | 0 | 25/26 | 150 | 81 |

Écrire 6 Regardez cette photo. Racontez ce qui s'est passé avant (200 mots).

une situation explosive
un affrontement
les forces de l'ordre

le rôle des médias
la couverture médiatique

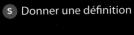

ⓘ Culture

Aujourd'hui, un Français sur cinq a un grand-père étranger. Au cours du XXème siècle, des populations venues d'Europe, d'Asie, du Mahgreb ou des pays d'Afrique noire se sont installées en France. Elles ont contribué à enrichir la culture et faire évoluer le pays. Les Italiens, les Espagnols, les Maghrébins, les «noirs» Africains, les Portugais, les Vietnamiens, les Arméniens ont aidé la France dans son développement économique. La France sans les immigrés ne serait pas la nation dynamique que nous connaissons.

Islamophobie, un mal toujours tenace

Le 11 août, Madame Demiati est arrivée à Julienrupt dans les Vosges afin d'occuper le gîte qu'elle avait réservé. La propriétaire Madame Truchelut lui a refusé l'accès au gîte sous prétexte que Madame Demiati et sa mère étaient voilées. Le comité local du MRAP des Vosges a immédiatement porté plainte pour discrimination raciale. «Nous condamnons toute discrimination fondée sur la religion», a annoncé Mme Claude Gavoille, la présidente du comité local. «Cette affaire est révélatrice du climat anti-musulman qui règne en France et en Europe», a affirmé un porte-parole du MRAP. «Dans le contexte actuel, l'islamophobie représente la forme la plus courante de discrimination religieuse, particulièrement en Europe», a déclaré l'un des représentants de l'ONU. «L'intensification du climat d'hostilité envers les musulmans et les juifs est de plus en plus répandue dans de nombreux pays européens», peut-on aussi lire dans un rapport de la Commission européenne contre le racisme et l'intolérance. «Depuis un an on remarque une inquiétante recrudescence des signalements et des plaintes contre des actes et manifestations islamophobes allant des injures aux discriminations à l'emploi», affirme le MRAP. Par ailleurs, le MRAP s'alarme du développement en toute impunité des sites Internet racistes en général et anti-musulman en particulier.

Écouter 1 Choisissez le mot correspondant à la définition que vous entendez.

a la discrimination
b une minorité ethnique
c un immigré
d un autochtone
e un stéréotype
f le racisme
g l'antisémitisme
h les crimes racistes
i un génocide
j le colonialisme
k l'esclavage
l un xénophobe

Écouter 2 De quoi parle ces deux amies? Quel est leur point de vue?
Prenez des notes en anglais.

le mélange
le brassage
le malaise
la diversité culturelle

Parler 3 À deux, entraînez-vous à formuler des définitions. Proposez des définitions pour les mots suivants. Votre partenaire doit deviner le mot dont il s'agit.

l'harmonie   le métissage   l'intégration
le respect   la tolérance

Giving definitions can be very useful to clarify issues when speaking and writing. They can also help you in your speaking if you can't quite find the word you are searching for.

Cela veut dire que …
C'est le fait de …
C'est l'idée selon laquelle …
C'est une personne qui/que …

C'est l'endroit où …
C'est ce qui se passe quand …
C'est quand on …
C'est ce qu'on …

Lire 4 Trouvez l'équivalent de ces phrases en anglais dans l'article.

1 wearing a veil
2 file a complaint for
3 the case
4 indicative of
5 anti-Muslim climate
6 a spokesperson
7 widespread
8 an increase of reports

Lire 5 Complétez les phrases suivantes en anglais.

1 Mme Truchelut refused Mme Demiati access because …
2 Mme Gavoille, the local MRAP president, announced that …
3 A spokesperson for the MRAP affirmed that …
4 The United Nations is concerned that …
5 The European Commission finds that …

Grammaire

L'inversion du sujet et du verbe (*inversion of subject and verb*)

A noun or subject pronoun comes after its verb …

- with verbs that comment on direct speech or thoughts
«Nous condamnons toute discrimination» **annonce le porte-parole/annonce-t-il**.
«Nous condamnons toute discrimination» **a annoncé la présidente/a-t-elle annoncé**.

Add **-t-** between the verb and pronoun to avoid having two vowels together.

- in sentences introduced by adverbs such as **à peine, aussi, ainsi, peut-être, sans doute, du moins**. The adverb is in the initial position, so the verb comes as the next element.
À peine était-elle entrée, qu'elle s'est fait insulter. **Sans doute portera-t-elle** plainte.

Écrire 6 Réécrivez ces phrases au discours direct.

1 Nora a demandé à Éric pourquoi il était raciste.
2 Il a répondu qu'il croyait être supérieur puisqu'il était français de souche.
3 Nora lui a dit qu'il ne fallait pas répéter toutes les bêtises qu'il entendait autour de lui.
4 Elle lui a expliqué que le racisme était puni par la loi.
5 Elle lui a fait comprendre qu'il ferait bien de penser avant de parler.

Écrire 7 Réécrivez ces phrases avec l'adverbe indiqué au début.

1 (**à peine**) Il sait parler français.
2 (**aussi**) Elle veut s'adapter à la société française.
3 (**ainsi**) Khaled peut s'intégrer.
4 (**peut-être**) Irina a tort.
5 (**sans doute**) Ils ont raison.

Écouter 8 Écoutez ces deux flashs info. Complétez la grille en français pour chaque reportage. Pour chacun, notez:

Les personnes soupçonnées	Les victimes	Les détails du crime	La condamnation

Écrire 9 Que signifie cette affiche? Pourquoi a-t-elle été créée? Écrivez un texte de 100 mots.

- Donnez une définition de la discrimination.
- Expliquez pourquoi il est important de combattre la discrimination.
- Expliquez la richesse de la diversité culturelle.

99

Écouter 1 Écoutez ces jeunes parler de ce à quoi ils ont participé récemment. Pour chacun écrivez la bonne lettre puis indiquez un détail.

Lire 2 Lisez l'extrait du livre *Le racisme expliqué à ma fille* de Tahar Ben Jelloun, puis reconstituez ces phrases.

1 Pour Tahar Ben Jelloun, la différence …
2 La mixité est …
3 Tous les visages …
4 Chacun devrait respecter …
5 En traitant les autres correctement …
6 Pour combattre le racisme …

a … sont uniques.
b … l'autre.
c … il faut apprécier la diversité.
d … est une belle chose.
e … un enrichissement.
f … on se respecte soi-même.

Parler 3 À deux, choisissez trois phrases de Tahar Ben Jelloun qui selon vous résument ses pensées. Êtes-vous d'accord avec lui? Justifiez votre réponse.

Regarde tous les élèves autour de toi et remarque qu'ils sont tous différents et que cette diversité est une belle chose. C'est une chance pour l'humanité. Ces élèves viennent d'horizons divers, ils sont capables de t'apporter des choses que tu n'as pas comme toi tu peux leur apporter quelque chose qu'ils ne connaissent pas. Le mélange est un enrichissement mutuel.

Sache enfin que chaque visage est un miracle. Il est unique. Tu ne rencontreras jamais deux visages absolument identiques. Qu'importe la beauté ou la laideur. Ce sont des choses relatives. Chaque visage est le symbole de la vie. Toute vie mérite le respect. Personne n'a le droit d'humilier une autre personne. Chacun a droit à sa dignité. En respectant un être, on rend hommage à travers lui, à la vie dans tout ce qu'elle a de beau, de merveilleux, de différent et d'inattendu. On témoigne du respect pour soi-même en traitant les autres dignement.

La meilleure façon de ne pas être raciste est d'avoir conscience que l'on est tous différents.

15

Grammaire

Le futur antérieur (*the future perfect*)

The future perfect translates as *will have (done)*. It refers to an action or event which will have happened before another one.

On organisera un concert dès qu'assez d'artistes **auront accepté** de chanter.

It is a compound tense formed by using the future tense of the appropriate auxiliary + the past participle.

avoir auxiliary + past participle
j'aurai partagé, tu auras réagi, ils auront perdu

être auxiliary + past participle
tu seras devenu, il sera mort, nous serons partis

It is used in French where we would not use it in English, after conjunctions such as **quand, lorsque, dès que, aussitôt que**.

Écrire 4 Mettez ces verbes au futur antérieur et traduisez-les en anglais.

1 j'ai respecté
2 nous avons traité
3 elle a réussi
4 ils ont perdu
5 tu as vu
6 vous êtes venus
7 je suis arrivé
8 tu es parti
9 on s'est amusé
10 j'ai pris

Traduisez ces phrases en français.

1   In an ideal world, within 100 years we will have forgotten what the word 'racism' means.
2   We will have erased any trace of racial discrimination. We will have agreed to respect each other.
3   As soon as we have learnt to appreciate diversity, we will make progress.
4   When we have established the principles for living together, we will have succeeded.
5   I really hope that in 100 years, tolerance and equality will have won.

À deux, décidez lequel de ces messages vous touche le plus. Justifiez votre réponse.

«Pourquoi me demander la couleur de ma peau puisque l'amitié et le respect sont invisibles?»
Brice

«D'ici ou d'ailleurs, deux yeux, un nez, une bouche, deux oreilles, un cœur… où est la différence?»
Manon

«Les hommes et les femmes sont de toutes les couleurs. C'est comme dans un arc-en-ciel, c'est l'ensemble qui compte.»
Thomas

«Il l'aime, elle l'aime, ils s'aiment. Le bonheur n'a pas de couleur.»
Amélie

Build up your confidence by talking to yourself to get used to the sound of your own voice when speaking French. Read passages out loud for example.

When speaking from notes, use them as a bolster to begin with, then practise so that you only need to glance at them to keep you on track.

You can't prepare all possible answers to all possible questions, but you can be prepared for a topic by mastering topic specific vocabulary.

Et vous, êtes-vous solidaire? Que feriez-vous pour combattre le racisme?

Écrivez un article (environ 250 mots) pour le journal de votre école sur votre contribution.

Vous seriez plutôt du genre à …

● aller à un concert dont les fonds iront à SOS racisme
● porter un bracelet contre le racisme
● participer à une manifestation
● écrire des articles sur des incidents et proposer des solutions

Carton rouge contre le racisme!

On aura tout vu! Samedi dernier, alors que j'assistais à un match de foot amical entre l'équipe de ma ville et celle de Nantes, j'ai été le témoin de comportements racistes de la part des supporteurs

● ou organiser un concert, une expo, une campagne, un atelier de citoyenneté pour éduquer les enfants, etc.

When writing an article, choose an attention-grabbing headline for your piece.

Think about who your audience is.

Try to cover the points: who? what? when? where? why?

Include your own personal opinions, why you think it is important to fight racism.

la haine	abominable
la bêtise	impardonnable
la xénophobie	écœurant
la peur	injustifiable
la différence	
la dignité	agir
la tolérance	menacer qqn
la discrimination religieuse	mettre fin à
la méconnaissance de	confronter qqn
l'autre	éduquer
l'ignorance	avoir l'esprit ouvert
l'égalité	partager avec autrui
	avoir le même statut
le respect	conjuguons nos efforts!
le racisme institutionnalisé	apprenons à + inf
le métissage	il s'avère que
l'enrichissement	s'investir
les droits de l'homme	

Immigrer? C'est tout simplement s'installer dans un autre pays. Est-ce si simple pourtant? Un nouveau pays, une **1 (nouveau)** culture, une nouvelle langue. Sera-t-on accepté? Demeurera-t-on toujours un «immigré»? Pas si simple en fait … Et puis tout dépend des raisons pour **2 (lequel)** un immigré a quitté son pays. Autant de personnes, autant de raisons. Un immigré peut avoir quitté son pays d'origine:

■ pour des raisons économiques: les conditions de vie du pays d'accueil sont meilleures, le coût de la vie **3 (être)** moins cher, ou encore il est plus facile de trouver un emploi.

■ pour des raisons d'éducation: lorsque le pays d'accueil offre de meilleurs cursus scolaires ou universitaires, de meilleures formations **4 (professionnel)**, un meilleur avenir.

■ pour des raisons **5 (politique)**: pour les réfugiés politiques, les demandeurs d'asile qui ne se sentent plus en sécurité dans leur pays.

Dans ce cas, les candidats à l'immigration sont, le plus souvent, **6 (forcé)** de quitter leur pays, c'est une question de vie ou de mort. Tous les candidats à l'immigration ne le sont donc pas volontairement.

Lire 1 Complétez l'article avec la forme correcte des mots entre parenthèses.

Lire 2 Trouvez dans l'article …

1 le contraire de: émigrer   difficile   ancien   pires   contre son gré
2 le synonyme de: restera   en réalité   quand   futur   en sûreté

Écrire 3 Traduisez le premier paragraphe en anglais.

Parler 4 À deux. Imaginez que demain vous partiez vous installer en Australie définitivement.

● Comment serait votre vie là-bas?
● À quels problèmes seriez-vous confrontés en tant qu'immigré? Pourquoi?
● Pensez-vous que vous vous intégreriez facilement? Pourquoi?

le style de vie	la langue
la nourriture	la culture
le climat	les amis
les traditions	le marché du travail
l'éducation	la musique
la famille	la religion

Thierry Lhopitault

Je suis actuellement professeur à l'Université de Los Angeles (UCLA). Auparavant, j'ai aussi enseigné à Stanford et à Princeton. De plus en plus de diplômés quittent la France pour travailler à l'étranger. Cette «fuite des cerveaux» est plutôt inquiétante pour la France.

Il faut du courage pour s'installer dans un nouveau pays. La famille est loin, on doit s'adapter à un climat différent, une nourriture et des traditions différentes, mais cela ouvre également de nouveaux horizons, c'est l'occasion de prendre un nouveau départ. Dans un sens, c'est un choc culturel. Chacun a ses propres valeurs, un bagage culturel bien à lui. Dans un nouveau pays où les valeurs sont différentes, il faut se définir de nouveau, il faut être prêt à tout recommencer à zéro, faire un réel effort pour s'intégrer. Cela peut être effrayant, mais en même temps, cela offre une mine d'opportunités. C'est une sorte de renaissance, l'occasion de se réinventer.

Personnellement, j'aime beaucoup la société américaine. C'est une société très ouverte dans laquelle chacun peut trouver sa place. Ce qui est certain, c'est que j'y ai trouvé la mienne!

Lire 5 Répondez à ces questions en anglais.

1 What did he do in Princeton?
2 What issue does he raise?
3 What expression does he use for that issue? What does it mean?
4 What do you need to set up in a new country?
5 What do you have to adapt to?
6 What opportunities does it offer?

Écrire 6 Traduisez ces phrases en français.

1 Some people leave their country of origin for economic reasons.
2 Others leave their home country for political reasons, sometimes against their will.
3 You need courage to set up, to adapt and integrate in a new country.
4 A lot of people leave France to work in other countries.
5 The brain drain is a significant problem which becomes more and more worrying.
6 Being an immigrant offers the opportunity to redefine oneself.

Écouter 7 Écoutez ce reportage sur l'immigration des musulmans aux États-Unis et écrivez le numéro des cinq phrases qui sont vraies.

1. Les musulmans américains sont bien intégrés dans la société nord américaine.
2. Les musulmans américains se sentent attachés à leur pays d'origine.
3. Le niveau de vie moyen des musulmans américains est meilleur que celui de la majorité des Américains.
4. Certains musulmans américains ont plus de mal à s'affirmer comme tel depuis les attentats du 11 septembre 2001.
5. 62% des musulmans américains pensent que la qualité de vie est meilleure aux États-Unis que dans les pays musulmans.
6. 43% des personnes sondées considèrent qu'il vaudrait mieux adopter les traditions américaines.
7. Pour beaucoup d'entre eux, abandonner sa religion serait la pire des choses.

Grammaire

Adjectifs ou adverbes? (adjectives or adverbs?)

adjectives	comparative	superlative
bon (good)	meilleur	le/la/les meilleur(e/s/es)
mauvais (bad)	pire	le/la/les pire(s)

adverbs	comparative	superlative
bien (well)	mieux	le mieux
mal (badly)	plus mal	le plus mal

Take note also of these idiomatic expressions:

Le mieux serait de …	The best thing would be to …
Le pire serait de …	The worst thing would be to …
C'est pour le mieux …	It's for the best …
Pour le meilleur et pour le pire …	For better and for worse …

Lire 8 Choisissez le bon mot.

1. Il vaut **meilleur / mieux** faire des études supérieures.
2. Les immigrés sont **de pire en pire / de mieux en mieux** éduqués.
3. Ils peuvent postuler à un **mauvais / meilleur** poste.
4. Dans le passé, **la plus mal / la pire** des choses c'était d'arriver sans diplôme.
5. Les conditions de vie étaient **meilleures / mauvaises** dans le pays d'accueil.
6. Les systèmes éducatifs des pays d'origine sont **meilleurs / meilleures** qu'avant.
7. Le système d'immigration a également changé puisqu'il privilégie les personnes qui sont les **mieux / meilleur** qualifiées.

Parler 9 À deux, dites si vous êtes d'accord avec ces personnes. Justifiez vos réponses.

Arielle: Si on est immigré, on a tendance au début à se regrouper souvent entre personnes d'une même communauté pour s'entraider. C'est une bonne chose!

Didier: Les immigrés devraient adopter les coutumes du pays où ils veulent vivre. C'est particulièrement vrai pour la deuxième génération issue de l'immigration.

Than: En tant qu'immigré, il est essentiel de participer à la vie communautaire dès le début.

Angela: Il faut absolument que les immigrés parlent la langue du pays où ils s'installent.

Ibrahim: Les immigrés doivent soutenir l'équipe de foot de leur pays d'accueil et non pas celle de leur pays d'origine.

Fodé: Les immigrés doivent respecter les valeurs de leur patrie d'adoption.

Je ne suis pas	(entièrement) d'accord avec vous
	tout à fait d'accord, d'autant plus que …
	d'accord pour dire que …
	de cet avis. D'ailleurs …

Je suis d'un avis contraire	Contrairement à vous, je
Je ne partage pas votre avis	pense que …
Je proteste	Puis-je exprimer mon
Je n'admets pas que …	désaccord?
Je ne parlerais pas de …	

You need to express your disagreement politely but firmly. Explain **why** you disagree with a certain point of view. It is not enough simply to say 'I don't agree'.

Écrire 10 Répondez en français à une des questions suivantes. Écrivez environ 250 mots.

1. Regardez cette image. Racontez l'histoire de ces deux jeunes gens.
2. Continuez cette histoire en utilisant les temps du passé ou du futur.

Je suis arrivé(e) tard le soir. Le lendemain, la ville me paraissait tellement grande que j'ai eu peur tout de suite. Je voulais absolument rentrer chez moi, mais comment?

3.

> Vous voulez voyager et travailler à l'étranger pendant un an? Rejoignez notre équipe dynamique et enseignez l'anglais à des gens qui en ont besoin!

Préparez votre candidature à ce poste.

s • Exposer son point de vue
  • Raconter une histoire en
    utilisant son expérience
    personnelle

Fetons-ça!

Écouter 1 De quelle photo s'agit-il? Notez l'occasion et un autre détail.

Parler 2 À deux, répondez aux questions suivantes.

1 Faire la fête, qu'est-ce que cela veut dire pour vous?
2 Pourquoi les gens se réunissent-ils?
3 Pourquoi les jeunes aiment-ils faire la fête?
4 Est-il possible de faire la fête avec des gens que l'on ne connaît pas?
5 Les jeunes font-ils la fête partout de la même manière?
6 À votre avis, pourquoi certains jeunes consomment-ils de l'alcool ou de la drogue quand ils font la fête?

l'ambiance
les mœurs/les coutumes
se retrouver entre copains
avoir le sentiment
   d'appartenance à un groupe
perdre le contrôle de soi
enlever les inhibitions

empêcher de
consommer avec modération
être saoul/ivre/avoir la gueule
   de bois
se souvenir de
ce n'est pas indispensable

Écrire 3 Réécrivez ces paires en une seule phrase en utilisant *avant*, *sans*, *après* et l'infinitif passé.

1 Ne sors pas de table! Finis ta soupe!
2 Tu ne sortiras pas. Range ta chambre.
3 Les enfants ont mis leurs chaussons sous le sapin de Noël. Ils sont partis se coucher.
4 Ma sœur a eu mal au ventre. Elle a mangé trois parts de galette des rois.
5 Chez moi on ne commence jamais à manger. On se lave d'abord les mains.
6 Chez nous on n'entre pas. On enlève d'abord ses chaussures.
7 Ma tante ne se couche jamais. Elle fait d'abord sa prière.
8 Ils se sont aperçus qu'ils étaient sous le gui. Puis ils se sont embrassés.

Grammaire

L'infinitif passé (*the perfect infinitive*)

The perfect infinitive is formed using the auxiliary of the main verb + the past participle.

auxiliary	+ past participle of main verb
avoir	vu fait
être	allé (+ agreement) parti

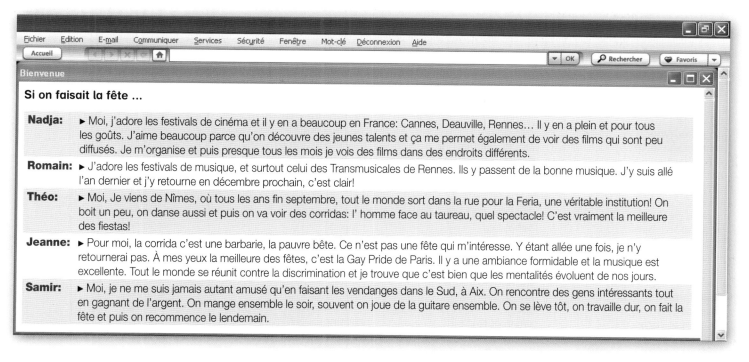

Si on faisait la fête ...

Nadja: ▶ Moi, j'adore les festivals de cinéma et il y en a beaucoup en France: Cannes, Deauville, Rennes… Il y en a plein et pour tous les goûts. J'aime beaucoup parce qu'on découvre des jeunes talents et ça me permet également de voir des films qui sont peu diffusés. Je m'organise et puis presque tous les mois je vois des films dans des endroits différents.

Romain: ▶ J'adore les festivals de musique, et surtout celui des Transmusicales de Rennes. Ils y passent de la bonne musique. J'y suis allé l'an dernier et j'y retourne en décembre prochain, c'est clair!

Théo: ▶ Moi, Je viens de Nîmes, où tous les ans fin septembre, tout le monde sort dans la rue pour la Feria, une véritable institution! On boit un peu, on danse aussi et puis on va voir des corridas: l' homme face au taureau, quel spectacle! C'est vraiment la meilleure des fiestas!

Jeanne: ▶ Pour moi, la corrida c'est une barbarie, la pauvre bête. Ce n'est pas une fête qui m'intéresse. Y étant allée une fois, je n'y retournerai pas. À mes yeux la meilleure des fêtes, c'est la Gay Pride de Paris. Il y a une ambiance formidable et la musique est excellente. Tout le monde se réunit contre la discrimination et je trouve que c'est bien que les mentalités évoluent de nos jours.

Samir: ▶ Moi, je ne me suis jamais autant amusé qu'en faisant les vendanges dans le Sud, à Aix. On rencontre des gens intéressants tout en gagnant de l'argent. On mange ensemble le soir, souvent on joue de la guitare ensemble. On se lève tôt, on travaille dur, on fait la fête et puis on recommence le lendemain.

Lire 4 Copiez et remplissez ce tableau en français.

Fête	Ville	Détails

Parler 5 Expliquez à votre partenaire votre point de vue sur:

- la corrida
- la chasse
- l'alimentation végétarienne
- les jeunes et la fête
- les jeunes et les traditions.

i Culture

En France, beaucoup de fêtes et de jours fériés sont des fêtes d'origine catholique. Avant les gens ne travaillaient pas les jours de fête et ils pouvaient donc aller à l'église. De nos jours, de plus en plus de gens travaillent et de plus en plus de magasins restent ouverts les jours fériés. Aujourd'hui, les gens étant de moins en moins religieux, on ignore parfois l'origine de certaines traditions.

Écouter 6 Reformez les phrases et remettez-les dans l'ordre du passage.

1 Tout le monde
2 Jack Lang a
3 87% des Français
4 La fête de la Musique
5 Lors d'un sondage 5 millions de personnes

a joue d'un instrument.
b déclarent s'ouvrir à de nouvelles musiques ce jour-là.
c voulu mettre l'accent sur la musique classique.
d veut faire partie de la Fête de la Musique.
e ont déclaré qu'ils faisaient de la musique.
f chantent tous les jours sous la douche.
g a réussi à changer les mentalités.
h eu l'idée de la fête de la Musique en 1981.

Écrire 7 Écrivez entre 240 et 270 mots à partir de cette image. Incluez un élément que vous allez puiser dans votre expérience personnelle.

Les droits des femmes *Women's rights*

un défilé	demonstration
un stéréotype	stereotype
un mariage forcé	forced mariage
un croyant	believer
un récit	story
un péché	sin
un viol	rape
le droit de vote	right to vote
le comportement	behaviour
le parcours	life journey
le foulard, le voile	veil
le port du foulard	wearing the veil
le droit à l'avortement	the right to abortion
l'avortement (m) clandestin	illegal abortion
l'espace	space
les sévices corporels	physical abuse
une ouvrière	worker (f)
une personne à part entière	person in his/her own right
une pratique barbare	barbaric practice
une conquête	conquest, attainment
la loi	law
la pilule contraceptive	contraceptive pill
la pilule abortive	abortive pill
la distribution des rôles	allocation of roles
la sphère domestique	domestic sphere
la jeunesse	youth
la démarche	initiative, action
la moralité	morality
la contraception	contraception
l'Interruption Volontaire de Grossesse (f)	voluntary termination of pregnancy
l'émancipation (f)	emancipation
l'égalité (f)	equality
égal	equal
élu	elected
remis en cause	brought into question
insoumis	disobedient
menacé	threatened
marqué par	marked by
conditionné	conditioned
intransigeant	intransigent
fondamentaliste	fundamentalist
malheureux	unhappy
traumatisant	traumatic
enceinte	pregnant
égoïste	selfish
handicapé	disabled
subitement	suddenly
notamment	notably, in particular
manifester/défiler	to protest/to march
subsister	to remain, survive
perpétuer	to perpetuate
briser le silence	to break the silence
disposer librement	to use freely
raconter	to tell
porter le voile	to wear a veil
asservir	to enslave
sortir, publier	to publish
opprimer	to oppress

Immigration et clandestinité *Immigration and life in hiding*

un phénomène	phenomenon
un colloque	conference
un afflux	influx, a wave of
un mariage blanc	marriage of convenience
des mendiants	beggars
le développement	development
le brassage	intermingling
le salaire	wages, salary
le désespoir	despair
le naufrage	shipwreck
les pays développés	developed countries
les demandeurs d'asile	asylum seekers
les étrangers	foreign people
une main-d'œuvre	working force
une bourse	study grant
une analyse	analysis
une relation étroite	close relationship
une période de récession	period of recession
une entreprise	firm, company
une somme	amount, sum
la récession	slump
la crise du logement	housing crisis
la conjoncture	situation
la détresse	financial straits
l'ouverture	opening
les allocations	social benefit
dur	hard
versé	paid
clandestin	clandestine
bon marché	cheap
perçu	perceived
persuadé	persuaded
convaincu	convinced
de nos jours	nowadays
de façon (negative)	in a (negative) way
partout	everywhere
dans le cadre de	as part of/within the framework of
contribuer à	to contribute to
accomplir une tâche	to carry out a task
entreprendre	to undertake
bouger	to move
expédier	to send
expulser	to expel
faire face	to confront
recevoir	to accommodate, to take

Immigration et clandestinité

Immigration and life in hiding

toucher/percevoir/recevoir des allocations	to get benefits	travailler au noir	to moonlight
faire la manche	to beg	renvoyer	to send back
combler	to compensate for	avoir accès à	to have access to
réduire	to reduce	favoriser	to favour, to support, to promote
régulariser	to regulate/to make official	se déplacer	to move, to travel
subvenir aux besoins de	to provide for	s'enrichir	to become rich
appliquer la loi	to implement the law	se promener	to travel around
vivre dans la clandestinité	to live in hiding	s'installer	to settle

Les émeutes

Riots

un département	county	électrocuté	electrocuted
un casier judiciaire	police record	réputé	renowned, reputable
un voleur	thief	urbain	urban
un affrontement	confrontation, clash	pourri (fam)	rubbish (fam), rotten
le bilan	report, assessment, toll	effrayant	frightening, alarming
le coût	cost	lamentable	deplorable
le quartier	area	cagoulé	wearing a balaclava, a hood
le ressentiment	resentment	dur	strict
le niveau	level	résolu	determined
le décès	death	engendrant	creating
l'état (m) d'urgence (f)	state of emergency	profondément	deeply
l'échec (m) scolaire	academic failure	sans précédent	unprecedented
l'absentéisme (m)	truancy	et ainsi de suite	and so on
l'ordre (m) public	law and order	au sein de	within
les besoins	needs	en quête de, à la recherche (de)	in pursuit of, seeking
les services de police	police services	marquer	to leave its mark on
les pouvoirs publics	the authorities	brûler	to burn
les pompiers	firemen, fire brigade	déclencher	to spark off
les CRS	French riot police	rétablir le calme	to restore order
les voyous	thugs, delinquents	déployer	to deploy
les médias	the media	intervenir	to intervene
une interpellation	questioning (by the police)	interpeller	to arrest
une bande, un gang	a group, a gang	mener (à)	to lead (to)
une vague de violence	wave of violence	traîner	to hang around
la cité	housing estate	appréhender	to arrest
la délinquance	delinquency	relâcher	to free, to release
la gendarmerie	police	attiser les flammes	to stir up, to fuel
la municipalité	city council	faire l'amalgame	to lump together
la racaille (fam.)	scum	bosser/glander (fam)	to work hard/to muck around
la veille	the day before	se réfugier	to take refuge
la reconnaissance	recognition	s'étendre, se répandre	to spread
la couverture médiatique	media coverage	se répéter	to be repeated
l'instauration	establishment	s'apaiser	to calm down
l'EDF	French Electricity board	se laver les mains de	to wash one's hands of
les institutions, les autorités	institutions, the authorities	s'aggraver	to get worse, to deteriorate
compliqué	complicated	s'étonner	to be surprised
incendié	burnt, set on fire	s'en sortir	to make it through, get out of it
poursuivi, pourchassé	chased		

Une société multiculturelle

un immigré	immigrant
un autochtone	native
un rapport	report
un enrichissement	enrichment
un atelier	workshop
le Maghreb	North Africa
le mélange	mix
le visage	face
le respect	respect
le métissage	mixing
le bonheur	happiness
les principes	principles
les Français de souche	French-born
une chance	luck, opportunity
une expo	exhibition
une campagne	campaign
la tolérance	tolerance
la gentillesse	kindness
la mixité	diversity, mixing
la citoyenneté	citizenship
la dignité	dignity
la beauté/la laideur	beauty/ugliness
la nation	nation

A multicultural society

la diversité culturelle	cultural diversity
la tolérance	tolerance
l'égalité (f)	equality
l'harmonie	harmony
merveilleux	wonderful
inattendu	unexpected
mutuel	mutual
amical	friendly
étranger	foreign
révélateur de	indicative of
juif	Jewish
répandu	widespread
sans relâche	relentlessly
évoluer	to evolve
embellir	to make more attractive
enrichir	to enrich, to enhance
apporter qqch à qqn	to bring someone something
rendre hommage	to pay tribute
participer à une manif	to take part in a demonstration
assister	to attend
agir	to act
mettre fin à qqch	to stop sth
confronter qqn	to challenge sb
avoir l'esprit ouvert	to have an open mind
avoir conscience de	to be aware of

L'intolérance

Intolerance

un génocide	genocide
un stéréotype	stereotype
un carton rouge	red card
le malaise	malaise/uneasiness
le racisme	racism
le colonialisme	colonialism
le gîte	self-catering house
le propriétaire	landlord
le porte-parole	spokesman
l'antisémitisme (m)	anti-Semitism
l'esclavage (m)	slavery
les préjugés	prejudice
une minorité ethnique	ethnic minority
une affaire	case
une phobie	phobia
une recrudescence de	new wave of
une plainte	complaint
des injures	insults, abuse
la discrimination raciale	racial discrimination
la colère	anger
la haine	hatred
la bêtise	stupidity, nonsense

la xénophobie	xenophobia
la peur	fear
la méconnaissance	ignorance
abominable	dreadful, horrific
écœurant	sickening, disgusting
autrui	others
en toute impunité	complete impunity
il s'avère que	it turns out that
combattre	to fight
remarquer	to notice
mériter	to deserve
humilier	to humiliate
témoigner du respect	to show respect
traiter	to treat
avoir conscience de	to be aware of
expliquer	to explain
effacer, éliminer	to erase
établir	to establish
porter plainte	to file a complaint
régner	to reign, to rule
s'alarmer de	to become alarmed about

Émigration, immigration, intégration

Emigration, immigration, integration

un réfugié politique	*political refugee*
un demandeur d'asile	*asylum seeker*
un cursus scolaire	*curriculum*
un candidat à l'immigration	*immigration applicant*
un choc culturel	*cultural shock*
un attentat	*an attack*
le pays d'accueil/d'origine	*host/home country*
le marché du travail	*labour market*
le niveau de vie	*standard of living*
le système éducatif	*education system*
une communauté	*community*
une mine d'opportunités	*a mine of opportunities*
la patrie	*homeland*
la fuite des cerveaux	*brain drain*
la candidature	*application*
l'occasion (f)	*opportunity*
les coutumes	*customs, traditions*
forcé	*forced*
qualifié	*qualified*
inquiétant	*worrying*
effrayant	*frightening*
prêt	*ready*
musulman	*Muslim*
moyen	*average*
sondé	*polled*
volontairement	*voluntarily*
auparavant	*previously*
dès	*from*
là-bas	*over there*
contre son gré	*against one's will*
en même temps	*at the same time*
dans le passé	*in the past*
demeurer	*to remain*
quitter son pays	*to leave one's country*
parler la langue	*to speak the language*
privilégier	*to favour, to give priority to*
enseigner	*to teach*
avoir du courage	*to be brave*
ouvrir de nouveaux horizons	*to open new horizons*
prendre un nouveau départ	*to make a fresh start*
recommencer à zéro	*to start over*
être confronté à un problème	*to face a problem*
avoir du mal	*to find it difficult*
avoir tendance à	*to tend to*
faire un effort	*to make an effort*
paraître	*to appear, to seem*
s'installer	*to settle*
s'intégrer	*to integrate*
s'affirmer	*to assert oneself*
s'adapter	*to adapt*
se redéfinir	*to redefine oneself*
se sentir en sécurité	*to feel safe*

Fêtes et traditions

Festivals and Traditions

un jour férié	*a public holiday*
un endroit	*a place*
le contrôle de soi	*self-control*
des chrysanthèmes	*chrysanthenum*
le sapin de Noël	*Christmas tree*
le réveillon du Nouvel An	*New Year's Eve dinner*
le spectacle	*show*
le taureau	*bull*
le poisson d'avril	*April Fool*
les chaussons	*slippers*
les festivals	*festivals*
les mœurs	*morals/customs*
une barbarie	*barbarity*
la Chandeleur	*Candlemas*
la Toussaint	*All Saints' day*
Pâques	*Easter*
la chasse	*hunting*
la fiesta	*fiesta, party*
la galette des rois	*Twelfth Night cake*
l'alimentation végétarienne	*vegetarian diet*
l'ambiance (f)	*atmosphere*
l'occasion (f)	*occasion*
les bêtes	*animals*
les corridas	*bullfights*
les coutumes	*customs*
les inhibitions	*inhibitions*
les vendanges	*grape harvest*
amoureux	*in love*
mort de rire	*in stitches*
sous le gui	*under the mistletoe*
partout	*everywhere*
plein	*a lot*
connaître	*to know*
empêcher de	*to prevent*
avoir la gueule de bois	*to be hungover*
avoir le sentiment de	*to have the feeling of*
consommer avec modération	*to consume with moderation*
picoler (fam)	*to drink*
être saoul/ivre	*to be drunk*
faire la fête	*to live it up, to party*
faire sa prière	*to say one's prayers*
faire des crêpes	*to make pancakes*
fêter	*to celebrate*
s'embrasser	*to kiss each other*
se retrouver entre copains	*to get together with friends*
se réunir	*to get together*

Immigration: fléau ou bienfait?

Les immigrés blancs sont mieux acceptés que les immigrés noirs. Cela prouve que le problème, ce n'est pas le nombre de personnes qui viennent chercher du travail ici. Certains ont une attitude raciste et discriminatoire! **(1)**

On est déjà trop nombreux, on ne peut plus accueillir de nouveaux immigrés. Si on accepte plus d'immigrés, il n'y aura pas assez de travail pour tout le monde. La situation est critique, il faut prendre des mesures. **(2)**

Pourquoi tant d'emphase sur les différences?

Quand on s'installe dans un nouveau pays, on devrait apprendre la langue et respecter les mœurs et les coutumes de ce pays. Adopter la culture du pays d'accueil, c'est le seul moyen d'être accepté. **(1)**

Il faut respecter la culture des gens qui viennent vivre dans notre société. On devrait célébrer les différences et non pas les accentuer. **(2)**

 Don't run out of steam!
- Use preparation time for your card and for the conversation. **Make notes** in French; use short phrases not whole sentences.
- **Use conversational**, **spoken language**; do not lecture the examiner. A prolonged monologue will reduce your chances to defend or justify your opinions. Give the examiner chance to challenge you; you will gain marks if you show that you can respond to the challenge.
- Marks for grammar, range of vocabulary and structures cover the stimulus card and the conversation. Maintain concentration throughout both.
- Look up at the examiner when you speak, and smile.

Écouter 1 Écoutez ces deux candidats. Notez le point de vue qu'ils défendent et les arguments ou les exemples qu'ils utilisent. Lequel est le meilleur selon vous et pourquoi?

Parler 2 Améliorez sa présentation (une minute) en modifiant les idées ou en ajoutant les vôtres. Ne préparez que des notes, puis entraînez-vous à parler de façon naturelle.

Parler 3 Vous êtes le candidat et votre partenaire l'examinateur. Une fois que vous avez choisi le point de vue que vous voulez défendre, préparez chacun vos arguments. Faites votre présentation (une minute) puis passez au débat (quatre minutes).

- Discrimination seems to be based on colour not culture.
- Why should we not accept all cultures into our society?
- The basis for immigration is the need for skilled workers.

- There is not enough accommodation for all the new workers.
- There is a limit to how many new workers we can accept.
- We should be training people born here instead of accepting new workers. Immigrant workers take jobs and cause resentment.

After your debate on the stimulus card material the examiner will move on to the **conversation**.

- It will cover **two of the Cultural Topics** that you have prepared.
- The examiner will spend about **five minutes on each topic**.
- **Preparation** is vital as you want to show you have thought through your arguments.
- Hesitation is ok as it will prove that you are thinking and responding to what the examiner is asking you, but make your hesitations sound French (e.g. French **euh …** not English *ahhh …*).
- The examiner will challenge your comments; be prepared to defend your point of view.

Écrire 4 À deux, finissez ces questions que l'examinateur pourrait poser au sujet d'une époque du XXème siècle en France.

1 Pourquoi …?
2 Décrivez …
3 Quelles sont les personnes …?
4 Expliquez …
5 Auriez-vous aimé …?
6 Quel est …?
7 Quelles sont …?
8 Pourquoi pensez-vous que …?

Écouter 5 Écoutez les questions que cet examinateur pense poser à ces candidats au sujet d'une époque du 20ème siècle. Combien de questions aviez-vous devinées?

Prepare thoroughly your two Cultural Topics.

- Prepare **cue cards in French** to help you remember key points about your Cultural Topics.
- You will not be able to take these into the preparation room but you can use them during your revision and on the day of the exam before you start the preparation.
- Remember this is **a conversation not a monologue**. Long florid responses would be difficult to memorise and the conversation is intended to be an **exchange of ideas**.

Écrire 6 Préparez vos fiches de révisions pour l'oral.

- 1 fiche avec le vocabulaire, vos arguments et contre-arguments pour votre premier sujet de conversation.
- 1 fiche avec le vocabulaire, vos arguments et contre-arguments pour votre deuxième sujet de conversation.
- 1 fiche avec des expressions pour **être d'accord** avec l'examinateur (allez voir p156).
- 1 fiche avec des expressions pour **contredire** l'examinateur (allez voir p156).
- 1 fiche avec des expressions pour justifier votre point de vue et insister (ex: Laissez-moi finir, s'il vous plaît, je n'ai pas fini, si vous m'interrompez, je ne peux pas vous expliquer… allez voir p155).

- If you sound like you are delivering a monologue, the examiner will interrupt and this may cause you to lose your train of thought.
- **Lead the exchanges**. Guide the examiner into the questions you want by the answers you give. Tease the examiner into the conversation you want. Prepare some **Mais monsieur/madame …** get-out-of-jail comments: **Revenons à nos moutons …**
- Marks are awarded for **spontaneity and initiative** in the conversation. Marks are also awarded for **defending your point of view**. A coup de grâce punchline comment can win you time to make more points and will gain marks.
- And finally, listen to some recorded French for as long as possible on your way to the exam. This will make sure you are 'in tune' in French before you start.

When you have finished your translation read it through without reference to the original French to see if it flows well in English, to see if it 'sounds like' English. If there are any sections that sound odd in English, go back to the French to check that you have got the correct sense of the original and to see if there is any way you can modify the English to give a better transfer of meaning. Also check your spellings in English.

Écrire 1 Traduisez en anglais le texte ci-contre, dans lequel on parle de la situation des migrants âgés en France.

• There are four different tenses used in this translation: present, perfect, conditional and future. Make sure that you put the **appropriate tense** in your English transfer of meaning.
• VATAPAP: Verbs – Agreements – Tenses – Accents – Person – Adjectives – Prepositions! Apply it when **checking** any sentences in French in the transfer of meaning exercise.

Écrire 2 Traduisez en anglais le texte suivant, dans lequel on parle d'une fête nationale canadienne.

Un accueil pour les migrants âgés

Un «café social» dédié aux migrants âgés a été inauguré hier par le maire de Paris. C'est le deuxième lieu de ce type, l'autre étant situé en banlieue et géré par la même association.

«Ce café est conçu pour accueillir des migrants arrivés il y a quarante ou cinquante ans», explique le gérant du café.

«Les institutions et la société ont longtemps pensé que ces personnes partiraient une fois à la retraite. Mais elles vieillissent en France et elles doivent être accompagnées avec des structures adaptées.»

Les clients pourront consommer à prix réduit (le café est à 50 centimes). Pour le moment, l'association compte 200 adhérents, et vise 2 000 adhérents à terme.

La Journée canadienne du multiculturalisme

La Journée canadienne du multiculturalisme se tient chaque année le 27 juin.

La diversité sociale est l'une de nos plus grandes forces et le Canada est fier d'être le premier pays officiellement multiculturel au monde. Cette fête canadienne sera l'occasion de célébrer la diversité sociale et culturelle du Canada, ainsi que le respect des citoyens et citoyennes de toutes origines et de toutes cultures qui forment la société canadienne.

Cette journée nationale donnera l'occasion à tout le monde de mieux comprendre la contribution des différents groupes et communautés à la société canadienne et de célébrer la richesse du Canada.

Cette journée vise aussi à rapprocher les Canadiens et Canadiennes en vue de renforcer la compréhension et le respect mutuels. Elle a aussi pour but de nous encourager à célébrer notre histoire et à participer activement à la vie du pays.

Do you need the article in English?

Think about word order in English: it may not follow the same word order as the original French.

Think about how to express the idea of both genders in English.

Écrire 3 Traduisez en **français** les phrases suivantes.

1 Hundreds of cars have been destroyed during the riots.
2 Solutions to these problems will not be found unless the government takes some difficult decisions.
3 Even after studying at university immigrants still find it difficult to get a job
4 The best answer I know is to be more understanding without appearing too false.
5 It's essential to create better living conditions for immigrants.

Watch out for the passive construction: tense? agreement? Does *hundreds* need an article?

Watch out for the passive construction. Which tense do you need after *unless*?

How do you form a perfect infinitive? Which preposition do you need to use after *difficult*?

Remember to use the subjunctive after the superlative and that *without* is followed by the infinitive.

Check the articles you need to use with the nouns.

Écrire 4 Traduisez en **français** les phrases suivantes.

1 Refugees are well treated in our society but the media rarely tell us this.
2 We must reduce racist crimes in the suburbs by all means available.
3 The bicycles which I saw yesterday have already been stolen.
4 The demonstrations which were organised caused thousands of people to assemble.
5 As soon as the police arrive in the suburbs the riots will spread throughout the country.

Parler 5 Qui, dans la classe, peut traduire correctement ces phrases le plus vite possible?

1 Having an open mind is the only way to defeat intolerance.
2 Everybody has the right to keep his cultural identity without being forced to do so in secret.
3 Living in poverty is not easy even for those who have no children.
4 If I hadn't seen the conditions in the suburbs with my own eyes I would not have been able to understand the difficulty of everyday life near a large town.
5 Nobody could doubt our intention to save the planet.
6 We should protect ourselves against the sun's rays whose effects we do not understand.
7 It would be better to reduce the harmful emissions which pollute the atmosphere near nuclear power stations.
8 The main difficulty I have come across is to make young people realise that it is their responsibility to start to recycle glass, plastic and tin cans.

Écouter 6 Écoutez cette candidate améliorer une partie de son essai sur *Les Mains sales*. Corrigez le texte ci-dessous selon ce qu'elle dit.

> **Analysez le caractère du personnage principal dans une pièce de théâtre que vous avez étudiée.**

C'est Hoederer qui est le personnage important dans Les Mains sales. Il est fort et courageux. Son courage se voit à travers sa personnalité quand il parle avec les autres du groupe. «Tous les moyens sont bons s'ils sont efficaces», dit-il à Hugo, qui paraît faible et hésitant. Hugo n'a pas le courage d'agir. Son chef a fait beaucoup dans les combats pour le parti. Hoederer est courageux et a des principes. Vers la fin de la pièce il donne la possibilité à Hugo de se comporter comme un révolutionnaire en lui offrant la chance de le tuer. C'est un geste sincère. Hoederer ne veut pas humilier Hugo. Il a trop de respect pour le travail qu'il fait, mais c'est une bêtise qui oblige Hugo à tuer Hoederer. «Ah, c'est trop con!», dit-il après que Hugo lui a tiré dessus.

- **Depth of treatment, good evidence, evaluation and personal reaction, good planning, a well structured essay.** These are the five **key content** elements in a high quality essay.
- **Wide range of vocabulary, wide range of structures, ambitious grammar.** These are the three **key language** elements in a high quality essay.
Make sure that your essay contains all these elements and is not simply a narrative, descriptive piece of writing.

Parler 7 Comment pourriez-vous améliorer ces phrases pour épater l'examinateur?

1 Prévert est un poète qui a eu de l'influence pendant le XXème siècle en France.
2 Le réalisateur français Louis Malle a créé des films intéressants qui ont plu à tout le monde dans les cinémas en France.
3 L'architecture française a été influencée par différents architectes, mais le plus important s'appelle Le Corbusier.
4 Tout le monde connaît les chansons de Brassens et c'est pour cette raison que j'ai choisi de l'étudier.
5 Les impressionnistes sont les artistes les mieux connus et les plus célèbres en France, et leurs peintures sont au musée du Quai d'Orsay à Paris.

Grammaire

Nouns

Gender

The gender of nouns is fundamental to the French language. Some nouns are clearly masculine or feminine but most are not and these must be learned. There are some rules that can be applied but many of them have exceptions. The following are the easiest to remember:

- All nouns of more than one syllable ending in -*age* are masculine, except *une image*.
- All nouns ending in -*ment* are masculine, except *la jument*.
- Most nouns ending in -*eau* are masculine (exceptions *l'eau* and *la peau*).
- All nouns ending in -*ance*, -*anse*, -*ence* and -*ense* are feminine, except *le silence*.
- Nouns that end in a double consonant +*e* (-*elle*, -*enne*, -*esse*, -*ette*) are feminine.

NOTES

1   Some nouns are always feminine even if they refer to males, e.g. *la personne*, *la vedette*, *la victime*.

2   The names of many occupations remain masculine, even if they refer to women, e.g. *le professeur*. Some can be masculine or feminine, e.g. *un/une dentiste*, *un/une secrétaire*. Other occupations have different masculine and feminine forms:

un boucher	*une bouchère* (and others ending -*er/ère*)
un informaticien	*une informaticienne* (and others ending -*ien/ienne*)
un acteur	*une actrice*
un serveur	*une serveuse*

3   Some nouns have a different meaning according to their gender. These include:

le critique – critic	*la critique* – criticism
le livre – book	*la livre* – pound
le manche – handle	*la manche* – sleeve
	(*la Manche* – English Channel)
le mode – manner, way	*la mode* – fashion
le page – pageboy	*la page* – page
le poêle – stove	*la poêle* – frying-pan
le poste – job set (TV)	*la poste* – post office
le somme – nap	*la somme* – sum
le tour – trick, turn, tour	*la tour* – tower
le vase – vase	*la vase* – mud
le voile – veil	*la voile* – sail

Plural forms

- Most nouns form their plural by adding -*s* to the singular:
  la lettre → *les lettres*
- Nouns ending in -*s*, -*x*, and -*z* do not change in the plural:
  la souris → *les souris*   *le prix* → *les prix*   *le nez* → *les nez*
- Nouns ending in -*au*, -*eau* and -*eu* add an -*x*:
  le château → *les châteaux*   *le jeu* → *les jeux*
- Most nouns ending in -*al* and -*ail* change to -*aux*:
  le journal → *les journaux*   *le vitrail* → *les vitraux*
  (Exceptions include *les bals* and *les détails*.)
- Most nouns ending in -*ou* add an -*s*, except *bijou*, *caillou*, *chou*, *genou*, *hibou*, *joujou* and *pou*, which add an -*x*.

NOTES

1   Remember *l'œil* becomes *les yeux*.
2   Some words are used only in the plural: *les frais*, *les ténèbres*, *les environs*.
3   French does not add -*s* to surnames: *Les Massot viendront déjeuner chez nous vendredi.*
4   It is best to learn the plural of compound nouns individually, e.g. *les belles-mères*, *les chefs-d'œuvre*, *les après-midi*.
5   *Monsieur*, *Madame* and *Mademoiselle* are made up of two elements, both of which must be made plural: *Messieurs*, *Mesdames*, *Mesdemoiselles*.

Use of nouns

Nouns are sometimes used in French where a verb would be used in English:

Il est allé à sa rencontre. – He went to meet him/her.
Après votre départ. – After you left.
Ils ont vendu la maison après sa mort. – They sold the house after he died.

Articles

le, la, les

These are the French definite articles ('the'). *Le* is used with masculine nouns, *la* with feminine nouns, and *les* with plurals. Both *le* and *la* are sometimes replaced by *l'* before a vowel or the letter *h*.

Some words beginning with *h* are aspirated, i.e. the *h* is treated as though it is a consonant. Words of this type are shown in a particular way in a dictionary, often by * or ', and in these instances *le* and *la* are not shortened to *l'*, e.g. *le héros, la hâte*.

The definite articles combine with *à* and *de* in the following ways:

	le	la	l'	les
à	**au**	**à la**	**à l'**	**aux**
de	**du**	**de la**	**de l'**	**des**

The definite article is often used in French where it is omitted in English. It should be used in the following cases:

* In general statements: *La viande est chère.*
* With abstract nouns: *Le silence est d'or.*
* With countries: *la France, le Japon.*
* With titles and respectful forms of address, particularly with professions: *la reine Elizabeth; le maréchal Foch; oui, monsieur le commissaire.*

Other uses

When referring to parts of the body, French often uses the definite article because the identity of the owner is usually clear from the context:
Elle a levé la main. – She raised her hand.

In cases where the identity of the owner may not be clear, an additional pronoun is needed to show who is being affected by the action. This may be either the reflective pronoun:
Il se frottait les yeux. – He rubbed his eyes.

or the indirect object pronoun if another person is involved:
Il m'a pris la main. – He took my hand.

But when the noun is the subject of the sentence, the possessive adjective is used:
Sa tête lui faisait mal. – His head hurt.

The definite article is often used in descriptive phrases, e.g. *la femme aux cheveux gris.*

Sometimes in French, the definite article is used where English prefers the indefinite article or omits the article altogether, e.g. *à la page 35; dix euros le kilo.*

For the use of the definite article with expressions of time, see page 136.

un, une, des

The indefinite articles *un* (masculine) and *une* (feminine) means both 'a/an' and 'one' in English. The plural form of the indefinite article (*des*) means 'some' or 'any' (see below).

The use of the indefinite article is much the same as in English, with the following exceptions:

* It is not used when describing someone's profession, religion or politics:
  Il est professeur.
  Elle travaille comme infirmière.
  Nous sommes catholiques.
  Je suis devenu socialiste.
* It is not required with a list of items or people:
  Il a invité toute la famille: oncles, tantes, cousins, neveux et nièces.
* It must be included in French where it is sometimes omitted in English:
  Je pars en vacances avec des amis. – I'm going on holiday with (some) friends.
* It is not used after *sans*:
  Je suis parti sans valise.

NOTE

Neither the definite article nor the indefinite article is used with a noun in apposition, i.e. when it introduces a phrase, often within commas, that acts as a sort of parallel to the noun:
Paris, capitale de la France, contient beaucoup de beaux musées.
Bernard Hinault, cycliste bien connu, a gagné le Tour de France cinq fois.

du, de la, de l', des

These articles mean 'some' or 'any':
Je vais acheter du poisson, de l'huile et de la farine.
Tu as acheté des fleurs?

There are three occasions when *de* (*d'* before a vowel or *h*) is used instead of the articles *du/de la/de l'/des*, and instead of the indefinite article:

* After a negative (except *ne … que*):
  Il n'y a plus de vin.
  Je n'ai pas de bic.
* With a plural noun which is preceded by an adjective:
  Il a de bons rapports avec sa famille.
* With expressions of quantity:
  J'ai acheté un kilo de sucre.
  Elle a mangé beaucoup de cerises.
  Exceptions: *la plupart des, bien des, la moitié du/de la.*

Grammaire

Adjectives

Agreement of adjectives

Adjectives must agree in **number** (singular or plural) and **gender** (masculine or feminine) with the noun they describe. The form given in the dictionary is the masculine singular; if the feminine form is irregular it will probably be given too.

Regular adjectives – the basic rules

To the masculine singular, add:
- -e for the feminine
- -s for the masculine plural
- -es for the feminine plural.

m. sing	f. sing	m. plural	f. plural
grand	grande	grands	grandes

An adjective whose masculine singular form ends in -e does not add another in the feminine, unless it is -é.

jeune	jeune	jeunes	jeunes
fatigué	fatiguée	fatigués	fatiguées

Some groups of adjectives, depending on their ending, have different feminine forms:

Masc. ending	Fem. form	Example
-e	remains the same	jeune → jeune
-er	-ère	cher → chère
-eur	-euse	trompeur → trompeuse
-eux	-euse	heureux → heureuse
-f	-ve	vif → vive

An adjective whose masculine singular ends in -s or -x does not add another in the masculine plural.

Some adjectives that end in a consonant double that consonant before adding -e. This applies to most adjectives ending in -eil, -el, -en, -et, -ien, -ot and also gentil and nul:
l'union européenne; des choses pareilles
(Exceptions: complet, discret and inquiet, which become complète, discrète and inquiète.)

Adjectives ending in -al in the masculine singular usually change to -aux in the masculine plural. This does not affect the feminine form:
médical, médicale, médicaux, médicales.

Irregular adjectives

The following adjectives have irregular feminine forms:

Masculine	Feminine
bas	basse
blanc	blanche
bon	bonne
doux	douce
épais	épaisse
faux	fausse
favori	favorite
fou	folle
frais	fraîche
gras	grasse
gros	grosse
long	longue
mou	molle
public	publique
roux	rousse
sec	sèche

The following adjectives have irregular plural and/or feminine forms:

m. sing	f. sing	m. plural	f. plural
beau (*bel)	belle	beaux	belles
nouveau (*nouvel)	nouvelle	nouveaux	nouvelles
vieux (*vieil)	vieille	vieux	vieilles

* The additional form of these adjectives is used before a singular noun starting with a vowel or h, to make pronunciation easier. These forms sound like the feminine, but look masculine. A similar form is found for fou (fol) and mou (mol).

Tout has an irregular masculine plural form: tous.

NOTES

1   If an adjective describes two or more nouns of different gender, the adjective should always be in the masculine plural:
des problèmes (m) et des solutions (f) importants

2   Compound adjectives (usually involving colour) do not agree with the noun they describe:
la chemise bleu foncé

3   Some 'adjectives' are actually nouns used as adjectives. They do not agree:
des chaussures marron

Position of adjectives

The natural position for an adjective in French is after the noun it describes. Some commonly used adjectives, however, usually precede the noun. These include:

beau	joli
bon	long
court	mauvais
grand	nouveau
gros	petit
haut	premier
jeune	vieux

Others change their meaning – slightly or considerably – depending on their position. These include:

	before noun	after noun
ancien	old/former	old/ancient
brave	good, nice	brave
certain	certain/undefined	certain/sure
cher	dear/beloved	dear/expensive
dernier	last (of series)	last (previous)
grand	great	big, tall
même	same	very, self
pauvre	poor (to be pitied)	poor (not rich)
prochain	next (in series)	next (following)
propre	own	clean
pur	mere	pure

NOTES

1   If two adjectives are qualifying the same noun, each keeps its normal position:
    une longue lettre intéressante
    de bons rapports familiaux
2   If the adjectives both follow the noun, they are joined by *et*:
    une maladie dangereuse et contagieuse.

Comparative and superlative

Comparative adjectives

The comparative is used to compare one thing or person with another. There are three types of expression:

plus … que	more … than
moins … que	less … than
aussi … que	as … as

The adjective always agrees with the first of the two items being compared:
    Les voitures sont plus dangereuses que les vélos.
    Le troisième âge est moins actif que l'adolescence.
    Les loisirs sont aussi importants que le travail.

Most adjectives form their comparative by adding *plus*, *moins* or *aussi* as above. There are a few irregular forms:

bon	→	meilleur
mauvais	→	pire
petit	→	moindre

Of these, only *meilleur* is commonly used:
    Je trouve que le livre est meilleur que le film.
Pire is used to refer to non-material things, often in the moral sense:
    Le tabagisme est-il pire que l'alcoolisme?
Otherwise *plus mauvaise* is used:
    Elle est plus mauvaise que moi en maths.
Moindre means 'less' or 'inferior' (e.g. *de moindre qualité*), whereas *plus petit* should be used to refer to size:
    Jean est plus petit qu'Antoine.

NOTES

1   'More than' or 'less than' followed by a quantity are expressed by *plus de* and *moins de*:
    Elle travaille ici depuis plus de cinq ans.
2   'More and more', 'less and less' are expressed by *de plus en plus*, *de moins en moins*:
    Le travail devient de plus en plus dur.
3   French requires an additional *ne* when a comparative adjective is followed by a verb:
    La discrimination est plus répandue qu'on n'imagine (or *qu'on ne l'imagine*).

The best way to remember this is to realise that there is an element of a negative idea involved; e.g. we did not think that discrimination was widespread.

Superlative adjectives

To form the superlative ('most' and 'least') add *le/la/les* as appropriate to the comparative. The position follows the normal position of the adjective.
    Le plus grand problème de santé de nos jours, c'est le sida.
With superlatives that come after the noun, the definite article needs to be repeated:
    Le Tour de France est la course cycliste la plus importante du monde.

NOTE

To say 'in' after a noun with a superlative adjective, use *du/de la/de l'/ des*:
    La France est un des pays les plus beaux du monde.

Adjectives such as *premier*, *dernier* and *seul* have the force of a superlative and follow the same rule:
    Michel est le premier élève de la classe.

Demonstrative adjectives

Demonstrative adjectives are 'this', 'that', 'these' and 'those':

m. sing	f. sing	m. plural	f. plural
ce/*cet	cette	ces	ces

* used before a vowel or *h*

If you need to make a distinction between 'this' and 'that', 'these' and 'those', add *-ci* or *-là* to the noun:

> *cet homme-ci*
> *cette maison-là*

Possessive adjectives

These, like all other adjectives, agree in number and gender with the noun they describe, **not with the owner**:

m. sing	f. sing	plural	linked with
mon	ma	mes	je
ton	ta	tes	tu
son	sa	ses	il, elle, on
notre	notre	nos	nous
votre	votre	vos	vous
leur	leur	leurs	ils, elles

Mon, *ton* and *son* are used before a feminine noun beginning with a vowel or *h*, e.g. *mon amie*, *ton école*.

Particular care must be taken with *son/sa/ses* and *leur/leurs* to make sure they agree with the noun they are describing:

> *Elle aime son père.* ('Father' is masculine.)
> *Elle préfère leur voiture.* ('Car' is singular, but belongs to more than one person.)

Interrogative adjectives

These must agree with the noun to which they refer.

m. sing	f. sing	m. plural	f. plural
quel	quelle	quels	quelles

They can be used as straightforward question words:

> *Quel personnage préfères-tu?*
> *Quelle heure est-il?*
> *Quelles sont ses relations avec sa famille?*

They are also found as exclamations. The indefinite article, which is required in the singular in English, is omitted in French.

> *Quel désastre!* – What a disaster!
> *Quelle bonne idée!* – What a good idea!

Adverbs

Adverbs are words that give more information about verbs, adjectives and other adverbs. They may be classified into four main groups: adverbs of manner, time, place and quantity/intensity. Adverbs may be single words or short phrases.

Adverbs expressing manner

These are usually formed by adding *-ment* (the equivalent of the English '-ly') to the feminine of the adjective:

> *léger, légère* → *légèrement*

(Exception: *bref, brève* → *brièvement*)

If the adjective ends in a vowel, add *-ment* to the masculine form:

> *vrai, vraie* → *vraiment*

(Exception: *gai* → *gaiement*)

With adjectives ending in *-ant/-ent*, add the endings -*amment/-emment*:

> *suffisant* → *suffisamment*
> *évident* → *évidemment*

(Exception: *lent* → *lentement*)

To make them easier to pronounce some add an accent to the *e* before *-ment*:

> *énorme* → *énormément*
> *profond* → *profondément*

Irregular adjectives of manner include *bien* (from *bon*) and *mal* (from *mauvais*).

NOTES

1 The adverb 'quickly' is *vite*, though the adjective 'quick' is *rapide* (but you can also say *rapidement*).
2 Certain adjectives may be used as adverbs, in which case they do not agree:
   Cette voiture coûte cher.
   Parlons plus bas.
   Vous devez travailler dur.
   Les fleurs sentent bon.
3 Other adverbs of manner include *ainsi*, *comment* and *peu à peu*.

Adverbs expressing time, place, quantity and intensity

There are too many adverbs and adverbial phrases to list here. They include:

Time

aujourd'hui	soudain
auparavant	tantôt
bientôt	tard
de bonne heure	tôt
déjà	toujours
demain	tout à coup
immédiatement	tout à l'heure
quelquefois	tout de suite

Note that *tout à l'heure* can mean 'just now' with a past tense or 'shortly' with a future tense.

Place

à côté	ici
ailleurs	là-bas
à proximité	loin
en face	partout

Quantity/Intensity

assez	un peu
autant	plutôt
beaucoup	si
combien	tant
fort	tellement
peu	très

NOTE

Take care to distinguish between *plutôt* ('rather') and *plus tôt* ('earlier').

Position of adverbs

Adverbs usually go immediately after the verb:

Je parle couramment le français.

In the case of compound tenses the adverb goes after the auxiliary verb and before the past participle.

Tu as bien dormi?

This rule may be relaxed if the adjective is long:

Elles ont agi courageusement.

Adverbs of place and some adverbs of time go after the past participle:

Je l'ai trouvé là-bas.
Il est arrivé tard.

Comparison of adverbs

These are formed in the same way as the comparative and superlative forms of adjectives:

Guillaume court aussi vite que Charles.
Édith Piaf chantait moins fort que Sasha Distel.
C'est cette voiture qui coûte le plus cher.

The adverbs *bien*, *beaucoup*, *mal* and *peau* have irregular forms:

	comparative	superlative
bien	mieux	le mieux
beaucoup	plus	le plus
mal	pire	le pire
peu	moins	le moins

NOTES

1   Care must be taken not to confuse *meilleur* (adjective) with *mieux* (adverb):
    C'est le meilleur jour de ma vie.
    Elle joue mieux que moi.

2   When 'more' comes at the end of a phrase or sentence, French prefers *davantage* to *plus*:
    Il m'aime, mais moi je l'aime davantage.

3   Note the following construction in which the article is not required in French ('the more' in English):
    Plus on travaille, plus on réussit.

Grammaire

Pronouns

Pronouns are words that stand in the place of nouns. The function of the pronoun – the part it plays in the sentence – is very important. In French, most pronouns are placed before the verb (the auxiliary verb in compound tenses).

Subject pronouns

The subject is the person or thing which is doing the action of the verb. The subject pronouns are:

je	*nous*
tu	*vous*
il/elle/on	*ils/elles*

Direct object pronouns

The direct object of a verb is the person or thing which is having the action of the verb done to it. In the sentence 'The secretary posted the letter.' the letter is the item that is being posted and is the direct object of the verb. The direct object pronouns are:

me	*nous*
te	*vous*
le/la	*les*

Examples:
Je mets la lettre sur le bureau. → *Je la mets sur le bureau.*
Ils ont acheté les billets. → *Ils les ont achetés.*
(For agreement of preceding direct object pronouns, see page 126.)

NOTES

1 *Le* may be used to mean 'so' in phrases such as:
Je vous l'avais bien dit. – I told you so.
2 *Le* is sometimes required in French when it is not needed in English:
Comme tu le sais. – As you know.
3 It is sometimes omitted in French when it is used in English:
Elle trouve difficile de s'entendre avec ses parents. – She finds it difficult to get on with her parents.

Indirect object pronouns

The indirect object is introduced by 'to' (and sometimes 'for') in English. In the sentences 'She showed the photos to <u>her friends</u>' and 'My father bought the tickets for <u>me</u>' the underlined words are the indirect objects of the verb.

The indirect object pronouns which are used to refer to people are:

me	*nous*
te	*vous*
lui	*leur*

Examples:
Elle n'a pas montré l'autographe à ses copains. → *Elle ne leur a pas montré l'autographe.*
Nous vous enverrons l'argent aussitôt que possible.
Mon père va m'acheter une voiture d'occasion.

NOTE

In English, the sentence 'She gave him a book' is the same as 'She gave a book to him'. For both versions, the French is the same:
Elle lui a offert un livre.
Watch out for these common French verbs which are followed by *à* and which therefore require an indirect object pronoun:

demander à	*offrir à*
dire à	*parler à*
donner à	*raconter à*
écrire à	*téléphoner à*

Je lui ai téléphoné pour lui dire que je serais en retard.

Reflexive pronouns

Reflexive pronouns are used with some verbs to describe actions that you do to yourself. (The verbs are known as reflexive verbs – see page 139.)

The reflexive pronouns are:

me	*nous*
te	*vous*
se	*se*

The reflexive pronoun must change according to the subject of the verb:
Je me lave.
Elle s'est débrouillée.
(For agreement of the past participle, see page 127.)

Reflexive pronouns can also be used with verbs to describe actions that people do to each other:
Nous nous téléphonons chaque soir.

NOTE

The reflexive pronoun of a verb in the infinitive must change according to the subject.

Nous allons nous réveiller de bonne heure.

Emphatic pronouns

The emphatic pronouns are:

moi	*nous*
toi	*vous*
lui	*eux* (m. plural)
elle	*elles* (f. plural)
soi (relates to *on*)	

The most common uses of the emphatic pronoun are:

* Whenever emphasis is required:
  Moi, j'adore le cinéma; eux, ils préfèrent le théâtre.
* When the pronoun stands alone:
  Qui a appelé la police? Moi.
* After *c'est* (*ce sont* with *eux* and *elles*):
  C'est toi qui as téléphoné hier?
* In comparisons:
  Sa sœur est plus grande que lui.
* After prepositions:
  chez moi, avec lui, sans eux
* After the preposition *à*, the emphatic pronoun may indicate possession:
  Ce livre est à moi.
* With *même*, meaning 'self':
  Vous êtes allés vous-mêmes parler au PDG?

Pronouns of place

These function like the indirect object pronouns above, but are used for places or things.

y

The pronoun *y* stands for a noun with almost any preposition of place (not 'from'). It most frequently replaces *à/au/à la/à l'/aux* + a place or thing. Its meanings include 'there', 'in it', 'on them', etc.

Tu es allée en Belgique? → Oui, j'y suis allée trois fois.
Qu'est-ce que tu as mis sur la table? → J'y ai mis tes papiers.

With verbs followed by *à* + noun, *y* must always be used, even though the English equivalent would be a direct object pronoun:

Tu joues souvent aux boules? → Oui, j'y joue toutes les semaines.

The pronoun *y* can also be used instead of *à* + verb:

Vous avez réussi à faire ça? → Oui, j'y ai réussi.

en

The pronoun *en* must be used when 'from it' or 'from there' is required. It most frequently replaces *de/du/de la/de l'/des* + a place or thing:

Votre mari est revenu des États-Unis? → Oui, il en est revenu jeudi.

In expressions of quantity, *en* means 'some', 'of it', 'of them'. It refers both to people and things:

Combien de bananes avez-vous acheté? → J'en ai acheté cinq.

The pronoun *en* can also be used instead of *de* + verb:

Souviens-toi de parler à ta mère. → Oui, je vais m'en souvenir.

Order of pronouns

When more than one pronoun is needed in a phrase, there is a specific order that must be adhered to:

me te			
	le		
se	*la*	*lui* *y* *leur*	*en*
nous *vous*	*les*		

Examples:

Elle m'a prêté ses disques compacts. → Elle me les a prêtés.
Vous lui en avez parlé?

Order of pronouns with the imperative

In a positive command, the verb must come first as it is the instruction that is important. The pronoun then follows the verb and is joined to it by a hyphen.

J'ai besoin de ces dossiers. Apportez-les tout de suite!
Allons-y!

If more than one pronoun is used, the direct object pronoun precedes the indirect object. *Me* and *te* are replaced by *moi* and *toi* when they come after the verb:

Apportez-les-moi!

In a negative command, the pronouns come before the verb as usual:

Ne la lui donne pas!

Relative pronouns

qui, que, dont

Relative pronouns relate to the person, thing or fact which has just been mentioned.

> *Sa copine, qui habitait à côté de chez lui, s'appelait Anne.*
> *C'est la langue que je trouve la plus facile.*
> *Voilà le garçon dont je vous ai parlé.*

The choice of pronoun depends on its function in the sentence:

- *qui* ('who', 'which') is used for the subject of the verb following;
- *que* or *qu'* ('whom', 'which', 'that') is used for the object of the verb following.

It may be helpful to remember that if the verb immediately following has no subject, it needs one, so *qui* is used; if it has a subject already, *que* is used.

NOTES

1 *Qui* is never shortened to *qu'*.
2 *Que* can never be omitted as 'that' can in English:
   Le film que j'ai vu hier. – The film I saw yesterday.

Dont means 'whose', 'of whom', 'of which'. The word order in a phrase containing *dont* is important.

1	2	3	4
(person/thing referred to)	*dont*	subject + verb	anything else

Examples:
Ce sont des vacances dont je me souviendrai toujours.
Il y avait dans le groupe une fille dont j'ai oublié le nom.

NOTES

Verbs followed by *de* before the noun use *dont* as their relative pronoun:

> *L'ordinateur dont je me sers est très utile.*

ce qui, ce que, ce dont

If there is not a specific noun for the relative pronoun to refer to – perhaps it is an idea expressed in a complete phrase – *ce qui/ce que/ce dont* must be used. The choice is governed by the same rules as above:

> *Ce qui m'étonne, c'est que la publicité exerce une grande influence de nos jours.*
> *La publicité exerce une grande influence de nos jours, ce que je trouve étonnant.*
> *La publicité exerce une grande influence de nos jours, ce dont je m'étonne.*

(The third version is less natural than the first two.)

lequel, laquelle, lesquels, lesquelles

These also mean 'which' and are used after prepositions. They are made up of the definite article + *quel*:

> *Le café vers lequel il se dirigeait …*
> *Les années pendant lesquelles elle avait travaillé …*

After *à* or *de* the first element of this pronoun must be adapted in the usual way for the definite article:

> *Le problème auquel je réfléchissais me paraissait insurmontable.*
> *Prenez ce petit sentier, au bout duquel il y a une vue splendide.*

NOTES

1 *Où* is often used instead of *dans lequel, sur laquelle*, etc:
   Voilà la rue où j'habite.
2 *Qui* is used after a preposition when referring to people:
   L'homme avec qui je suis allé au cinéma.

(This does not apply to *parmi*, for which *lesquels/lesquelles* must be used.)

Demonstrative pronouns

celui, celle, ceux, celles

These are used to refer to things or people previously mentioned. They must agree with the noun they are replacing:

m. sing	f. sing	m. plural	f. plural
celui	celle	ceux	celles

Quel film as-tu vu? → *Celui avec Gérard Depardieu.*

As with demonstrative adjectives, these may have *-ci* or *-là* added for greater clarity or to make a distinction:

> *Lesquels vas-tu choisir? – Ceux-là.*

They are often followed by *qui, que* or *dont*:

> *Quel film allons-nous voir? – Celui que tu préfères.*
> *Quelles idées sont les plus frappantes? – Celles qui expriment une opinion personnelle.*

They may also be followed by *de*, to express possession:

> *Tu verras mes photos et celles de ma sœur.*

ceci, cela (this, that)

These are not related to a particular noun. *Cela* is often shortened to *ça*:

> *Cela m'agace! – Ça se voit!*

Ceci is used less frequently than *cela* and tends to refer to something that is still to be mentioned:

> *Je vous dirai ceci: que nous devons améliorer les chiffres d'affaire.*

c'est and il est

Both of these mean 'it is' and are not interchangeable (although in spoken French *c'est* is often used when strictly *il est* is required). Here are some of the rules:

* *Il est* + adjective + *de* + infinitive – refers forward to what is defined by the adjective:
  Il est difficile d'apprendre la grammaire.
* *C'est* + adjective + *à* + infinitive – refers back to what has been defined by the adjective:
  La grammaire, c'est difficile à apprendre.
  or
  Apprendre la grammaire, c'est difficile (à faire).
* *C'est* + noun + adjective:
  C'est un roman intéressant.

Possessive pronouns

As with other pronouns, these agree in number and gender with the noun they stand for.

m. sing	f. sing	m. plural	f. plural	
le mien	*la mienne*	*les miens*	*les miennes*	*(mine)*
le tien	*la tienne*	*les tiens*	*les tiennes*	*(yours)*
le sien	*la sienne*	*les siens*	*les siennes*	*(his, hers)*
le nôtre	*la nôtre*	*les nôtres*	*les nôtres*	*(ours)*
le vôtre	*la vôtre*	*les vôtres*	*les vôtres*	*(yours)*
le leur	*la leur*	*les leurs*	*les leurs*	*(theirs)*

À qui est ce dossier? – C'est le mien.

Interrogative pronouns

There are several interrogative (question) pronouns.

* **Qui** means 'who?' or 'whom?':
  Qui veut jouer au tennis?
  Avec qui vas-tu aller à la fête?
* **Que** means 'what?':
  Que dis-tu?
* **Quoi** also means 'what?' but is used after prepositions:
  De quoi parles-tu?
* **Qu'est-ce qui** and **Qu'est-ce que** mean 'what?' (='What is it that…?'). Use *qu'est-ce qui* when it is the subject of the verb:
  Qu'est-ce qui vous inquiète?
  Use *qu'est-ce que (qu')* when it is the object:
  Qu'est-ce que tu veux manger?
* **Lequel**, etc (see page 122) may be used as a question word meaning 'which one(s)?':
  Laquelle des politiques est la plus importante, à ton avis?

VERBS

See tables on pages 137–151 for verb forms.

Modes of address

It is easy to underestimate the degree of offence that can be caused by using the familiar *tu* form of the verb when the *vous* form is appropriate. It is best to take the tone from the person you are speaking or writing to. If in doubt always use *vous*, and wait for the other person to suggest the familiar form.

> *tutoyer* – to call someone *tu*
> *vouvoyer* – to call someone *vous*

It is important not to mix the two forms; care should be taken not to use set phrases such as *s'il vous plaît* at the end of a phrase containing the informal *tu*.

Letter-writing may require the extremely polite subjunctive *veuillez* (instead of *voulez-vous*) which means 'be so kind as to …'.

Impersonal verbs

Some verbs only exist in the *il* form; they are known as impersonal verbs because no other person can be their subject. All are translated by 'it'. They include weather phrases such as *il neige*, *il pleut* and *il gèle*; also *il faut* ('it is necessary', though usually better translated as 'must') and *il s'agit de*.

There are a few verbs which may be used impersonally although they are complete. These impersonal firms include *il fait* + weather phrases, *il paraît*, *il semble*, *il suffit de* and *il vaut mieux*. *Il reste* (literally 'there remains') is frequently used:

> *Il ne reste plus de papier.* – There's no paper left.

Il existe may be used as a formal alternative to *il y a*:

> *Il existe beaucoup de musées à Paris.*

Verbs with the infinitive

When a verb is followed immediately by a second verb in French, the second verb must be in the infinitive form. Verbs used in this way are divided into three categories:

* Those which are followed directly by the infinitive:
  J'aimerais aller au théâtre.
* Those which are joined by *à*:
  Elle a commencé à ranger les lettres.
* Those which are joined by *de*:
  Nous avons décidé d'acheter votre produit.

Grammaire

There is no easy way of knowing which verbs fall into which group. The following are the most useful:

No preposition	à	de
aimer	aider	arrêter
aller	s'amuser	cesser
désirer	apprendre	choisir
detester	arriver (to manage)	craindre
devoir	s'attendre	décider
espérer	commencer	se dépêcher
faillir (to nearly do)	continuer	empêcher
falloir (il faut)	se décider (to make up mind)	essayer
oser	encourager	s'étonner
pouvoir	hésiter	éviter
préférer	inviter	s'excuser
prétendre	se mettre (to begin)	finir
savoir	renoncer	menacer
sembler	réussir	mériter
valoir (il vaut mieux)		offrir
venir		oublier
vouloir		proposer
		refuser
		regretter
		tenter

The following phrases are also followed by *de*:

avoir besoin   avoir envie
avoir l'intention   avoir peur

These verbs are followed by *à* + person + *de* + infinitive:

conseiller   permettre
défendre   promettre
demander   dire

Examples:
Le PDG a demandé au secrétaire d'apporter les dossiers.
Mes parents ne me permettent pas de sortir pendant la semaine.
Le médecin lui a dit de revenir le lendemain.

NOTES

1   *Commencer* and *finir* are followed by *par* + infinitive if the meaning is 'by'. Contrast:
    Elle a commencé à travailler. – She began to work.
    with
    Elle a commencé par travailler. – She began by working (and then went on to do something else).

2   When a pronoun is used with two linked verbs, it comes before the infinitive:
    Je dois le faire.

3   The infinitive is used after prepositions:
    avant de   *Il faut réfléchir avant d'agir.*
    au lieu de   *Fais tes devoirs au lieu d'écouter de la musique.*
    en train de   *Je suis en train de faire la cuisine.*
    pour   *Tu es assez intelligent pour comprendre ça.*
    sans   *Ils sont partis sans me remercier.*

Other verbs with a dependent infinitive

faire

When followed immediately by an infinitive, *faire* means 'to have something done by someone else':
    Je repeindrai ma maison. – I'll repaint my house.
    Je ferai repeindre ma maison. – I'll have my house repainted.

Other expressions involving *faire* + infinitive include:
    faire attendre – to make someone wait
    faire entrer – to bring in/show in
    faire faire – to have something done
    faire monter – to carry up/show up
    faire remarquer – to remark (to have it noticed)
    faire savoir – to let know
    faire venir – to fetch
    faire voir – to show

entendre, laisser, sentir, voir

These verbs may be used with the infinitive in a similar way:
    Elle a entendu frapper à la porte.
    Ne le laisse pas partir.
    Tu l'as vu sortir.

NOTES

Entendre dire and *entendre parler* mean 'to hear that' or 'to hear of':
    J'ai entendu dire qu'on va mettre en place de nouveaux centres d'accueil.
    J'ai entendu parler d'elle.

Perfect infinitive

The perfect infinitive means 'to have (done)':
    Je m'excuse d'avoir manqué la réunion.
    Je m'excuse d'être partie avant la fin de la réunion.
(For the use of *avoir* or *être* as the auxiliary, see examples on page 126.)

The most frequent use of the perfect infinitive is in the expression *après avoir/être* + past participle, meaning 'after having (done)' or in more natural English, 'after doing':
    Après avoir renoncé à la cocaïne, il a pu refaire sa vie.
    Après être revenue en France, elle a travaillé chez Renault.
    Après nous être levés, nous avons discuté de nos projets.
(For agreement of the past participle, see page 127.)

NOTES

The subject of the main verb must always be the same as that of the *après avoir* clause. If it is not, a different construction must be used:
    Quand il est rentré, sa sœur est sortie.

Negatives

The negative form of a verb is usually achieved by placing *ne* immediately in front of it and the second element of the negative after it. The most common negatives are:

ne … pas
ne … jamais
ne … personne
ne … plus
ne … rien

Examples:
Elle ne parle pas.
Ils ne fument jamais.
Je n'ai rien à faire.

In compound tenses, the second element is usually placed after the auxiliary verb:

Je n'ai rien fait.

This does not apply to *personne*, which is placed after the past participle:

Ils n'ont vu personne.

With reflexive verbs, *ne* is placed before the reflexive pronoun which is part of the verb:

Elles ne se sont pas dépêchées.

Jamais, personne and *rien* may be used on their own:

Qu'est-ce que tu vas manger? – Rien.

Personne and *rien* may be the subject of the verb. In that case they are placed at the beginning of the sentence, but *ne* is still required:

Personne ne sait quel sera le résultat de l'effet de serre.

Other negatives include:

ne … point
ne … guère
ne … ni … ni
ne … aucun(e)
ne … nul(le)

These last two are in fact adjectives, though their meaning dictates that they cannot be plural. Both may be the subject of the sentence, as can *ni … ni*:

Il n'y a aucune possibilité d'y aller ce soir.
Nul ne saurait nier.
Ni l'un ni l'autre ne peut me persuader.

Ne … que, meaning 'only', is not a true negative. (Contrast *il n'a pas de sœurs* with *il n'a qu'une sœur.*) Its word order does not always conform to that of other negatives since *que* is placed after the past participle in compound tenses:

Tu n'as bu qu'un verre d'eau.

NOTES

1 'Not only' is *pas seulement*.
2 To make an infinitive negative it is usual to place the two elements together in front of the infinitive:
Ils ont décidé de ne pas venir.
Il m'a conseillé de ne plus fumer.

Interrogative forms

In French there are four ways of making a sentence into a question:

1 By far the most popular, particularly in speech, is to leave the word order as it is and add a question mark (in speech, raise the voice at the end):
Statement: *L'énergie nucléaire sera importante à l'avenir.*
Question: *L'énergie nucléaire sera importante à l'avenir?*

2 Use *est-ce que*:
Est-ce qu'on a trouvé un moyen de se débarrasser des déchets?
À quelle heure est-ce qu'on se revoit?

3 Invert the verb and subject. This is straightforward when the subject is a pronoun:
Statement: *Tu es content.*
Question: *Es-tu content?*
but is more complicated if it is a noun, when the relevant subject pronoun must be added:
Statement: *Suzanne est triste.*
Question: *Suzanne est-elle triste?*

4 A specific question word such as *qui?, pourquoi?, quand?* may be used. In informal speech the verb and subject are not always inverted; in practice, and in writing, it is probably better to do so or to use *est-ce que*:

Pourquoi as-tu choisi d'aller au musée?
Quand est-ce que tes parents reviendront?

NOTES

1 When the pronoun and subject are inverted, they count as one word, so in negative sentences they are sandwiched between the two negative elements:
N'est-elle pas contente?
2 *Je* is not normally used like this, except with very short verbs such as *ai-je, suis-je, dois-je* and *puis-je*.
3 When inversion produces two consecutive vowels, *-t-* is added between them to make pronunciation easier:
Va-t-il au café?
Cherche-t-elle les documents?
4 In compound tenses the pronoun and auxiliary verb are inverted, followed by the past participle:
As-tu vu?
Êtes-vous allé?
Se sont-ils levés?

Grammaire

Tenses

For all tenses of regular and irregular verbs, see the verb tables on pages 137–151. Notes on the use and formation of tenses are given below.

Present tense

Use and meaning

The present tense expresses:
- action that is taking place at the moment of speaking;
- a fact that is universally true.

There is only one form of the present tense in French while English has three. For example, *je crois* means:
- 'I think' – the simple present, the most frequently occurring use of the tense.
- 'I am thinking' – there is no separate form of the present continuous in French (but see note 3 under Special uses below).
- 'I do think' – found almost exclusively in the negative ('I do not think') and question ('Do you think?') forms.

Formation

There are three groups (-*er*, -*ir* and -*re*) of regular verb endings and a large number of irregular verbs. For regular verbs, remove the ending from the infinitive and add the appropriate endings:

	-er	-ir	-re
je	parle	finis	vends
tu	parles	finis	vends
il/elle/on	parle	finit	vend
nous	parlons	finissons	vendons
vous	parlez	finissez	vendez
ils/elles	parlent	finissent	vendent

A number of irregular verbs can be grouped which makes them easier to learn. These groups are marked in the verb tables.

Special uses

1 In expressions of time with *depuis* and *ça fait*, the present tense is used to express 'have/has been (doing)':
Il attend son visa d'entrée depuis trois mois. – He has been waiting for his visa for three months.
(The implication here is that he is still waiting, so the present tense is used.)
Ça fait un an qu'elle travaille chez Renault. – She has been working for Renault for a year (and is still there).

2 The present tense of *venir* + *de* + the infinitive expresses 'have/has just (done)':
Nous venons de lancer un nouveau produit. – We have just launched a new product.

3 To underline the fact that someone is in the middle of doing something, the expression *être en train de* + infinitive is used:
Ils sont en train de chercher leurs papiers.

4 The present tense of *aller* is used with the infinitive (as in English) to describe an action or event that is going to happen:
Ils vont retourner en France samedi.

Perfect tense

The perfect tense in French is the one on which all other compound tenses are based.

Use and meaning

The perfect tense is used for action in the past which happened only once (or possibly twice or three times but not as a regular occurrence), and has been completed. It is also used if it is known when the action started, when it ended or how long it lasted. It translates the following:
- a simple past tense ('I found').
- a past tense with 'have' or 'has' ('he has found').
- a past tense with 'did' ('I did find', 'did you find?').

Formation

It is composed of two elements: the present tense of the auxiliary verb (*avoir* or *être*) + the past participle (*trouvé*, *fini*, *vendu*, etc). It is essential that both elements are included.

To form the past participle:
- -*er* verbs: take off the -*er* and replace with -*é*;
- -*ir* verbs: take off the -*ir* and replace with -*i*;
- -*re* verbs: take off the -*re* and replace with -*u*.

See the verb tables on pages 137–151 for the many verbs that have an irregular past participle.

Most verbs use *avoir* as their auxiliary; the past participle usually remains unchanged (but see below).

j'ai cherché	nous avons entendu
tu as bu	vous avez cru
il a ouvert	ils ont fini
elle a fait	elles ont voulu

Although there is usually no agreement of the past participle of verbs taking *avoir*, if the verb has a direct object, and if that direct object precedes the verb, the past participle agrees with the direct object. There are three types of sentences in which this may occur:
- If there is a preceding direct object pronoun:
Tu as vu ta mère? – Oui, je l'ai vue hier.

- With the relative pronoun *que*:
  Les articles que nous avons commandés ne sont pas encore arrivés.
- In questions after *quel?* and *combien?*:
  Combien d'affiches a-t-il achetées?

The following verbs use *être* to form their perfect tense:

aller	*partir*
arriver	*rester*
descendre	*retourner*
entrer	*sortir*
monter	*tomber*
mourir	*venir*
naître	

as do their compound forms (*revenir, devenir, rentrer*, etc).

The past participle of verbs using *être* as their auxiliary agrees with the subject:

je suis allé(e)	*nous sommes descendu(e)s*
tu es venu(e)	*vous êtes arrivé(e)(s)*
il est entré	*ils sont restés*
elle est montée	*elles sont retournées*

NOTE

Verbs taking *être* are intransitive, i.e. they do not have an object. However, *descendre, monter, (r)entrer* and *sortir*, with a slightly different meaning, may be used with an object; in this case they use *avoir* as their auxiliary, and agreement of the past participle conforms to the rules for verbs taking *avoir*.

    Il a monté les valises. – He brought up the cases.
    As-tu descendu la chaise? – Oui, je l'ai descendue.

Reflexive verbs also use *être* to form their perfect tense. Agreement is with the subject:

je me suis fâché(e)	*nous nous sommes couché(e)s*
tu t'es baigné(e)	*vous vous êtes reposé(e)(s)*
il s'est promené	*ils se sont réveillés*
elle s'est sauvée	*elles se sont débrouillées*

NOTE

If the reflexive pronoun is not the direct object there is no agreement. This is often the case with a verb that is not usually reflexive.

    Ils se sont parlé. – They spoke to each other.
    Elle s'est demandé. – She wondered. (Literally, she asked herself: *demander à*.)

Imperfect tense (imparfait)

Use and meaning

The imperfect tense is used for:
- Past action that was unfinished ('was/were doing'):
  Il se promenait vers le café quand il a vu son copain.
- Habitual or repeated action in the past ('used to (do)'):
  Elle prenait le train tous les jours pour aller au travail.
- Description in the past:
  Les oiseaux chantaient; elle était triste; il avait les yeux bleus.

Certain words and phrases indicate that the imperfect tense may be needed. These include:

chaque semaine	*régulièrement*
d'habitude	*souvent*
le samedi	*toujours*

NOTES

Sometimes in English habitual action is expressed by 'would'; 'every day he would get up at six o'clock'. In French the imperfect tense must be used.

Formation

Remove *-ons* from the *nous* part of the present tense, and replace it with the following endings:

je	-ais
tu	-ais
il/elle/on	-ait
nous	-ions
vous	-iez
ils/elles	-aient

The only exception to this is the verb *être* (see page 162).

Special uses

1 *Depuis* is used with the imperfect tense to express 'had been (doing)':
  Ils jouaient au tennis depuis une demi-heure. – They had been playing tennis for half an hour (and were still doing so, the action was unfinished).
2 The imperfect tense of *venir* + *de* + infinitive is translated as 'had just (done)':
  Il venait d'arriver. – He had just arrived.

Future tense (future)

Use and meaning

The future tense means 'shall (do)' or more often 'will (do)' or 'will be (doing)'.

NOTES

'Will you' is sometimes translated by the present tense of *vouloir*, if it means 'are you willing to?', or if it is a request: *veux-tu fermer la porte?*.

Formation

The following endings are added to the future stem which for regular verbs is the infinitive (-*re* verbs drop the *e*):

je	-ai
tu	-as
il/elle/on	-a
nous	-ons
vous	-ez
ils/elles	-ont

Many verbs have an irregular future stem (see verb tables on page 137).

Special use

When the future tense is implied or understood, it must be used in French, although English prefers the present tense:

> *Je te téléphonerai quand je rentrerai au bureau.* – I'll ring you when I get back to the office.

Words and phrases that may indicate the need for a future tense include:

après que	*dès que*
aussitôt que	*lorsque, quand*

Note that this does not apply to sentences and clauses starting with *si*, in which the tense is always the same as in English.

Conditional (conditionnel)

The conditional is sometimes known as the 'future in the past' because it expresses the future from a position in the past.

Use and meaning

The conditional means 'should', or more often 'would (do)'. It is frequently used in indirect (reported) speech and in the main part of the sentence following a *si* clause whose verb is in the imperfect tense:

> *J'ai dit que je vous retrouverais.* – I said I would meet you.
> *Si je venais demain nous pourrions y aller ensemble.* – If I came tomorrow we would be able to go together.

Because there is an element of the future in it, the conditional is sometimes required to translate a past tense following *quand*, etc:

> *Le patron m'a demandé d'aller le voir quand je serais libre.* – The boss asked me to go and see him when I was free.

The conditional is also the tense of politeness:

> *Auriez-vous la bonté de m'envoyer…* – Would you be kind enough to send me …

Formation

The endings of the imperfect tense are added to the future stem:

je voudr**ais**	nous finir**ions**
tu ser**ais**	vous ir**iez**
il enverr**ait**	ils pourr**aient**

NOTE

To express 'should' in the sense of 'ought to', the conditional tense of *devoir* must be used:

> *Nous devrions nous occuper des SDF.*

Compound tenses

These tenses include the future perfect (*futur antérieur*), the conditional perfect (*conditionnel passé*) and the pluperfect (*plus-que-parfait*). Agreement of the past participle in every case is exactly the same as for the perfect tense. If a verb uses *être* to form its perfect tense, it also does so in the other compound tenses.

Future perfect tense (futur antérieur)

Use and meaning

The future perfect tense means 'shall have (done)' or, more usually 'will have (done)'. As its name suggests, there is an element of both future and past in its meaning:

> *Quand tu rentreras, j'aurai rangé ma chambre.* – By the time you get home I will have tidied my room.

As with the future tense, the future perfect is used when the future is implied but not stated in English, usually when the main part of the sentence is in the future. In this case it means 'have/has (done)':

> *Nous vous ferons savoir dès que nous aurons pris une décision.* – We'll let you know as soon as we have reached a decision.

Formation

The future tense of the auxiliary verb + the past participle.

Examples:

*   *avoir* verbs:
    j'aurai envoyé, il aura écrit, nous aurons entendu, elles auront fini.
*   *être* verbs:
    tu seras revenu(e), vous serez arrivé(e)(s), ils seront retournés.
*   reflexive verbs:
    elle se sera baignée, nous nous serons levé(e)s, ils se seront couchés.

Conditional perfect (conditionnel parfait)

Use and meaning

The conditional perfect tense is used more frequently than the future perfect. It means 'would have (done)'. Its uses are very similar to those of the conditional; it is often required in the main part of the sentence linked with a *si* clause and when a future idea is implied:
> *S'il avait cessé de pleuvoir nous aurions joué au tennis.*
> *Tu m'as dit que tu reviendrais quand tu aurais trouvé tes papiers* (when you had found your papers).

Formation

The conditional of the auxiliary verb + the past participle.

Examples:

*   *avoir* verbs:
    j'aurais cherché, elle aurait réussi, ils auraient pu.
*   *être* verbs:
    tu serais arrivé(e), nous serions entré(e)s, elles seraient venues.
*   reflexive verbs:
    il se serait reposé, vous vous seriez dépêché(e)(s).

NOTE

The conditional perfect tense of *devoir* means 'ought to have' or 'should have':
> *Tu aurais dû partir plus tôt.* – You ought to have left earlier.

Pluperfect tense (plus-que-parfait)

Use and meaning

The pluperfect tense means 'had (done)'. It refers to an action or state that happened before something else in the past tense, i.e. it is one step further back in the past:
> *Quand je suis arrivé à l'aéroport l'avion avait déjà atterri.*

Formation

The imperfect tense of the auxiliary verb + the past participle.

Examples:

*   *avoir* verbs:
    j'avais trouvé, il avait réussi, nous avions pris.
*   *être* verbs:
    tu étais allé(e), elle était rentrée, ils étaient sortis.
*   reflexive verbs:
    il s'était occupé, vous vous étiez sauvé(e)(s), elles s'étaient retrouvées.

NOTES

1   The pluperfect is sometimes used in French where English uses a simple past tense:
    Je vous l'avais bien dit. – I told you so.
2   The use of the pluperfect is becoming less common in English, particularly in speech. It should still, however, be used in French.

Grammaire

Past historic (passé simple)

Use and meaning

This is a formal tense: it is found mainly in literary works and in some formal articles, and it is used for narration. It must be recognised but the A-level student should not need to use it. It has the meaning of a simple past tense and is the formal equivalent of the perfect tense to describe completed actions in the past. It does not mean 'have/has (done)', for which the perfect tense is used. Examples of *tu* or *vous* forms are found only in older literature.

Formation

There are three groups of endings:

*   *-er* verbs

je	-ai
il/elle/on	-a
nous	-âmes
ils/elles	-èrent

*   *-ir, -re* and some irregular verbs:

je	-is
il/elle	-it
nous	-îmes
ils/elles	-irent

*   other irregular verbs:

je	-us
il/elle	-it
nous	-ûmes
ils/elles	-urent

For verbs which have an irregular past historic, including *venir*, see the verb tables on pages 137–151.

Passive

Use and meaning

To understand the passive, it is necessary to understand the difference between the subject and object of the verb.

In the sentence 'The secretary writes the letters', the verb 'writes' is an active verb: it is the secretary who is doing the action. To make the verb passive, the letter, which is currently the direct object, must be made into the subject but the meaning of the sentence must remain the same – 'The letters are written by the secretary'. The verb 'are written' is therefore in the passive form.

Formation

The formation of the passive in French is very straightforward. The appropriate tense of *être* is used, + the past participle which agrees with the subject.

*   Present tense: *Les lettres sont écrites par le secrétaire.*
*   Perfect: *Le projet a été conçu il y a deux ans* ('was devised').
*   Imperfect: *Dans les années 60 les trains étaient utilisés davantage* ('were used').
*   Future: *Le centre sera ouvert par le président* ('will be opened').
*   Conditional: *Il a dit que de nouvelles méthodes seraient employées* ('would be used').
*   Future perfect: *Le travail aura été fini* ('will have been finished').
*   Conditional perfect: *La décision aurait été prise plus tôt* ('would have been taken').
*   Pluperfect: *Les raisons avaient été oubliées* ('had been forgotten').

NOTES

1   The use of *être* to form the passive must not be confused with the use of *être* as the auxiliary verb.
2   Verbs that take *être* to form their compound tenses cannot be made passive, as they do not have a direct object.

Avoiding the passive

French tends to avoid the passive wherever possible; there are two main ways of doing this:

*   By using *on* (this is only possible when the action can be performed by a person, and when it is not known – or stated – precisely who that person is):
    On t'a vu au concert. – You were seen at the concert.
    On m'a demandé de remplir une fiche. – I was asked to fill in a form.
    Note that the best way of translating *on* into English is often by using the passive.
*   By using a reflexive verb:
    Nos articles se vendent partout en Europe. – Our products are sold everywhere in Europe.

NOTE

Since the passive can only be used with sentences which contain a direct object, it cannot be used with verbs that are followed by *à* + person since these verbs take an indirect object. The sentence 'She is not allowed to go to the cinema on her own' could therefore not be translated into French using the passive because *permettre* is followed by *à*. Another way of expressing it must be found. This might be:
    On ne lui permet pas d'aller au cinéma toute seule.
    Another possibility, though rather formal, is:
    La permission ne lui est pas accordée d'aller au cinéma toute seule.

Imperative

The imperative is used to give commands or to suggest that something be done.

To form the imperative, use the *tu*, *nous* or *vous* forms of the present tense without the subject pronoun. With *-er* verbs, the final *-s* is omitted from the *tu* form:

	-er	-ir	-re
(tu)	regarde	finis	descends
(nous)	regardons	finissons	descendons
(vous)	regardez	finissez	descendez

There are some irregular forms:
aller – va, allons, allez
avoir – aie, ayons, ayez
être – sois, soyons, soyez
savoir – sache, sachons, sachez

With reflexive verbs, the reflexive pronouns must be retained. It comes after the verb with a hyphen. Note that *te* becomes *toi*:

Assieds-toi!   Arrêtons-nous!   Amusez-vous!

For the order of pronouns with the imperative, see page 121.

The *il/elle/ils/elles* forms of the imperative ('may he', 'let them', etc.) are provided by the subjunctive.

Elle n'aime pas le vin? Alors, qu'elle boive de l'eau!
Vive la liberté!

NOTES

A very polite command may be expressed by using the infinitive. This is usually found only in public notices:

S'adresser au concierge. – Please see the caretaker.

Present participle

The present participle is formed from the *nous* form of the present tense; remove the *-ons* ending and replace it by *-ant*:
(nous) parlons → parlant
(nous) finissons → finissant
(nous) attendons → attendant

There are some irregulars:
avoir → ayant
être → étant
savoir → sachant

The most common use of the present participle is with *en*, when it means 'by (doing)', 'on (doing)' or 'while (doing)':

En travaillant dur, elle a réussi.
En ouvrant la porte, elle a vu le PDG.
On ne peut pas faire le ménage en regardant la télévision.

The spelling of the participle does not change and the subject of the participle must be the same as that of the main verb.

The participle may sometimes be used without *en*:

Se rendant compte qu'il avait oublié sa carte, il est rentré chez lui. – Realising that he had forgotten his map, he went back home.

NOTES

1 If the present participle is used purely as an adjective, it must agree with the noun it is describing:
une maison impressionnante
2 The reflexive pronoun changes according to the subject:
Me levant tôt, je suis allé au bureau à pied.
3 French often prefers to use a relative clause where English uses a present participle:
Il a vu son collègue qui entrait dans le bureau. – He saw his colleague coming into the office.
This may also be expressed by an infinitive:
Il a vu son collègue entrer dans le bureau.

Subjunctive

The ability to use the subjunctive is essential at A-level. Some of its applications are more widespread than others, and it is easy to learn a few of the expressions in which the subjunctive is required and thereby improve one's style. As far as tenses are concerned, modern French generally uses the present, and the perfect is quite often needed. The imperfect and pluperfect subjunctives should be recognised, but not used, at A-level.

Uses

The categories of expression listed below are followed by a verb in the subjunctive. It is worth remembering that the subjunctive is almost always introduced by *que*.

Wishing and feeling

For example:

aimer (mieux) que	préférer que
avoir peur que	regretter que
avoir honte que	souhaiter que
comprendre que	vouloir que
être content que	c'est dommage que
craindre que	il est temps que
désirer que	il vaut mieux que
s'étonner que	

Examples:
Je veux que vous m'accompagniez à la conférence.
Il s'étonne que tu viennes régulièrement.

Grammaire

NOTES

1 *Avoir peur que* and *craindre que* both need *ne* before the subjunctive:
J'ai peur qu'il ne se trompe.
2 There is no need to use the subjunctive if the subject of both halves of the sentence is the same. In that case, the infinitive should be used:
Nous regrettons de ne pas pouvoir expédier les articles.

Possibility and doubt

il est possible que
il se peut que (**but not** *il est probable que*)
il est impossible que
il n'est pas certain que
il semble que (**but not** *il me semble que*)
douter que

Examples:

Il semble qu'il y ait une amélioration de la condition féminine.
Je doute qu'il vienne.

NOTES

The subjunctive is used after *croire* and *penser* only when they are in the negative or question forms, so that there is an element of doubt:
Je crois que les femmes ont maintenant les chances égales.
Je ne crois pas que les toxicomanes puissent être facilement guéris.
Penses-tu qu'ils veuillent venir aux centres de réinsertion?

Necessity

Il faut que
Il est nécessaire que

Example:

Il faut que vous renonciez au tabac.

After particular conjunctions

à condition que	*jusqu'à ce que*
afin que	*pour que*
à moins que	*pourvu que*
avant que	*quoique*
bien que	*sans que*
de peur que	

Examples:

Bien que les problèmes de l'adolescence soient grands, on finira par se débrouiller.
Je t'expliquerai pour que tu comprennes les raisons.

NOTES

1 *À moins que* and *de peur que* (and sometimes *avant que*) also require *ne* before the subjunctive.
2 French often avoids the subjunctive by using a noun: *avant sa mort* ('before his/her death').

Talking, commanding, allowing and forbidding

défendre que	*exiger que*
dire que	*ordonner que*
empêcher que	*permettre que*

Examples:

Vous permettez que j'aille au concert?

NOTES

Empêcher also requires *ne* before the subjunctive.

Superlative, negative and indefinite expressions

(Superlatives include *le premier*, *le dernier* and *le seul*.)

Examples:

C'est le roman le plus intéressant que j'aie jamais lu.
Il n'y a personne qui me comprenne.

Whoever, whatever, etc.

où que
quel que
qui que
quoi que

Examples:

D'habitude nos parents nous aiment quoi que nous faisons.
Quels que soient les problèmes, vous réussirez à les résoudre.

Imperative

Used for the third person of the command (see page 131).

Present subjunctive

Formation

The present subjunctive is formed by removing *-ent* from the *ils* form of the present tense and replacing it with the following endings:

je	-e	nous	-ions
tu	-es	vous	-iez
il/elle/on	-e	ils/elles	-ent

Examples:

je mette	*nous disions*
tu vendes	*vous écriviez*
il finisse	*ils ouvrent*

Irregular subjunctives (see the verb tables on pages 137–151) are:

aller	*pouvoir*
avoir	*savoir*
être	*vouloir*
faire	

In addition the following verbs change in the *nous/vous* parts to a form that is exactly the same as that of the imperfect tense. These include:

appeler (+ group – see page 138)

boire	*prendre* (+ compounds – see page 144)
croire	*recevoir* (+ group – see page 144)
devoir	*tenir*
envoyer	*venir*
jeter	*voir*
mourir	

Examples:

je boive	*nous buvions*
tu boives	*vous buviez*
il boive	*ils boivent*

Perfect subjunctive

This is used in all the categories of expression listed above when a past tense is required.

Formation

The subjunctive of the auxiliary verb + the past participle, which conforms to the usual rules of agreement.

> *Il est possible qu'elle soit déjà arrivée.*
> *Bien que nous ayons pris un taxi, nous sommes arrivés en retard.*

Imperfect subjunctive

This is rarely seen in French now. There are three groups of endings, which are directly linked to those of the past historic tense.

Past historic verbs in *-ai*: *-asse, -asses, -ât, -assions, -assiez, -assent*

Past historic verbs in *-is*: *-isse, -isses, -ît, -issions, -issiez, -issent*

Past historic verbs in *-us*: *-usse, -usses, -ût, -ussions, -ussiez, -ussent*

The only exceptions are *venir* and *tenir*: *vinsse, vinsses, vînt, vinssions, vinssiez, vinssent*.

The most useful forms of the imperfect subjunctive to recognise are those of *avoir* and *être*, which are used to form the pluperfect subjunctive:

> *quoiqu'il eû décidé; à condition qu'il fût parti*

Indirect speech

Care should be taken to use the correct tense in indirect (reported) speech. The tense in the second half of the sentence is linked to that of the 'saying' verb and is the same as in English:

* Direct speech:
  J'irai au match avec toi. – I will go to the match with you.
* Indirect speech:
  Il dit qu'il ira au match avec moi. – He says that he will go to the match with me.
  Il a dit qu'il irait au match avec moi. – He said he would go to the match with me.

* Direct speech:
  Les marchandises ont été expédiées. – The goods have been sent.
* Indirect speech:
  La compagnie nous a informés que les marchandises ont été expédiées.
  – The company has informed us that the goods have been sent.

* Direct speech:
  Avez-vous jamais rencontré quelqu'un qui souffre du sida? – Have you ever met someone who has Aids?
* Indirect speech:
  Il nous a demandé si nous avions jamais rencontré quelqu'un qui souffrait du sida. – He asked us if we had ever met anyone who had Aids.

NOTE

Although 'that' may be omitted in English, *que* must always be included in French.

Inversion

The subject and verb should be inverted in the following circumstances:

* After direct speech:
  «Je ne peux pas supporter cette situation,» ai-je dit.
  «Ne t'en fais pas,» a-t-elle répondu.

* After question words (see also interrogative forms on page 125):
  De quelle façon t'a-t-on accueilli?
  If the subject is a noun, it is placed before the inverted verb + appropriate pronoun:
  Pourquoi les femmes ne sont-elles pas contentes de leur situation?

* After expressions such as *à peine, aussi* (meaning 'and so'), *en vain, peut-être* and *sans doute*:
  Elle avait besoin d'argent, aussi a-t-elle demandé des allocations supplémentaires.
  Sans doute devrons-nous utiliser d'autres sources d'énergie.
  Peut-être les autorités pourront-elles trouver une autre solution.

NOTES

1   In the case of *peut-être*, inversion may be avoided by the use of *que*:
    Peut-être que les autorités pourront trouver une autre solution.
    or by placing *peut-être* at the end of the sentence or clause:
    Les autorités pourront trouver une autre solution, peut-être.
2   Inversion is not required after *jamais* and *non seulement* when they start a sentence, although it is needed in English:
    Jamais je n'ai entendu parler d'une telle chose. – Never have I heard of such a thing.

Good French style requires inversion in the following types of sentence involving *ce que*, *que* and *où*:
    Ils n'ont pas compris ce que disait le directeur.
    Vous savez où se trouve la rue de la République?
    Voilà le petit garçon que cherchaient ses parents.

Particular care must be taken in translating sentences of this last type, since *que* could be confused with *qui* and the meaning of the sentence changed.

Prepositions

Prepositions show the relation of a noun or pronoun to another word. They include such words as *à, de, dans, sur*, etc. It would be impossible to list all the uses of such words here, and the best advice is to consult a good dictionary and make a note of useful phrases as vocabulary items.

French use of prepositions sometimes differs from that of English. A few of the most important variations and meanings of well-known prepositions that are not mentioned elsewhere in this grammar section are listed below.

à – usually 'to' or 'at' but may mean 'in' (*à mon avis, à la main*), 'from' (*à ce que tu dis*), 'by' (*je l'ai reconnue à sa voix*), 'away' (*la maison est à 2 km*).

chez – usually 'at the house of'; may have the more general meaning of 'with' or 'among' groups of people or animals: *l'agression est-elle normale chez les humains?* and 'in the works of': *chez Anouilh, le héros a toujours un conflit à résoudre.*

dans – used for time at the end of which something happens: *je vous verrai dans deux jours* ('in two days' time').

de – usually 'of' or 'from', but may mean 'in'; *de nos jours, de cette façon, d'une voix faible.*

depuis – usually 'since' but may mean 'from': *depuis Lyon jusqu'à Marseille.* (See also present and imperfect tenses pages 126 and 127.)

devant – required in French after *passer* when the object being passed does not move (usually a building): *vous devez passer devant la mairie.*

en – usual meanings include 'in', 'to' (feminine countries), 'by' (methods of transport), 'into' (*traduisez en anglais*). Used for time taken: *j'y voyagerai en deux heures.* May also mean 'as': *en ami* – 'as a friend', *en tant que maire* – 'in his rôle as mayor'.

entre – usually 'between' or 'among'; may mean 'in': *entre les mains de la police.*

par – usually 'by'; may mean 'out of': *il l'a fait par pitié*, and 'per': *deux fois par an.* Note also *par ici* – 'this way', and *par un temps pareil* – 'in weather like this'.

pendant – usually 'during' or 'for', used with present or past tenses but not with the future. May sometimes be omitted without changing the meaning: *j'ai habité là (pendant) six mois.*

pour – 'for'; used with time in the future: *j'irai en France pour deux semaines. Pour* is not required with *payer* (for the item that has been bought: *tu as payé les réparations?*) or with *chercher: je l'ai cherché partout.* Note also: *vous en avez pour deux heures* – you have enough (to keep you occupied) for two hours.

sous – usually means 'under', but may mean 'in': *j'aime marcher sous la pluie/le neige* (logically, 'under' because the rain or snow is coming from overhead). Also *sous le règne de Louis XVI.*

sur – usually 'on' but may mean 'towards': *il a attiré l'attention sur lui*; 'by': *sur invitation, 5 mètres sur 4 mètres*; and 'out of': *neuf sur dix.*

vers – usually 'towards' but may mean 'about' with expressions of time: *vers trois heures.* 'Towards' linked with attitude is *envers: je ne peux pas supporter son attitude envers moi.*

NOTE

1   A preposition must be repeated before a second noun:
    Il a dit bonjour à sa sœur et à ses parents.
2   When something is being taken away from somewhere, e.g. he picked the book up from the table – French uses the preposition for the place where the item originally was:
    Il a pris le livre sur la table.
    Je buvais du thé dans une grande tasse.

Conjunctions

Conjunctions are used to join sentences or clauses, or words within those sentences and clauses. At the simplest level words such as *et*, *mais*, *ou*, *car*, *quand* and *donc* are conjunctions; so are *comme*, *quand*, *si* and various prepositions used with *que* such as *pendant que*, *aussitôt que* and *après que*. Some of these have already been considered elsewhere in these pages; specific points concerning others are listed below:

car – 'for' in the sense of 'because/as'. It is used more than the English 'for' with this meaning, but less than 'because' as it is not usually an appropriate alternative to *parce que* in answering a question. Compare the following sentences:

> *Il est venu de bonne heure, car il voulait aider à préparer le repas.*
> *Pourquoi est-il venu de bonne heure? Parce qu'il voulait aider à préparer le repas.*

puisque – 'since' in the sense of 'because'. It must not be confused with *depuis* (see present and imperfect tenses on pages 126 and 127):

> *Puisque tu le veux, nous irons au café.*

pendant que – this means 'while' when two actions are taking place at the same time, with no sense of contrast or conflict:

> *Il lisait pendant que je faisais la vaisselle.*

tandis que – 'while', 'whilst' or 'whereas'; includes the idea of contrast:

> *Lui, il lisait tandis que moi, je faisais la vaisselle.*

alors que – also means 'while', 'whilst' or 'whereas', but has a stronger sense than *tandis que*:

> *Alors que moi, je porte des bagages, toi tu restes là sans rien faire.*

si – may mean 'whether'. In this case, the verb in French is in the same tense as in English:

> *Je me demandais s'il arriverait à temps.*

When *si* means 'if', the tenses used are as follows:

- *si* + present tense – main verb in future tense:
  Si nous gagnons, nous serons contents.
- *si* + imperfect tense – main verb in conditional:
  Si nous gagnions, nous serions contents.
- *si* + pluperfect tense – main verb in conditional perfect:
  Si nous avions gagné, nous aurions été contents.

NOTES

When *avant que*, *bien que*, *comme*, *lorsque* and *quand* introduce two consecutive clauses, the second clause is introduced by *que*:

> *Avant que les enfants aillent au lit et que nos amis arrivent …*

Numbers

It is usually acceptable to write high numbers in figures rather than words. When it is necessary to write numbers in full, remember the following:

- *vingt* as part of *quatre-vingt* has *-s* only if it is exactly eighty:
  80 – *quatre-vingts*; 93 – *quatre-vingt-treize*
- *cent* is similar:
  300 – *trois cents*; 432 – *quatre cent trente-deux*

Approximate numbers are expressed as follows:

- By the use of *à peu près*, *vers* or *environ*:
  à peu près quinze; *vers dix heures*
- In the case of 10, 12, 20, 30, 40, 50, 60 and 100, by adding *-aine* and making the number into a noun (final *-e* is dropped first):
  une douzaine (de); *des centaines (de)*
- For larger numbers, by using the nouns *millier(s)*, *million(s)* and *milliard(s)*.

Ordinal numbers

'First' is *premier/première*; 'second' is *second* or *deuxième*; then add *-ième* to the cardinal number, making appropriate adjustments to spelling:

> *quatrième*, *cinquième*, etc.

NOTES

'Twenty-first' is *vingt et unième*.

Fractions

un quart – a quarter
un tiers – a third
trois quarts – three quarters
demi – 'half' as an adjective:

> *midi et demi* but *trois heures et demie* (*midi* is masculine, *heure* is feminine).

la moitié – 'half' as a noun

For other fractions, add *-ième* as with ordinal numbers:

trois cinquièmes, *un huitième*, etc.

Note that the definite article should be used before fractions:

> *J'ai déjà lu la moitié du livre.*
> *Les trois quarts de son œuvre son bien connus.*

Dimension

There are two ways of expressing length, breadth and height:

- *avoir* + dimension + *de* + masculine form of adjective:
  La pièce a cinq mètres de long.
- *être* + adjective (agrees) + *de* + dimension:
  La pièce est longue de cinq mètres.

Time

Note that the days of the week and months of the year are all masculine.

The definite article is used with the following expressions of time:

- To express a regular action:
  Je sors avec mes copains le samedi. – I go out with my friends on Saturdays.
  The definite article is omitted if the action is not regular:
  Je travaille samedi. – I'm working on Saturday.
- With times of the day:
  Elle a visité sa tante le matin. – She visited her aunt in the morning.
- With *prochain* or *dernier* (week, month, year):
  Je pars en Espagne l'année prochaine.
- With dates:
  C'est aujourd'hui samedi le six février. – It's Saturday the 6th of February today.

Note the translation of 'when' with the article:
- definite article + *où*:
  Le moment où je me suis rendu compte …
- indefinite article *que*:
  Un soir que je travaillais dans le jardin …

Note that *après-midi* may be masculine or feminine. It has no plural form.

an/année; jour/journée; matin/matinée; soir/soirée

The distinction between these is not always easy to grasp and has in any case become blurred over time. Theoretically the longer feminine forms are used when the whole of the time is being considered:
  J'ai passé la matinée à faire du lèche-vitrines. – I spent the morning window-shopping.

The best advice is probably to learn certain expressions by heart:
  cette année; ce jour-là; la veille au soir.

VERB TABLES

NOTE: Only the present tense (indicative and subjunctive) is given in full. For complete endings and formation of compound tenses (pluperfect, future perfect and conditional perfect), refer to page 128.

Regular verbs

Present	Perfect	Imperfect	Future	Conditional	Past historic	Present subjunctive	Present participle
-er group							
je trouve	j'ai trouvé	je trouvais	je trouverai	je trouverais	je trouvai	je trouve	trouvant
tu trouves						tu trouves	
il trouve						il trouve	
nous trouvons						nous trouvions	
vous trouvez						vous trouviez	
ils trouvent						ils trouvent	
-ir group							
je finis	j'ai fini	je finissais	je finirai	je finirais	je finis	je finisse	finissant
tu finis						tu finisses	
il finit						il finisse	
nous finissons						nous finissions	
vous finissez						vous finissiez	
ils finissent						ils finissent	
-re group							
je vends	j'ai vendu	je vendais	je vendrai	je vendrais	je vendis	je vende	vendant
tu vends						tu vendes	
il vend						il vende	
nous vendons						nous vendions	
vous vendez						vous vendiez	
ils vendent						ils vendent	

Grammaire

Regular verbs with spelling changes

Present	Perfect	Imperfect	Future	Conditional	Past historic	Present subjunctive	Present participle
acheter group (includes *geler, lever, mener, peser, semer*) – grave accent before a silent syllable							
j'achète	j'ai acheté	j'achetais	j'achèterai	j'achèterais	j'achetai	j'achète	achetant
tu achètes						tu achètes	
il achète						il achète	
nous achetons						nous achetions	
vous achetez						vous achetiez	
ils achètent						ils achètent	

Present	Perfect	Imperfect	Future	Conditional	Past historic	Present subjunctive	Present participle
appeler group (includes *épeler, jeter*) – double consonant before a silent syllable.							
j'appelle	j'ai appelé	j'appelais	j'appellerai	j'appellerais	j'appelai	j'appelle	appelant
tu appelles						tu appelles	
il appelle						il appelle	
nous appelons						nous appelions	
vous appelez						vous appeliez	
ils appellent						ils appèlent	

Present	Perfect	Imperfect	Future	Conditional	Past historic	Present subjunctive	Present participle
nettoyer group (includes verbs ending in *-ayer* and *-uyer*) *-y* changes to *-i* before a silent syllable.							
je nettoie	j'ai nettoyé	je nettoyais	je nettoierai	je nettoierais	je nettoyai	je nettoie	nettoyant
tu nettoies						tu nettoies	
il nettoie						il nettoie	
nous nettoyons						nous nettoyions	
vous nettoyez						vous nettoyiez	
ils nettoient						ils nettoient	

NOTE Verbs in *-ayer* may have *y* instead of *i*.

Present	Perfect	Imperfect	Future	Conditional	Past historic	Present subjunctive	Present participle
espérer group (includes *céder, préférer, régler, révéler*) – acute accent changes to grave accent before a silent syllable, but not in the future or conditional tenses.							
j'espère	j'ai espéré	j'espérais	j'espérerai	j'espérerais	j'espérai	j'espère	espérant
tu espères						tu espères	
il espère						il espère	
nous espérons						nous espérions	
vous espérez						vous espériez	
ils espèrent						ils espèrent	

NOTE Verbs ending in *-cer* and *-ger* require a slight modification before *a*, *o* and *u* for pronunciation purposes: *nous commençons, nous déménageons, elle lançait, il commença, j'aperçus.*

Reflexive verbs

Present	Perfect	Imperfect	Future	Conditional	Past historic	Present subjunctive	Present participle

se laver

Present	Perfect	Imperfect	Future	Conditional	Past historic	Present subjunctive	Present participle
je me lave	je me suis lavé(e)	je me lavais	je me laverai	je me laverais	je me lavai	je me lave	(se) lavant
tu te laves						tu te laves	
il se lave						il se lave	
nous nous lavons						nous nous lavions	
vous vous lavez						vous vous laviez	
ils se lavent						ils se lavent	

Irregular verbs in frequent use

aller – to go

Present	Perfect	Imperfect	Future	Conditional	Past historic	Present subjunctive	Present participle
je vais	je suis allé(e)	j'allais	j'irai	j'irais	j'allai	j'aille	allant
tu vas						tu ailles	
il va						il aille	
nous allons						nous allions	
vous allez						vous alliez	
ils vont						ils aillent	

avoir – to have

Present	Perfect	Imperfect	Future	Conditional	Past historic	Present subjunctive	Present participle
j'ai	j'ai eu	j'avais	j'aurai	j'aurais	j'eus	j'aie	ayant
tu as						tu aies	
il a						il ait	
nous avons						nous ayons	
vous avez						vous ayez	
ils ont						ils aient	

battre – to beat

Present	Perfect	Imperfect	Future	Conditional	Past historic	Present subjunctive	Present participle
je bats	j'ai battu	je battais	je battrai	je battrais	je battis	je batte	battant
tu bats						tu battes	
il bat						il batte	
nous battons						nous battions	
vous battez						vous battiez	
ils battent						ils battent	

Grammaire

Present	Perfect	Imperfect	Future	Conditional	Past historic	Present subjunctive	Present participle

boire – to drink

Present	Perfect	Imperfect	Future	Conditional	Past historic	Present subjunctive	Present participle
je bois	j'ai bu	je buvais	je boirai	je boirais	je bus	je boive	buvant
tu bois						tu boives	
il boit						il boive	
nous buvons						nous buvions	
vous buvez						vous buviez	
ils boivent						ils boivent	

conduire – to drive

Present	Perfect	Imperfect	Future	Conditional	Past historic	Present subjunctive	Present participle
je conduis	j'ai conduit	je conduisais	je conduirai	je conduirais	je conduisis	je conduise	conduisant
tu conduis						tu conduises	
il conduit						il conduise	
nous conduisons						nous conduisions	
vous conduisez						vous conduisiez	
ils conduisent						ils conduisent	

NOTE Verbs such as *détruire* and *construire* are formed in the same way.

connaître – to know (a person or place)

Present	Perfect	Imperfect	Future	Conditional	Past historic	Present subjunctive	Present participle
je connais	j'ai connu	je connaissais	je connaîtrai	je connaîtrais	je connus	je connaisse	connaissant
tu connais						tu connaisses	
il connaît						il connaisse	
nous connaissons						nous connaissions	
vous connaissez						vous connaissiez	
ils connaissent						ils connaissent	

NOTE *apparaître* and *paraître* are formed in the same way.

courir – to run

Present	Perfect	Imperfect	Future	Conditional	Past historic	Present subjunctive	Present participle
je cours	j'ai couru	je courais	je courrai	je courrais	je courrus	je coure	courant
tu cours						tu coures	
il court						il coure	
nous courons						nous courions	
vous courez						vous couriez	
ils courent						ils courent	

Present	Perfect	Imperfect	Future	Conditional	Past historic	Present subjunctive	Present participle

craindre – to fear

Present	Perfect	Imperfect	Future	Conditional	Past historic	Present subjunctive	Present participle
je crains	j'ai craint	je craignais	je craindrai	je craindrais	je craignis	je craigne	craignant
tu crains						tu craignes	
il craint						il craigne	
nous craignons						nous craignions	
vous craignez						vous craigniez	
ils craignent						ils craignent	

NOTE Verbs ending in *-eindre* and *-oindre* are formed in the same way.

croire – to think, believe

Present	Perfect	Imperfect	Future	Conditional	Past historic	Present subjunctive	Present participle
je crois	j'ai cru	je croyais	je croirai	je croirais	je crus	je croie	croyant
tu crois						tu croies	
il croit						il croie	
nous croyons						nous croyions	
vous croyez						vous croyiez	
ils croient						ils croient	

devoir – to have to (must)

Present	Perfect	Imperfect	Future	Conditional	Past historic	Present subjunctive	Present participle
je dois	j'ai dû	je devais	je devrai	je devrais	je dus	je doive	devant
tu dois						tu doives	
il doit						il doive	
nous devons						nous devions	
vous devez						vous deviez	
ils doivent						ils doivent	

dire – to say, tell

Present	Perfect	Imperfect	Future	Conditional	Past historic	Present subjunctive	Present participle
je dis	j'ai dit	je disais	je dirai	je dirais	je dis	je dise	disant
tu dis						tu dises	
il dit						il dise	
nous disons						nous disions	
vous dites						vous disiez	
ils disent						ils disent	

dormir – to sleep

Present	Perfect	Imperfect	Future	Conditional	Past historic	Present subjunctive	Present participle
je dors	j'ai dormi	je dormais	je dormirai	je dormirais	je dormis	je dorme	dormant
tu dors						tu dormes	
il dort						il dorme	
nous dormons						nous dormions	
vous dormez						vous dormiez	
ils dorment						ils dorment	

Grammaire

Present	Perfect	Imperfect	Future	Conditional	Past historic	Present subjunctive	Present participle

écrire – to write

Present	Perfect	Imperfect	Future	Conditional	Past historic	Present subjunctive	Present participle
j'écris	j'ai écrit	j'écrivais	j'écrirai	j'écrirais	j'écrivis	j'écrive	écrivant
tu écris						tu écrives	
il écrit						il écrive	
nous écrivons						nous écrivions	
vous écrivez						vous écriviez	
ils écrivent						ils écrivent	

envoyer – to send

Present	Perfect	Imperfect	Future	Conditional	Past historic	Present subjunctive	Present participle
j'envoie	j'ai envoyé	j'envoyais	j'enverrai	j'enverrais	j'envoyais	j'envoie	envoyant
tu envoies						tu envoies	
il envoie						il envoie	
nous envoyons						nous envoyions	
vous envoyez						vous envoyiez	
ils envoient						ils envoient	

être – to be

Present	Perfect	Imperfect	Future	Conditional	Past historic	Present subjunctive	Present participle
je suis	j'ai été	j'étais	je serai	je serais	je fus	je sois	étant
tu es						tu sois	
il est						il soit	
nous sommes						nous soyons	
vous êtes						vous soyez	
ils sont						ils soient	

faire – to do, to make

Present	Perfect	Imperfect	Future	Conditional	Past historic	Present subjunctive	Present participle
je fais	j'ai fait	je faisais	je ferai	je ferais	je fis	je fasse	faisant
tu fais						tu fasses	
il fait						il fasse	
nous faisons						nous fassions	
vous faites						vous fassiez	
ils font						ils fassent	

falloir – to be necessary (must)

Present	Perfect	Imperfect	Future	Conditional	Past historic	Present subjunctive	Present participle
il faut	il a fallu	il fallait	il faudra	il faudrait	il fallut	il faille	-

Present	Perfect	Imperfect	Future	Conditional	Past historic	Present subjunctive	Present participle

lire – to read

Present	Perfect	Imperfect	Future	Conditional	Past historic	Present subjunctive	Present participle
je lis	j'ai lu	je lisais	je lirai	je lirais	je lus	je lise	lisant
tu lis						tu lises	
il lit						il lise	
nous lisons						nous lisions	
vous lisez						vous lisiez	
ils lisent						ils lisent	

mettre – to put, put on

Present	Perfect	Imperfect	Future	Conditional	Past historic	Present subjunctive	Present participle
je mets	j'ai mis	je mettais	je mettrai	je mettrais	je mis	je mette	mettant
tu mets						tu mettes	
il met						il mette	
nous mettons						nous mettions	
vous mettez						vous mettiez	
ils mettent						ils mettent	

mourir – to die

Present	Perfect	Imperfect	Future	Conditional	Past historic	Present subjunctive	Present participle
je meurs	je suis mort(e)	je mourais	je mourrai	je mourrais	je mourus	je meure	mourant
tu meurs						tu meures	
il meurt						il meure	
nous mourons						nous mourions	
vous mourez						vous mouriez	
ils meurent						ils meurent	

ouvrir – to open

Present	Perfect	Imperfect	Future	Conditional	Past historic	Present subjunctive	Present participle
j'ouvre	j'ai ouvert	j'ouvrais	j'ouvrirai	j'ouvrirais	j'ouvris	j'ouvre	ouvrant
tu ouvres						tu ouvres	
il ouvre						il ouvre	
nous ouvrons						nous ouvrions	
vous ouvrez						vous ouvriez	
ils ouvrent						ils ouvrent	

NOTE *couvrir, découvrir, offrir* and *souffrir* are formed in a similar way.

Grammaire

Present	Perfect	Imperfect	Future	Conditional	Past historic	Present subjunctive	Present participle

partir

Present	Perfect	Imperfect	Future	Conditional	Past historic	Present subjunctive	Present participle
je pars	je suis parti(e)	je partais	je partirai	je partirais	je partis	je parte	partant
tu pars						tu partes	
il part						il parte	
nous partons						nous partions	
vous partez						vous partiez	
ils partent						ils partent	

pleuvoir – to rain

Present	Perfect	Imperfect	Future	Conditional	Past historic	Present subjunctive	Present participle
il pleut	il a plu	il pleuvait	il pleuvra	il pleuvrait	il plut	il pleuve	pleuvant

pouvoir – to be able (can)

Present	Perfect	Imperfect	Future	Conditional	Past historic	Present subjunctive	Present participle
je peux	j'ai pu	je pouvais	je pourrai	je pourrais	je pus	je puisse	pouvant
tu peux						tu puisses	
il peut						il puisse	
nous pouvons						nous puissions	
vous pouvez						vous puissiez	
ils peuvent						ils puissent	

NOTE An alternative form of the first person singular (present tense) exists in the question form *Puis-je?*

prendre – to take

Present	Perfect	Imperfect	Future	Conditional	Past historic	Present subjunctive	Present participle
je prends	j'ai pris	je prenais	je prendrai	je prendrais	je pris	je prenne	prenant
tu prends						tu prennes	
il prend						il prenne	
nous prenons						nous prenions	
vous prenez						vous preniez	
ils prennent						ils prennent	

recevoir – to receive

Present	Perfect	Imperfect	Future	Conditional	Past historic	Present subjunctive	Present participle
je reçois	j'ai reçu	je recevais	je recevrai	je recevrais	je reçus	je reçoive	recevant
tu reçois						tu reçoives	
il reçoit						il reçoive	
nous recevons						nous recevions	
vous recevez						vous receviez	
ils reçoivent						ils reçoivent	

NOTE Other verbs ending in -*evoir*, such as *apercevoir*, are formed in the same way.

Present	Perfect	Imperfect	Future	Conditional	Past historic	Present subjunctive	Present participle

rire – to laugh

Present	Perfect	Imperfect	Future	Conditional	Past historic	Present subjunctive	Present participle
je ris	j'ai ri	je riais	je rirai	je rirais	je ris	je rie	riant
tu ris						tu ries	
il rit						il rie	
nous rions						nous riions	
vous riez						vous riiez	
ils rient						ils rient	

NOTE *Sourire* is formed in the same way.

savoir – to know (a fact), to know how to

Present	Perfect	Imperfect	Future	Conditional	Past historic	Present subjunctive	Present participle
je sais	j'ai su	je savais	je saurai	je saurais	je sus	je sache	sachant
tu sais						tu saches	
il sait						il sache	
nous savons						nous sachions	
vous savez						vous sachiez	
ils savent						ils sachent	

sentir – to feel, to smell

Present	Perfect	Imperfect	Future	Conditional	Past historic	Present subjunctive	Present participle
je sens	j'ai senti	je sentais	je sentirai	je sentirais	je sentis	je sente	sentant
tu sens						tu sentes	
il sent						il sente	
nous sentons						nous sentions	
vous sentez						vous sentiez	
ils sentent						ils sentent	

NOTE *servir* (*nous servons*, etc.) is formed in the same way.

sortir – to go out

Present	Perfect	Imperfect	Future	Conditional	Past historic	Present subjunctive	Present participle
je sors	je suis sorti(e)	je sortais	je sortirai	je sortirais	je sortis	je sorte	sortant
tu sors						tu sortes	
il sort						il sorte	
nous sortons						nous sortions	
vous sortez						vous sortiez	
ils sortent						ils sortent	

Grammaire

Present	Perfect	Imperfect	Future	Conditional	Past historic	Present subjunctive	Present participle

suivre – to follow

Present	Perfect	Imperfect	Future	Conditional	Past historic	Present subjunctive	Present participle
je suis	j'ai suivi	je suivais	je suivrai	je suivrais	je suivis	je suive	suivant
tu suis						tu suives	
il suit						il suive	
nous suivons						nous suivions	
vous suivez						vous suiviez	
ils suivent						ils suivent	

tenir – to hold

Present	Perfect	Imperfect	Future	Conditional	Past historic	Present subjunctive	Present participle
je tiens	j'ai tenu	je tenais	je tiendrai	je tiendrais	je tins	je tienne	tenant
tu tiens						tu tiennes	
il tient					il tint	il tienne	
nous tenons					nous tînmes	nous tenions	
vous tenez						vous teniez	
ils tiennent					ils tinrent	ils tiennent	

NOTE The same formation applies to verbs such as *appartenir, contenir* and *retenir*.

venir – to come

Present	Perfect	Imperfect	Future	Conditional	Past historic	Present subjunctive	Present participle
je viens	je suis venu(e)	je venais	je viendrai	je viendrais	je vins	je vienne	venant
tu viens						tu viennes	
il vient					il vint	il vienne	
nous venons					nous vînmes	nous venions	
vous venez						vous veniez	
ils viennent					ils vinrent	ils viennent	

vivre – to live

Present	Perfect	Imperfect	Future	Conditional	Past historic	Present subjunctive	Present participle
je vis	j'ai vécu	je vivais	je vivrai	je vivrais	je vécus	je vive	vivant
tu vis						tu vives	
il vit						il vive	
nous vivons						nous vivions	
vous vivez						vous viviez	
ils vivent						ils vivent	

voir – to see

Present	Perfect	Imperfect	Future	Conditional	Past historic	Present subjunctive	Present participle
je vois	j'ai vu	je voyais	je verrai	je verrais	je vis	je voie	voyant
tu vois						tu voies	
il voit						il voie	
nous voyons						nous voyions	
vous voyez						vous voyiez	
ils voient						ils voient	

Present	Perfect	Imperfect	Future	Conditional	Past historic	Present subjunctive	Present participle

vouloir – to want, be willing

Present	Perfect	Imperfect	Future	Conditional	Past historic	Present subjunctive	Present participle
je veux	j'ai voulu	je voulais	je voudrai	je voudrais	je voulu	je veuille	voulant
tu veux						tu veuilles	
il veut						il veuille	
nous voulons						nous voulions	
vous voulez						vous vouliez	
ils veulent						ils veuillent	

Less common irregular verbs

acquérir – to acquire

Present	Perfect	Imperfect	Future	Conditional	Past historic	Present subjunctive	Present participle
j'acquiers	j'ai acquis	j'acquérais	j'acquerrai	j'acquerrais	j'acquis	j'acquière	acquérant
tu acquiers						tu acquières	
il acquiert						il acquière	
nous acquérons						nous acquérions	
vous acquérez						vous acquériez	
ils acquièrent						ils acquièrent	

NOTE *conquérir* is formed in the same way.

s'asseoir – to sit down

Present	Perfect	Imperfect	Future	Conditional	Past historic	Present subjunctive	Present participle
je m'assieds	je me suis assis(s)	je m'asseyais	je m'assiérai OR je m'asseyerai	je m'assiérais OR je m'asseyerais	je m'assis	je m'asseye	(s')asseyant
tu t'assieds						tu t'asseyes	
il s'assied						il s'asseye	
nous nous asseyons						nous nous asseyions	
vous vous asseyez						vous vous asseyiez	
ils s'asseyent						ils s'asseyent	

NOTE Alternative forms with *o* (*je m'assois*, etc.) are also used.

coudre – to sew

Present	Perfect	Imperfect	Future	Conditional	Past historic	Present subjunctive	Present participle
je couds	j'ai cousu	je cousais	je coudrai	je coudrais	je cousis	je couse	cousant
tu couds						tu couses	
il coud						il couse	
nous cousons						nous cousions	
vous cousez						vous cousiez	
ils cousent						ils cousent	

Grammaire

Present	Perfect	Imperfect	Future	Conditional	Past historic	Present subjunctive	Present participle

croître – to grow, increase

Present	Perfect	Imperfect	Future	Conditional	Past historic	Present subjunctive	Present participle
je crois	j'ai crû	je croissais	je croîtrai	je croîtrais	je crûs	je croisse	croissant
tu crois						tu croisses	
il croit						il croisse	
nous croissons						nous croissions	
vous croissez						vous croissiez	
ils croissent						ils croissent	

cueillir – to pick, gather

Present	Perfect	Imperfect	Future	Conditional	Past historic	Present subjunctive	Present participle
je cueille	j'ai cueilli	je cueillais	je cueillerai	je cueillerais	je cueillis	je cueille	cueillant
tu cueilles						tu cueilles	
il cueille						il cueille	
nous cueillons						nous cueillions	
vous cueillez						vous cueilliez	
ils cueillent						ils cueillent	

cuire – to cook

Present	Perfect	Imperfect	Future	Conditional	Past historic	Present subjunctive	Present participle
je cuis	j'ai cuit	je cuisais	je cuirai	je cuirais	je cuisis	je cuise	cuisant
tu cuis						tu cuises	
il cuit						il cuise	
nous cuisons						nous cuisions	
vous cuisez						vous cuisiez	
ils cuisent						ils cuisent	

fuir – to flee

Present	Perfect	Imperfect	Future	Conditional	Past historic	Present subjunctive	Present participle
je fuis	j'ai fui	je fuyais	je fuirai	je fuirais	je fuis	je fuie	fuyant
tu fuis						tu fuies	
il fuit						il fuie	
nous fuyons						nous fuyions	
vous fuyez						vous fuyiez	
ils fuient						ils fuient	

haïr – to hate

Present	Perfect	Imperfect	Future	Conditional	Past historic	Present subjunctive	Present participle
je hais	j'ai haï	je haïssais	je haïrai	je haïrais	je haïs	je haïsse	haïssant
tu hais						tu haïsses	
il hait						il haïsse	
nous haïssons						nous haïssions	
vous haïssez						vous haïssiez	
ils haïssent						ils haïssent	

Present	Perfect	Imperfect	Future	Conditional	Past historic	Present subjunctive	Present participle

inclure – to include

Present	Perfect	Imperfect	Future	Conditional	Past historic	Present subjunctive	Present participle
j'inclus	j'ai inclus	j'incluais	j'inclurai	j'inclurais	j'inclus	j'inclue	incluant
tu inclus						tu inclues	
il inclut						il inclue	
nous incluons						nous incluions	
vous incluez						vous incluiez	
ils incluent						ils incluent	

NOTE *conclure* and *exclure* are formed in the same way except that their past participles are *conclu* and *exclu* respectively.

mouvoir – to move

Present	Perfect	Imperfect	Future	Conditional	Past historic	Present subjunctive	Present participle
je meus	j'ai mû	je mouvais	je mourrai	je mourrais	je mus	je meuve	mouvant
tu meus						tu meuves	
il meut						il meuve	
nous mouvons						nous mouvions	
vous mouvez						vous mouviez	
ils meuvent						ils meuvent	

naître – to be born

Present	Perfect	Imperfect	Future	Conditional	Past historic	Present subjunctive	Present participle
je nais	je suis né(e)	je naissais	je naîtrai	je naîtrais	je naquis	je naisse	naissant
tu nais						tu naisses	
il naît						il naisse	
nous naissons						nous naissions	
vous naissez						vous naissiez	
ils naissent						ils naissent	

nuire – to harm

Present	Perfect	Imperfect	Future	Conditional	Past historic	Present subjunctive	Present participle
je nuis	j'ai nui	je nuisais	je nuirai	je nuirais	je nuisis	je nuise	nuisant
tu nuis						tu nuises	
il nuit						il nuise	
nous nuisons						nous nuisions	
vous nuisez						vous nuisiez	
ils nuisent						ils nuisent	

NOTE *luire* is formed in the same way.

Present	Perfect	Imperfect	Future	Conditional	Past historic	Present subjunctive	Present participle

plaire – to please

Present	Perfect	Imperfect	Future	Conditional	Past historic	Present subjunctive	Present participle
je plais	j'ai plu	je plaisais	je plairai	je plairais	je plus	je plaise	plaisant
tu plais						tu plaises	
il plaît						il plaise	
nous plaisons						nous plaisions	
vous plaisez						vous plaisiez	
ils plaisent						ils plaisent	

résoudre – to solve

Present	Perfect	Imperfect	Future	Conditional	Past historic	Present subjunctive	Present participle
je résous	j'ai résolu	je résolvais	je résoudrai	je résoudrais	je résolus	je résolve	résolvant
tu résous						tu résolves	
il résout						il résolve	
nous résolvons						nous résolvions	
vous résolvez						vous résolviez	
ils résolvent						ils résolvent	

rompre – to break

Present	Perfect	Imperfect	Future	Conditional	Past historic	Present subjunctive	Present participle
je romps	j'ai rompu	je rompais	je romprai	je romprais	je rompis	je rompe	rompant
tu romps						tu rompes	
il rompt						il rompe	
nous rompons						nous rompions	
vous rompez						vous rompiez	
ils rompent						ils rompent	

suffire – to be sufficient

Present	Perfect	Imperfect	Future	Conditional	Past historic	Present subjunctive	Present participle
je suffis	j'ai suffi	je suffisais	je suffirai	je suffirais	je suffis	je suffise	suffisant
tu suffis						tu suffises	
il suffit						il suffise	
nous suffisons						nous suffisions	
vous suffisez						vous suffisiez	
ils suffisent						ils suffisent	

Present	Perfect	Imperfect	Future	Conditional	Past historic	Present subjunctive	Present participle

se taire – to be silent

Present	Perfect	Imperfect	Future	Conditional	Past historic	Present subjunctive	Present participle
je me tais	je me suis tut(e)	je me taisais	je me tairai	je me tairais	je me tus	je me taise	(se) taisant
tu te tais						tu te taises	
il se tait						il se taise	
nous nous taisons						nous nous taisions	
vous vous taisez						vous vous taisiez	
ils se taisent						ils se taisent	

vaincre – to conquer

Present	Perfect	Imperfect	Future	Conditional	Past historic	Present subjunctive	Present participle
je vaincs	j'ai vaincu	je vainquais	je vaincrai	je vaincrais	je vainquis	je vainque	vainquant
tu vaincs						tu vainques	
il vainc						il vainque	
nous vainquons						nous vainquions	
vous vainquez						vous vainquiez	
ils vainquent						ils vainquent	

valoir – to be worth

Present	Perfect	Imperfect	Future	Conditional	Past historic	Present subjunctive	Present participle
je vaux	j'ai valu	je valais	je vaudrai	je vaudrais	je valus	je vaille	valant
tu vaux						tu vailles	
il vaut						il vaille	
nous valons						nous valions	
vous valez						vous valiez	
ils valent						ils vaillent	

Expressions utiles

Fréquence *Frequency*

(pratiquement) tout le temps	*(almost) all the time*	parfois	*sometimes*
tous les jours	*every day*	pas beaucoup	*not a lot*
souvent	*often*	relativement peu	*relatively rarely*
régulièrement	*regularly*	deux fois par semaine	*twice a week*
beaucoup	*a lot*	une fois par semaine	*once a week*
pas mal de	*quite a lot of*		

Degré et quantité *Degree and quantity*

un peu	*a little*	peu	*a little*
plutôt	*rather*	près de	*nearly*
très	*very*	pas moins de	*not less than*
tout à fait	*completely*	environ	*about*
vraiment	*really*	pas plus de	*not more than*
trop	*too much*	à peu près	*approximatively*

Passé et présent *Past and present*

autrefois	*in the old days*	lors de	*during, as part of*
avant/auparavant	*before/earlier*	aujourd'hui	*today*
à cette époque	*at that time*	de nos jours	*nowadays*
dès (son enfance)	*from (his/her childhood) onwards*	maintenant	*now*
suite à	*following*	Dans le passé, … , tandis qu'aujourd'hui	*In the past, … , whereas today*

Comparer *Comparing*

plus … que	*more … than*	le meilleur/la meilleure	*the best*
aussi … que	*as … as*	la/la pire	*the worst*
moins … que	*less … than*	sans rapport avec	*unrelated to*
le moins/le plus	*the least/the most*	contrairement à	*contrary to*

Raconter une histoire *Telling a story*

On a vu	*We saw*	J'ai (vraiment) aimé	*I (really) enjoyed*
On a fait	*We did*	C'était génial de	*It was great to*
Je me souviens (très bien) de la fois où	*I remember (well) the time when*	J'ai même	*I even*

Expliquer des statistiques — *Explaining statistics*

Selon/D'après certains chiffres,	According to some figures,
Les études/analyses montrent que	Studies/Analysis shows (that)
La destination la plus/moins populaire est	The most/least popular destination is
Plus de/Moins de Français vont à X qu'à Y.	More/Fewer French people go to X than to Y.
Autant de Français vont à X qu'à Y.	As many French people go to X as to Y.
Vingt pour cent vont à X tandis que 15% vont à Y.	Twenty percent go to X while 15% go to Y.
La plupart/La majorité des Français vont à	Most/A majority of French people go to
Les pourcentages de … atteignent	The proportion of … reaches
Le nombre de X augmente/est en hausse.	The number of X is increasing.
Le nombre de X est en progression.	The number of X is increasing.
Le nombre de X diminue/est en baisse.	The number of X is decreasing.
Le nombre de X chute.	The number of X is falling.
Le nombre de X devance largement Y.	The number of X is well ahead of Y.
On peut parler d'une augmentation significative.	We can talk about a significant increase.
On compte plus de X entre … et …	There are more X between … and …
en moyenne	on average

Décrire une perspective d'avenir — *Describing a future prospect*

il y aura plus de/moins de	there will be more/less/fewer
ce qui améliorera/créera/causera	which will improve/create/cause
des problèmes comme/tels que	problems such as
aller de mieux en mieux/de pire en pire	to get better and better/worse and worse
au lieu de	instead of
sinon,	if not,

Discuter d'un texte — *Discussing a text*

Le thème majeur de ce texte, c'est	The main theme of this text is
Dans ce texte, il s'agit de	This text is about
Selon ce texte, il y a de plus en plus de	According to this text, there is/are more and more

Exprimer ses goûts — *Expressing appreciation*

Personnellement,	Personally,
Je dois dire que	I must say (that)
Il faut avouer que	I must admit (that)
On ne peut pas nier que [+subj]	I can't deny (that)
J'apprécie beaucoup (ce genre/style de)	I really like (this type/style of)
Je ne supporte pas	I can't stand
J'ai horreur de	I hate
(Ce genre/style de) me plaît beaucoup.	I really enjoy (this type/style of)
(Ce genre/style de) me paraît tout à fait/plutôt/un peu trop	I find (this type/style of …) quite/rather/a little too
Je n'ai pas l'habitude de lire/regarder/écouter (ce genre de)	I don't normally read/watch/listen to (this type of)
Je trouve (ce genre/ce film/ce livre/cette chanson)	I find (this type/this film/this book/this song)

Présenter l'information — *Presenting facts and information*

En ce qui concerne X,	As far as X is concerned,
Dans le domaine de	In the field of
En premier/deuxième lieu,	First of all/Secondly,
Selon les statistiques, …	According to statistics, …
Beaucoup de/Trop de/Cinquante pour cent de …	A lot of/Too many/Fifty percent of …
On pourrait penser/croire que	You might think/believe that
De plus/D'ailleurs,	Moreover/What's more,

Expressions utiles

Organiser les idées *Organising ideas*

Premièrement,	*First of all,*	En définitive,	*In the final analysis,*
Dans un premier temps/ En premier lieu,	*To start with,*	Tout bien considéré,	*When all is said and done,*
		J'aimerais conclure en disant que	*I'd like to conclude by saying*
Deuxièmement/ Dans un deuxième temps,	*Secondly,*	On ne peut arriver qu'à une conclusion logique	*There is only one logical conclusion*
Alors,	*So,*	D'ailleurs/De plus,	*Besides/Moreover,*
Finalement/Enfin,	*Finally,*	Ajoutons que	*Let's add that*
Pour résumer/En résumé,	*To sum up,*	Quant à	*As for*
En un mot/En bref,	*In a word,*	Cependant/Pourtant/Néanmoins,	*However/Nevertheless,*
En (guise de) conclusion/ Pour conclure,	*To conclude,*	Par contre/En revanche,	*On the other hand,*
		Quoi qu'il en soit,	*Whatever the case,*
En dernier lieu,	*To finish,*	Alors que/Tandis que	*Whereas*
En somme,	*To sum up,*		

Décrire un problème *Describing a problem*

Un des (plus grands) problèmes, c'est	*One of the main problems is*	C'est à la fois choquant et inquiétant.	*It's both shocking and worrying.*
Il est évident/clair/manifeste que	*It is obvious/clear (that)*	Une autre difficulté est le fait que	*Another difficulty is the fact that*
Il apparaît que	*It would seem (that)*		

Proposer des solutions à un problème *Suggesting solutions to a problem*

Comment adresser/résoudre le problème?	*How can the problem be tackled/solved?*	Il ne suffit pas de	*It isn't enough to*
Des mesures d'urgence s'imposent.	*Urgent action is needed.*	Il est important/essentiel/ capital de [+inf]/que [+subj]	*It is important/essential/ capital to*
Il s'agit de	*It is necessary to*	Il est urgent de [+inf]/que [+subj]	*It is urgent to*
Il faut/faudrait [+inf]/Il faut/ faudrait que [+subj]	*We must/should*	On pourrait/On devrait/Il faudrait	*We could/We should*
		Ce qui compte par-dessus tout, c'est que [+subj]	*What matters most is that*
Il suffit de	*All there is to do is*		

Persuader *Persuading*

Pourquoi (donc) ne pas [+inf]?	*(So) why not … ?*	Faisons face à la réalité/à la vérité/aux faits.	*Let's face reality/the truth/ the facts.*
Ne serait-il pas mieux/préférable/ plus facile/plus efficace de [+ inf]?	*Wouldn't it be better/ preferable/easier/more effective to … ?*	Soyons réalistes/positifs/ pratiques.	*Let's be realistic/positive/ practical.*
La meilleure solution ne serait-elle pas de [+inf]?	*Wouldn't the best solution be to … ?*	Cherchons une autre/meilleure solution.	*Let's find another/better solution.*
Comment nier le fait que … ?	*How can you deny the fact that … ?*	avant qu'il ne soit trop tard	*before it's too late*
		si on ne veut pas finir par	*if we don't want to end up*

Faire des suggestions — *Making suggestions*

Il y a plusieurs/maintes possibilités.	*There are several/many possibilities.*	Tu pourrais devenir	*You could become*
Tu pourrais envisager de [+inf]	*You could envisage*	Tu devrais considérer (le métier de)	*You should consider (a job like)*

Exprimer un point de vue — *Expressing a viewpoint*

Je crois que	*I believe (that)*	Je pense qu'on peut/qu'on ne peut pas [+inf]	*I think we can/can't*
J'estime/Je considère que	*I consider (that)*		
Je suis certain(e)/convaincu(e) que	*I'm sure/convinced (that)*	Je ne pense pas qu'il soit possible de [+inf]	*I don't think it is possible to*
Je suis persuadé(e) que	*I'm certain (that)*	Il vaut/vaudrait mieux [+inf]/ Il vaut/vaudrait mieux que [+subj]	*It would be better to*
Je trouve inadmissible que	*I find it unacceptable (that)*		
Cela me choque que	*I'm shocked (that)*	À mon avis/Selon moi/D'après moi, il faut [+inf]	*I think we should*
On exagère quand on affirme	*It is an exaggeration to state*		
On a tort/raison de croire	*It is wrong/right to believe*	Pour ma part, je pense	*As for me, I think*
Il me semble que	*It seems to me (that)*	Moi personnellement,	*Personally,*
		Comme je l'ai déjà dit,	*As I've already said,*

Justifier un point de vue — *Justifying a viewpoint*

à cause de/en raison de	*because of*	N'oublions pas que	*Let's not forget (that)*
parce que/puisque/car	*because*	Prenons l'exemple de	*Take the example of*
faute de	*for the lack of*	Considérons le cas de	*Consider the case of*
grâce à	*thanks to*	Il faut attirer l'attention sur (le fait que)	*We should draw attention to (the fact that)*
comme	*as*		
(L'augmentation) est due au fait qu'il y a	*(The increase) is due to the fact that there is*		

Nuancer une opinion — *Qualifying an opinion*

malgré le fait que	*in spite of the fact (that)*	Certes, il est vrai que ... , mais	*Although it is a fact that ... ,*
à condition que	*on the condition (that)*	Je doute que [+subj]	*I doubt (that)*
même si	*even though*	Il est possible que [+subj]	*it is possible (that)*
sauf	*except that*		

Présenter des arguments par écrit — *Presenting arguments in writing*

Certes, il est indéniable que	*True, it can't be denied that*	Il faut attirer l'attention sur le fait que	*It's important to draw attention to the fact that*
Sans doute,	*It is true that*		
Toutefois,	*However,*	Il faut déterminer les causes (de)	*We must identify the causes (of)*
Soulignons que/Notons que	*Let me point out that*		
Il faut tenir compte de	*You have to take into account*	Il me semble injuste de (dire)	*It seems to me unfair to (say)*
		Considérons l'exemple de	*Let's take the example of*

Émettre une hypothèse — *Formulating a hypothesis*

Je présume que	*I assume (that)*	J'imagine que	*I imagine (that)*
Je suppose que	*I suppose (that)*		

Évaluer les avantages et les inconvénients — *Evaluating advantages and disadvantages*

Un avantage/inconvénient, c'est que	*One advantage/ disadvantage is that*	En revanche/Par contre,	*On the other hand,*
D'un côté, … , de l'autre côté/ d'un autre côté	*On the one hand, … , on the other hand*	Le revers de la médaille, c'est que	*The downside is that*
		Certes, mais	*True, but*
D'une part, … , d'autre part	*On the one hand, … , on the other hand*	Peut-être, mais	*Maybe, but*
		Oui, c'est vrai, mais	*Yes, that's true, but*
		C'est exact, mais	*That's true, but*

Exprimer son accord — *Agreeing*

Tu as/Vous avez/[Nom] a bien raison.	*You're/[Name] is quite right.*	Je partage ton avis/ ton opinion.	*I share your view/your opinion.*
Je suis tout à fait/complètement/ totalement d'accord avec	*I totally agree with*	Je partage l'opinion/ l'optimisme/les inquiétudes de	*I share the opinion/ optimism/concerns of*
Je suis en partie/partiellement/ plus ou moins d'accord avec	*I partly/more or less agree with*		

Exprimer son désaccord/Contredire — *Disagreeing/Contradicting*

Au contraire,	*On the contrary,*	Mais c'est une absurdité/ n'importe quoi!	*But it's absurd/complete nonsense!*
Tu as/Vous avez/[Nom] a complètement tort.	*You're/[Name] is completely wrong.*	C'est un argument ridicule.	*It's a ridiculous argument.*
Je ne suis pas (du tout) d'accord avec	*I don't agree (at all) with*	C'est absurde de dire que	*It's absurd to say (that)*
Je ne suis pas entièrement/ tellement/vraiment d'accord avec toi/[Nom].	*I'm not entirely/really in agreement with you/ [name].*	Je suis désolé(e), mais tu oublies/vous oubliez que	*I'm sorry, but you're forgetting that*
Tu oublies/Vous oubliez que	*You're forgetting (that)*	Tu ne tiens/Vous ne tenez pas compte de …	*You're not taking … into account …*
Tu vas/[Nom] va trop loin quand tu dis/quand il/elle dit	*You are going too far when you say/[Name] is going too far when he/she says*	Peut-être, mais	*Maybe, but*
		Toutefois,	*However,*
		Cela dit, on doit admettre que	*Having said that, you must admit (that)*
Je refuse d'accepter ça.	*I refuse to accept that.*	Que X soit … , c'est exact, mais	*It is a fact that X is … , but*

Décrire le point de vue des autres — *Describing others' point of view*

Beaucoup de gens disent que	*A lot of people say (that)*	affirmer/soutenir/	*to assert/to insist/*
Certains croient que	*Some believe (that)*	révéler/ expliquer/	*to reveal/to explain/*
Certaines personnes trouvent que	*Some people find (that)*	préciser/rapporter/	*to specify/to report/*
D'autres déclarent/maintiennent	*Others declare/maintain*	répondre/se plaindre/	*to answer/to complain/*
Une majorité de personnes pensent que	*Most people think (that)*	avouer que	*to admit (that)*
		D'après certains,	*According to some,*
Une minorité considère que	*A few people consider (that)*	Selon d'autres,	*According to others,*
On estime que	*It is thought (that)*	Les uns/Les autres	*Some/Others*

ACKNOWLEDGEMENTS

Anneli McLachlan would like to thank: Joanne and Didier Facchin, Alex Harvey, Julian Harvey, Alastair White, Mathilde Yang and Dinah Nuttall.

The publishers would like to thank:
Richard Marsden, Howard Horsfall, Clive Bell, Charonne Prosser, Kirsty Thathapudi, Isabelle Retailleau, Sabine Tartarin, Colette Thomson, Andrew Garratt, Lisa Probert, Helen Ryder at The Becket school Nottingham, Young Digital Planet.

The authors and publishers would like to thank the following individuals and organisations for permission to reproduce material in this book. In some sources, the wording has been adapted.

Page 10: Zoom Actu, Encyclopédie Contributive Larousse. fr © Larousse 2008; © Ça m'intéresse, Prisma Presse 2008; © Témoignage de Bernard Vidal sur www.civismemoria.fr; **Page 14:** © Julie de La Patellière pour Evene.fr, Octobre 2007; **Pages 16–17:** Annie Ernaux, *La Place* © Éditions Gallimard; **Page 17:** © Christine Ferniot/Lire/2005; **Pages 18–19:** Eugène Ionesco, *Rhinocéros* © Éditions Gallimard; **Page 18:** © www.alalettre.com; © Denis C. Meyer – University of Hong Kong; **Page 20:** © Centre Pompidou, www.centrepompidou.fr/education, Extrait du dossier "Grandes figures de l'art moderne, Marcel Duchamp dans les collections du Musée national d'art moderne". Auteur: Vanessa Morisset; Noélie Viallet et Jean-Yves Dana, Okapi, 1/12/07, Bayard Presse; **Page 22:** www.texti.net/intersoie/etapes; **Page 24:** www.batiweb.com; www.villes-en-france.org; **Page 25:** Citations de Jean Nouvel, www.imaginetonfutur.com/AFP; **Pages 36–37, 51:** Le Monde des Ados, issue 167, Juin 2007; **Page 38:** www.caradisiac.com; Stéphane Jourdain, AFP, 26/10/07; **Pages 38, 40:** Ça m'intéresse, July 2007; Éric Parent, Climat Mundi, www.climatmundi.fr; **Page 41:** Phosphore, July 2007, Bayard Presse; Géo Ados, June 2007, Prisma Presse; **Pages 41, 49:** Phosphore, June 2007, Bayard Presse; **Page 44, 51:** Phosphore, issue 308, Sept 2007; **Page 45:** Inserm/Enerdata; © OECD/IEA; **Page 46:** Gérard Mermet, Francoscopie 2007, © Larousse 2006; www.linternaute.com; Le Figaro, www.lefigaro.fr, 3/12/06; **Page 47:** © Extracts taken from "Lettre ouverte aux jeunes" by Nicolas Hulot, President of the Fondation Nicolas Hulot pour la Nature et l'Homme, www.fnh.org, published in Phosphore, May 2007, Bayard presse; AFP; www.afrik.com, 12/9/06, Panapresse; **Page 48:** © *Petit Livre vert pour la Terre* published by the Fondation Nicolas Hulot pour la Nature et l'Homme, www.fnh.org; © Extract from the editorial to the Petit Livre Vert pour la Terre by Nicolas Hulot, Fondation Nicolas Hulot pour la Nature et l'Homme, www.fnh.org and www.defipourlaterre.org; **Page 50:** Yann Arthus-Bertrand, president of Goodplanet.org, www.goodplanet. org, published on www.lexpress.fr, 6/12/07; **Page 58:** © Vincent Michelon, Métro France, www.metrofrance.com, 8/07/08; **Page 63:** © Anne de Kinkelin; **Page 64:** Macadam journal; © Gérard Mermet, Francoscopie 2007 © Larousse 2006; **Page 65:** www.M6info.fr; **Page 69:** © Ça m'intéresse, January 2007 p28/29, Prisma Presse 2008; **Page 70:** Adolescence, 1996, Marie-Jose AUDERSET et Jean-Blaise HELD, De La Martinière Jeunesse, 1996; **Page 72:** *Gamma Ecole*, Unit 5, p24/25, Gamma éditions; **Page 73:** © JM. Decugis, Ch. Labbé et O. Recasens, *Le Point* numéro 1837; **Page 74:** *La sécurité alimentaire, Gamma. Ecole active*, 2002 Andrea Smith et Claire Harte p22/3/4, Éditions Gamma; **Page 76:** www.fao.org, © FAO, 2003; **Page 77:** www.evene.fr; **Page 78:** Alexandre Fache, www.humanite. fr, L'Humanité 14/03/08; **Page 79:** Chanson Plus Bifluorée, *L'Imparfait du Subjonctif*, paroles de Claude Steiner; **Page 80:** © Ça m'intéresse, December 2006, Prisma Presse 2008; **Page 81:** www.inpactvirtuel.com; **Page 88:** www.libération.fr, 20/09/08; **Page 92:** Clémentine Autain, Les droits des femmes: l'inégalité en question, Éditions Milan; www.niputesnisoumises.com; **Page 93:** Zahra Hali, Collectif Les Mots sont importants, www.lmsi.net, January 2004; **Page 95:** Brigitte Lestrade, www.u-cergy.fr; **Page 96:** © Hélie Dehecq, www.lepoint.fr, 27/11/2007; **Page 97:** Frédérique Roland, www.lyongratuit. com site web d'actualité, 22/01/08; www.lemonde.fr, 24/01/08; **Page 98:** © 2007 La Case, www.lacaseauxenfants.org; www.mrap.fr, 01/10/07; **Page 100:** © Le Racisme expliqué à ma fille, Tahar Ben Jelloun © Éditions du Seuil, 1998, 2004; **Page 103:** Assmaâ Rakho Mom, www.saphirnews.com, 18/06/07; **Page 105:** Céline Turroques, www.rfi.fr, 16/06/06; **Page 112:** www.patrimoinecanadien.gc.ca.

The authors and publishers would like to thank the following individuals and organisations for permission to reproduce photographs:

AFP/Getty Images p.10; Alain Nogues Sygma/Corbis UK Ltd p.5; Andre Jenny/Alamy p.24; Antonio Scorza/AFP/Getty Images p.5; Architects Michel Targe and Jean Michel Wilmotte/artist Daniel Bure/photo André Morin/Lyon Parc Auto des Célestins p.24; Bildarchiv Monheim GmbH/Alamy p.24; Bogdan Cristel/Reuters/Corbis UK Ltd. p.103; Christine Strover/Alamy p.24; Collection cinema/www.Photo12.com p.14; Corbis/Reuters/Shannon Stapleton p.46; Corbis/Ryan Pyle pp.40, 44; Corbis/Wu Hong p.36; Cristina Ciochina/Shutterstock p.24; Christopher Pillitz/Alamy p.110; Denis Charlet/ AFP/Getty Images p.5; Directphoto.org/Alamy p.104; DreamPictures/Getty Images p.104; Émergences: www2.no-discrim.fr p.99; Eric Cabanis/AFP/Getty Images p.77; Eva-Lotta Jansson/Corbis UK Ltd p.93; Fancy/Punchstock p.35; Fancy/Veer/Corbis p.56; Getty Images / Cate Gillon p.40; Getty Images/Pierre Verdy pp.38, 41; Getty Images/Rick Nederstigt p.50; Getty Images/Romeo Gacad p.46; Gideon Mendel/Corbis UK Ltd. p.102; Gilles Fonlupt/Corbis UK Ltd p.61; Giry Daniel Sygma/Corbis UK Ltd p.91; Hemis/Alamy p.24; Horacio Villalobos/Epa/Corbis UK Ltd p.5; Image Source pp.69, 98; iStockphot/Jacques Croizer p.24; iStockphoto p.93; iStockphoto/Dan Talson p.24; iStockphoto/Josh Webb p.67; iStockphoto/Kycstudio p.110; Jack Picone/Alamy p.62; James McCauley/Rex Features p.105; Jamie Simpson/Alamy p.72; Judy Allan/iStockphoto p.20; Les Ladbury/Alamy p.104; Lordprice Collection/Alamy p.4; Mark Boulton/Alamy p.104; Mark William Richardson/Shutterstock p.43; Médecins Sans Frontières p.67; MedioImages/Alamy p.87; Museum of Modern Art/Photo Scala, Florence p.20; PA Photos p.67; Pascal Broze/Getty Images p.104; Pascal Pavani/AFP/Getty Images p.76; Patrick Kovarik/AFP/Getty Images pp.5, 95; Paul Cooper/Rex Features p.63; Pearson Education Ltd/Jules Selmes pp.64, 86; Philippe Huguen/AFP/Getty Images 95; Photodisc pp.20, 104; Photos 12/Alamy pp.13, 14; Pitchal Frederic/Sygma/Corbis UK Ltd p.64; RA/Lebrecht Music and Arts pp.11, 12, 14; Reg Lancaster/Express/Hulton Archive/Getty Images pp.5, 10; Reuters/Corbis UK Ltd p.81; Rex Features/Fotex p.36; Rex Features/Sipa Press pp.36, 39; Rex Features p.72; Roger Viollet/Hulton Archive/Getty Images p.4; Roger-Viollet/Rex Features p.4; Roger-Viollet/TopFoto pp.5, 11, 18; Ronald Grant Archive p.12; Sipa Press/Rex Features pp.72, 76, 97; SOS Racisme p.100; Susanne Walstrom/Getty Images p.104; Tadrart Films/Tessalit Productions p.100; The Art Archive/Musée Carnavalet Paris/Alfredo Dagli Orti p.21; The Art Archive/Museum of Modern Art New York/Gianni Dagli Orti p.21; The Israel Museum, Jerusalem, Israel/DACS/Vera & Arturo Schwarz Collection of Dada and Surrealist Art/Bridgeman Art Library p.20; TopFoto p.4; Ullstein Bild/akg-images p.5; Ville en 3D/Pages Jaunes p.22; Vincent Callebaut Architectures: www.vincent.callebaut.org p.24; Voisin/Phanie/Rex Features p.78; Wendy Kay/Alamy p 7; Wessel du Plooy/Shutterstock p.70.

The authors and publishers would like to thank the following individuals for permission to reproduce illustrations:

Page 14: Gotlib – Gotlib 10 - Rubrique-à-Brac T2 © DARGAUD 1991, by Gotlib www.dargaud.com, *All rights reserved.*
Page 16: Annie Ernaux, *La Place.* Collection "Folio". Couverture: photo © Loeïza Jacq
Page 74: *Gaspard, Stan, Alphone et le clonage thérapeutique* © Ray Clid.

Audio material:
Produced by Colette Thomson at Footstep Productions
Engineer: Andrew Garratt
Recorded at Air-Edel studios, London

Songs, page 11:
Extract 1: *Fire Fight*, Jan Cyrka/Toby Bricheno, KPM, KPMMUSICHOUSE
Extract 2: *Le Dédé*, Laurent Dury, Carlin, Carlin Production Music
Extract 3: *Suite für Mixtur-Trautonium und elektronisches Slagwerk (a)*, Oskar Sala, Selected Sound, KPMMUSICHOUSE
Extract 4: *Tough Girls Don't Cry*, Jez Miller, Twisted Nerves (SQ003), Sonic Silver

Every effort has been made to contact copyright holders of material reproduced in this book. Any omissions will be rectified in subsequent printings if notice is given to the publishers.

Heinemann is an imprint of Pearson Education Limited, a company incorporated in England and Wales, having its registered office at Edinburgh Gate, Harlow, Essex, CM20 2JE. Registered company number: 872828

www.heinemann.co.uk

Heinemann is a registered trade mark of Pearson Education Limited

First published 2009

15 14 13
10 9 8 7 6 5 4

British Library Cataloguing in Publication Data
A catalogue record for this book is available from the British Library

ISBN 978 0 435396 22 0

Produced by Ken Vail Graphic Design
Illustrated by The Bright Agency (Ned Woodman) and Ken Laidlaw apart from:
Page 14: © DARGAUD 1991; Page 74: © Ray Clid.
Cover design by Jonathan Williams
Picture research by Cristina Lombardo at Zooid
Cover photo: Nigel Francis/Robert Harding
Printed in Malaysia, CTP-VVP

Interactive CD-ROM developed by Young Digital Planet

Websites
The websites used in this book were correct and up-to-date at the time of publication. It is essential for tutors to preview each website before using it in class so as to ensure that the URL is still accurate, relevant and appropriate. We suggest that tutors bookmark useful websites and consider enabling students to access them through the school/college intranet.